善本劇曲經眼錄

張棣華著

文史哲出版社印行

國家圖書館出版品預行編目資料

善本劇曲經眼錄 / 張棣華著. -- 再版. -- 臺北市：文史哲出版社，民 112.12
面： 公分
ISBN 978-986-314-662-9（平裝）

1.CST：中國戲劇 2.CST：古籍目錄

016.853　　112022275

善本劇曲經眼錄

著者：張棣華
出版者：文史哲出版社
登記證字號：行政院新聞局版臺業字〇七五五號
發行人：彭正雄
發行所：文史哲出版社
印刷者：文史哲出版社
臺北市羅斯福路一段七十二巷四號
郵政劃撥帳號：一六一八〇一七五
電話886-2-23511028・傳真886-2-23965656

定價新臺幣四六〇元

一九七六年（六十五年）六月初版（精裝）
二〇二三年（一一二年）十二月再版（平裝）

　87001
978-986-314-662-9

善本劇曲經眼錄

張棣華著

文史哲出版社印行

善本劇曲經眼錄

著　者：張　棣　華
出 版 者：文 史 哲 出 版 社
登記證字號：行政院新聞局局版臺業字〇七五五號
發 行 所：文 史 哲 出 版 社
印 刷 者：文 史 哲 出 版 社
臺北市羅斯福路一段七十二巷四號
臺北市郵政信箱七一一九九號
郵政劃撥儲金帳戶一六九九五號
電話：三五一一〇二八

定價：新台幣四六〇元

中華民國六十五年六月初版

善本劇曲經眼錄

目　　次

善本劇曲經眼錄

15049 董解元西廂記 四卷八冊

金董□撰，明臧懋循點定，明烏程閔氏刋朱墨套印本，國立中央圖書館收藏。匡高20.5公分，寬15公分。每半葉八行，每行十八字，小字雙行，每行亦十八字。白口，左右雙𢌿，欄外眉批及行間圈點皆朱色套印。版心上端刻書名、卷次，下刻葉數。每卷卷首大題「董解元西廂」，次行空十字題「顧渚山樵點定」。書前有清遠道人湯顯祖題辭二葉，其次批閱姓氏一葉，刋載臧懋循點定，何適、潘用賓、吳德輿、徐俠四人參閱，徐亮、閔聲、閔暎張三人裁定。再次圖十三幅，每圖單面，刻畫頗工緻。圖頁亦套印朱色眉批，批語多取曲文，例如「橫橋流水茅舍映荻花」、「澹烟瀟洒橫鎖兩三家」等，圖文並清雋不俗。

董西廂爲諸宮調形式，開元雜劇之先聲，通本雜綴市語，不取類書故實，樸實渾厚，當在王書之上。全書分作四卷，開卷有引辭兩套，就曲調計算，連尾聲共十曲。引辭之後，即是夾白夾唱之正文。吳梅先生跋此劇云：「書中不分齣目，最爲創格，未識當時搊彈家如何起畢？」據推測，當時講唱人必定自分章節，以便於彈唱，起止或看聽衆多少，或斟酌內容高潮，分作若干段落。馮沅君有董西廂原爲二十章之假定，謂元人改董西廂爲五本式之雜劇，或許與董書原來分章有關，董西廂原來或分爲二十章，元人因之，改爲二十折。此說亦有可能。（見馮沅君諸宮調的引辭與分章，文史雜誌第四卷第十一、十二期）

此本爲閔刻套印本，紙色潔白，套色清晰，頗爲悅目，書中鈐有「國立中央圖書館收藏」朱文小方印。另有二卷本一種，明末致和堂刋，收在會眞六幻記中，四卷鈔本一種，收在復莊今樂府選之中。

撰者董解元，名字籍里不可考，據鍾嗣成錄鬼簿記載，僅知爲金章宗時人而已。臧懋循，明長興人，字晉叔，萬曆進士。其人博聞強記，嗜戲曲，編有元曲選一百卷，又校定湯顯祖臨川四夢等劇，自著有負抱堂集。

15150 西廂記　五卷六册

元王實甫撰，關漢卿續，明烏程凌氏刋朱墨套印本，前國立北平圖書館收藏，國立中央圖書館保管。匡高20.8公分，寬14.8公分。每半葉八行，每行十八字，小字每行字數亦同。左右雙欄，欄外刻眉批，批語及圈點皆朱色套印。版心上端刻「西廂記幾」，下端記葉數。卷前有即空觀主人凌濛初撰凡例十則，謂此刻悉遵周憲王元本，一字不易置增損，即有一二鑿處當改者，亦但明註上方，以備參考。其次目錄，其次圖二十幅，單面，每圖以劇中題目正名一句爲圖目，首幅題「新安黃一彬刻」，末幅題「吳門王文眞寫」，刻畫俱精緻。卷末附元人增「對奕」一折，元稹會眞記一卷，其他詩詞題詠年譜之類俱不錄。「對奕」一折，時本所無，凡例稱「不詳何人所增，然大有元人老手，亦非匠筆所能，且即鶯紅事，棄之可惜，故特附錄之以公好事。」

案北曲每本只有四折，有情事過長而四折不能竟時，可別爲一本。此刻分五本，每本各四折，每折各有題目正名四句，是爲雜劇之正體。他本由一至二十折，每折又增以四字標目，如「佛殿奇逢」、「僧房假寓」之類，或易以二字名目，如「遇艷」、「投禪」之類，皆以南戲律之，遂使南北之體混淆不明。此本除題目正名外，不標齣目，自董西廂之後，此本或較諸本爲早。凌氏凡例亦云：「自贗本盛行，覽之每爲髮指。及得此本，始爲洒然。海內藏書家，倘有善本在此本前者，不惜指迷，亦藝林之一快，余必不敢強然自信也。」其意蓋謂此本在當時爲最善也。

此書每卷卷首大題「西廂記第幾本」，次行低九字題「元王實甫塡詞」，第五卷則題「元關漢卿塡詞」，第三行分別題「張君瑞鬧道場雜劇」、「崔鶯鶯夜聽琴雜劇」、「張君瑞害相思雜劇」、「草橋店夢鶯鶯雜劇」、「張君瑞慶團圓雜劇」。卷尾有題目正名，並有「西廂記第幾本終」字樣。第一三四五本另加楔子。每本終了又各附解證一卷，解釋此本各折特殊語句。

此書爲凌刻本，凡例之末鈐有「濛初之印」白文方印，「初成氏」白文方印。凌濛初，字稚成，齋名即空觀，自稱即空觀主人，明烏程人。與吳興閔齊伋家，皆擅長套印法。凌氏喜匯集諸名家詩文評語，加以批點印行。其刻書字體方正，紙色潔白，行疏幅廣，頗爲悅目。閔凌兩家合作印書，編纂之事常屬凌氏，而印行必寫閔雕，故時人稱爲閔刻本。凌氏不僅精於刻書，其著述亦多，撰有聖門傳詩嫡冢十六卷、言詩翼六卷、詩逆四卷、東坡禪喜集十四卷、國門集一卷國門乙集一卷。其所編則有合評選詩七卷及陶韋合集十八卷。

案：現存西廂之明刋本，約有三十餘種，據所知以明弘治11年（1498）金台岳家刻本爲最早。岳刻本原藏於燕京大學圖書館，臺灣世界書局有景印本，題「元王德信撰」，名曰「奇妙全相注釋西廂記」。

岳刻本分五卷，每卷四折，共二十折。每卷卷首大題「奇妙全相註釋西廂記卷之幾」，次行空二字題標目，作「焚香拜月」、「冰絃寫恨」、「詩句傳情」、「雲雨幽會」、「天賜團圓」等。第二十折末尾刻七律一首，即「蒲東蕭寺景荒凉」句。全書總題「新刋大字魁本全相參增奇妙注釋西廂記上下」。卷中插圖甚多，每半葉一圖，圖在上，文在下，計每半葉刻十二行，每行十八字，釋義小字雙行，每行亦十八字。黑口，雙欄。卷首附刻增相錢塘夢一卷，新增秋波一轉論一卷，題「西蜀壁山來鳳道人著」，崔張珠玉詩集一卷，崔張海翁詩集一卷，吟咏風月始終詩一卷，西廂八詠一卷，以及鶯紅著棋一折。卷後有弘治戊午金台岳家重刋印行牌記，又有正陽門東大街東下小石橋第一巷內岳家書坊木記一行，以上爲景印岳刻本之大概。

至於西廂記之明清原刋本，以國立中央圖書館所藏版本種類最多，包含鈔本在內，有八卷本一部，六卷本三部，五卷本六部，四卷本二部，二卷本四部，及董西廂一種一部，共計十六種十七部。

15051 重刻訂正元本批點畫意北西廂 五卷 附元稹會眞記 一卷二册

元王實甫撰，關漢卿續，明刊本。前國立北平圖書館收藏，國立中央圖書館保管。匡高 18.7 公分，寬 14 公分。每半葉八行，每行二十字，科白小字雙行，每行字數與前同。單欄，白口，白魚尾。書名題「北西廂」三字，刻在魚尾之上，卷次在魚尾之下，再下刻葉數。書前有青藤道人徐渭序，次凡例八則。次目錄一葉。劇分五析，每折四套，每套以四字標目。再次元稹會眞記一卷。

此書每卷大題「重刻訂正元本批點畫意北西廂卷幾」，次行三行低九字題「元大都王實甫編關漢卿續」。（卷五則僅題元大都關漢卿續一行。）隨後卽開始第一折及正名四句，首卷另加楔子（卽張君瑞巧做東床婿四句）在正名之前。書中刻有圈點三角等各種記號，其用意俱載於凡例。眉頭及行間刻批語，疑卽徐渭所批。第四卷尾附刻「駱金鄉與徐文長論草橋驚夢」一篇，曰：「金鄉子云：第一段如孤鴻別鶴，落寞悽愴；第二段如牛蛇鬼神，虛荒誕幻；第三段如夢蝶初回，晨鷄乍覺，不勝其驚怨悲愁也。文長公復書云：向來尋常看過，今指出旅夢覺三字，所謂鼓不桴不鳴，今而後當作一篇絕奇文字看矣。」書中又偶有硃筆圈點及批語，想係藏書家手筆。藏印有「孟維鑛」白文方印，「聲聞」朱文方印，「雲叟」朱文方印，「依稀懷像而兒」朱文方印，「國立北平圖書館收藏」朱文方印等五種。

此本紙色微黃，質脆易碎，多由版心處斷裂。第五卷近版心處破損，缺字不少。

15052 張深之先生正北西廂秘本　五卷五册

元王實甫撰，關漢卿續，明末刋本。前國立北平圖書館收藏，國立中央圖書館保管。匡高20.7公分，寬14.3公分。每半葉九行，行二十字。白口，單欄，欄外刻眉批。版心上刻「正北西廂秘本卷幾」，下刻葉數。每卷卷首大題「張深之先生正北西廂秘本」，卷一第二三四行低七字並題「元大都王實甫編」「關漢卿續」「明沁水張深之正」。

書前有敍，署「馬權奇題」，「洪綬書」。其次略例六則，次目錄二葉，厘分五卷，每卷四折，每折用兩字標目。次圖像六幅，由陳洪綬繪，項南洲刻。其中雙文小像一幅，單面，其餘皆雙面，首末幅各有「武林項南洲刋」字樣，刻畫工緻，精美絕倫。

此書已非完本，第五卷第四折殘存三整葉及兩半葉，其後留空白兩葉半，想必是書尾已破損，欲補鈔而尚未着手也。書中僅鈐「國立北平圖書館收藏」朱文方印一種。

15053 滿漢西廂記　四卷四册

元王實甫撰，清不著譯人，清精鈔本，國立中央圖書館收藏。書長29.2公分，寬17.7公分。每半葉8行，每行字數不等。其文由上而下，自左至右，一行滿文，一行漢文。每四齣分訂一册，共十六齣，止於草橋驚夢。目錄分載在各册之首，依次作：

驚艷第一章　　借廂第二章　　酬韻第三章

鬧齋第四章　　驚寺第五章　　請宴第六章
賴婚第七章　　琴心第八章　　前候第九章
鬧簡第十章　　賴簡第十一章　　後候第十二章
酬簡第十三章　　拷艷第十四章　　哭艷第十五章
驚夢第十六章

書前有康熙四十九年西廂記序，序稱：「……錦繡橫陳，膾炙騷人之口，珠璣錯落，流連學士之衷，而傳刻之文，祇從漢本，謳歌之子，未覩淸書，謹將鄴架之陳編，翻作熙朝之別本。……」文旣駢麗，其意亦明。

此書原屬澤存書庫舊藏，由國立中央圖書館接收。書衣正黃色，五針孔黃絲線包角裝，書根題「漢滿合璧西廂記」。書中鈐有「國立中央圖書館收藏」朱文長方印，「寰滔氏周浩又字少衡」朱文長方印，「周氏白巖艸廐珍藏」朱文長方印，「白巖艸廐主人寰滔氏周浩印」朱文方印。

15055　西廂會眞傳　五卷五册

元王實甫撰，關漢卿續，明湯題祖評。明刋朱墨藍三色套印本，國立中央圖書館收藏。匡高21.2公分，寬14.7公分。每半葉8行，每行18字，科白小字雙行，每行亦18字。白口，單欄。欄外眉批及曲中旁註圈點皆朱色套印。版心上端刻書名卷次，下刻葉數。書首附刻元稹會眞記一篇，署「唐元微之撰」，「明湯若士批評」「沈伯英批訂」，朱色套印。眉頭批訂語，朱藍二色套印，朱批爲湯顯祖評語，藍批爲沈伯英（璟）批訂語。目次一葉，標明每卷四齣，共二十齣。齣目如下：

1. 佛殿奇逢　　2. 僧寮假館　　3. 花陰唱和

4.清臕目成	5.白馬解圍	6.東閣邀賓
7.杯酒違盟	8.琴心挑引	9.錦字傳情
10.粧台窺簡	11.乘夜踰牆	12.倩紅問病
13.月下佳期	14.堂前強辯	15.長亭送別
16.草橋驚夢	17.泥金捷報	18.尺素緘愁
19.詭謀求配	20.衣錦還鄉	

相傳王實甫所撰僅四卷十六齣，第五卷四齣由關漢卿所續，曲海總目提要亦作此說。此書會眞記後湯顯祖朱批亦云：「此傳得關漢卿演爲北劇，風流絕艷，遂作千古相思史。」似可信爲漢卿所撰，然太和正音譜關著之下不載此劇，似又可疑。

此本爲雜劇，按例有題目與正名。每卷卷首大題「西廂會眞傳」，二行三行卽是題目正名。卷一題「老夫人閉春院，崔鶯鶯燒夜香」；「俏紅娘傳好事，張君瑞鬧道場」。卷二題「張君瑞破賊計，莽和尙生殺心」；「小紅娘晝請客，崔鶯鶯夜聽琴」。卷三題「老夫人命醫士，崔鶯鶯寄情詩」；「俏紅娘問湯藥，張君瑞害相思」。卷四題「小紅娘成好事，老夫人問情由」；「短長亭斟別酒，草橋店夢鶯鶯」。卷五題「小琴童傳捷報，崔鶯鶯寄汗衫」；「鄭伯常干捨命，張君瑞慶團圓」。題目正名之後，另行題齣數齣目。第五卷卷尾空白處有墨筆手書五行，前二行作「鄭衙內施巧計，老夫人悔姻緣，杜將軍大斷案，張君瑞慶團圓」。末三行爲七言殘詩，作「蒲東蕭寺景荒凉，至此行人暗斷腸。楊柳尙牽當日恨，芙蓉猶帶昔年香。……，共約東風事已忘。……」係由別本過錄而來。

書中鈐有「莛圃收藏」朱文長方印，「張乃熊」白文長方印，「芹伯」朱文方印，「國立中央圖書館收藏」朱文長方印。

張乃熊字芹圃，一字芹伯，吳興人，與父鈞衡，皆名藏書家，著有適藏書志、芹圃善本書目等。

15054 又一部 五卷四册

前國立北平圖書館收藏，國立中央圖書館保管。版式、行款俱與前本同，唯卷二第一至四葉左上角有水墨汚漬。第五卷止於落梅風一曲，即「綠楊影裡聽杜宇，一聲聲道不如歸去」，以下缺沽美酒、太平令、錦上花、淸江引、隨尾各曲，約計缺一葉半。又會眞記一篇首葉左下角及近版心處，書紙磨損，有缺字。書中鈐有「國立北平圖書館收藏」朱文方印。

15057 李卓吾先生批點西廂記眞本 二卷五册

元王實甫撰，明李贄批點，明崇禎十三年刋本，國立中央圖書館收藏。匡高 20.3 公分，寬 14.5 公分。每半葉 9 行，每行 20 字。科白小字，每行字數亦同。白口，單欄，白魚尾。書名在魚尾之上，其下記卷次，再下記葉碼。

全書分訂五册，第一册包括：西廂記序一篇，原題「題卓老批點西廂記」，「崇禎歲庚辰仲秋之朔醉香主人書于快閣」，（序文每半葉 5 行，每行 12 字）。雙文小像（鶯鶯像）一幀，單面，與張深之先生正北西廂秘本同出一源，爲武林項南洲所刻，十美圖十幅，雙面，四季花鳥圖十幅，雙面。元稹會眞記一篇，淸遠道人湯顯祖輯西廂摘句骰譜八葉。扉葉刻「新鐫李卓吾原評西廂記」、「畫做元筆」、「西陵章閣藏版」。第二册以後刻曲文，曲文中佳妙處圈點及小評皆出於李氏之手。目錄分刋在兩卷之首，凡二十齣，取四字標目，第二齣作「僧房假寓」，第三齣作「牆角聯吟」，第四齣作「齋壇鬧會」，第六齣作「紅娘請宴」，第七齣作「夫人停婚」，第八齣作「鶯鶯聽琴」，其餘目次與明刋朱墨三色套印本相同。每卷卷首大題「李卓吾先生批點西廂記眞本卷幾」，次行低二字題齣目，不標齣數，亦無題目與正名。卷上一至十二葉有手書批校，不知出於何氏之手？卷下自第五十七下半葉以後闕，僅止於「太平令」一曲。

此書裝訂較精緻，白宣紙襯，四針孔包角裝，外套以織錦函，函上另貼書簽，上題「李卓吾評點西廂記」。書中除「國立中央圖書館收藏」朱文長方印外，別無其他藏書家印章。

15056 又一部 二卷六冊

前國立北平圖書館收藏，國立中央圖書館保管。明刋本，版式、行款與前本相同，裝訂册數不同。正文以前之目錄、圖像、會眞記等刋刻次第與之稍異，並增刻錢塘夢一卷，園林午夢一卷，圍棋闖局一卷。書前缺序文，書中偶有朱墨二色圈點，卷末兩半葉部分破損，有缺字。鈐有「雅伯」朱文方印，「國立北平圖書館收藏」朱文方印。

15058 三先生合評元本北西廂 五卷
附元稹會眞記 一卷四册

元王實甫撰，明李贄、湯顯祖、徐渭合評，明末刋本。前國立北平圖書館收藏，國立中央圖書館保管。匡高 20 公分，寬 14.5 公分。每半葉 9 行，每行 20字。左右雙欄，白魚尾。書名刻在魚尾之上，僅「北西廂」三字，卷次在魚尾之下，再下爲葉數。卷前首刻笑庵居士王思任合評西廂記序一篇，序中對於三家之評論，謂「湯評玄箸超上，小摘短拈，可以立地證果。李評解悟英達，徵詞緩語，可以當下解頤。徐評學識淵邃，辨謬疏玄，令人雅俗共賞。」其次秦田水月敍、瀨者敍、青藤道人敍各一。再次元稹會眞記一篇，有句評及三家總評。再次爲目錄，分作五卷，每卷一折，每折四套，以二字標目，例如奇逢、假館等，共計五折二十套，以張生榮歸作結局。

每卷卷首大題「三先生合評元本北西廂卷幾」。卷一第二三四行題「明湯若士先生李卓吾先生徐文長先生合評」三行。其後以「張君瑞巧做東床婿」四句做爲楔子。曲文每折之首先題正名四句，然後開始第一套。每套終了有三家總評，書眉及行間亦刻有評語。

此本紙色微黃，但襯紙潔白，書中鈐有「北京圖書館藏」朱文方印。第五卷卷尾徐李二家評語有缺字。

所謂三先生指湯李徐三家。湯顯祖字義仍，號若士，明江西臨川人。萬曆進士，精研詞曲，所撰紫釵、還魂、南柯、邯鄲四記，世稱臨川四夢，或玉茗堂四夢，名重一時，李贄字卓吾，明晉江人。卑侮孔孟，專崇釋氏，所批戲曲有玉合記、金印字、香囊記、浣紗記等。徐渭字文長，一字天池，晚號青藤，明浙江山陰人。天才超逸，詩書文畫俱工，又知兵好奇計。所著有徐文長集，其於三教及方技書籍，亦多有箋注。

15060 新校注古本西廂記 六卷四册

元王實甫撰，明王驥德校注，明香雪居刊清初印本。國立中央圖書館收藏。匡高 11.4 公分，寬 14.4 公分。每半葉 10 行，每行 20 字，科白小字雙行，每行字數亦同。白口，單欄，白魚尾。書名刻在魚尾之上，卷次葉碼在魚尾之下，版心刻「香雪居」三字。

此書分作六卷，首刋明萬曆甲寅（四十二）年王驥德序；其次凡例三十六則；再次目錄，載五折二十套齣目，標目皆刪作兩字，例如遇艷、投禪等等；再次爲新校注古本西廂記考目錄；再次爲挿圖，殘存雙面者十八幅，單面者二幅，缺「訂約」半幅，「就歡」半幅，「報第」一幅。首幅左上角署「長州錢穀叔寶寫」，「吳江汝氏文淑摹」，圖甚精緻，惜印工稍差，不能與閔刻相比。又崔孃遺照一幀，題「宋畫院待詔陳居中摹」，此葉版心下端刻「新安黃應光鐫」。卷一至卷五爲正文，每卷卷首大題「新校古本西廂記卷幾」，第二至四行分別題「元大都王實甫編」、「明會稽方諸生校注」、「山陰徐渭附解」、「吳江詞隱生評」、「古越李澗山陰朱朝鼎同校」。目次之後及卷六末尾，署「永興蔡迦陵寫」。每齣之前署明宮調、韻目、及上場人物，齣末載校注，卷末載題目正名，總目則刋在劇終。卷六爲西廂記彙考，由王驥德彙輯，並加按語考釋，內容包括：

崔娘遺照

崔娘本傳

宋王銍傳奇辯正

元微之年譜

唐楊巨源崔娘詩

唐李紳鶯鶯歌

唐白居易和微之夢遊春百韻詩

唐沈亞之酬元微之春詞

唐王渙惆悵詞

宋秦觀調笑令

宋毛滂續調笑令

宋趙令時蝶戀花詞

明楊慎黃鶯兒詞

明唐寅題崔娘像詩

明徐渭題唐伯虎題崔氏眞詩

元陶九成崔麗人圖跋

唐白居易撰唐故武昌軍節度處置等使正議史兼御史大夫賜
　紫金魚袋尚書右僕射河南元公墓誌銘

宋祁撰唐書元稹傳

韓愈撰唐監察御史元君妻京兆韋氏夫人墓誌銘

唐范攄撰微之繼婿河東裴氏夫人事略

秦貫撰唐故榮陽鄭府君夫人博陵崔氏合祔墓誌銘

王實甫關漢卿考

明劉麗華題辭

王世貞題畫會眞記卷

詞隱先生（沈璟）手札二通

千秋絕艷賦

代崔娘解嘲四絕

評語十六則

是爲研究西廂之參考資料。

王驥德，字伯驥，自號方諸生，會稽人。與吳江沈璟商榷音律甚精，所撰曲律四卷，總論南北曲之源流法度，條分縷析，至爲詳備。此書經其校注，亦生色不少。尤其卷六彙輯之資料，有助於西廂之硏究。而徐渭、詞隱生（沈璟）之評解，更有精到之處，可謂集名家之精萃於一書。此本又刻圈發，可以辨明字之音讀，是爲本書之特點。

此書第一卷卷首書名標題之後，有「金聖歎評」四字，爲後代補刻，書眉評語字體與此四字相似，亦疑爲補刻者，又卷二第二十一、二十二兩葉亦補刻。書中無藏書家印記，僅鈐「國立中央圖書館收藏」朱文小長方印而已。

15059　又一部　六卷六册

前國立北平圖書館收藏，國立中央圖書館保管，明萬曆間香雪居刊本。版式行款與前本相同，印刷及紙質較爲精良。此本在王驥德序前，更有萬曆癸丑（四十一年）吳郡粲花館主人毛氏序一篇，王序之後另有周公瑕書「千秋絕艷」四字，每字佔半葉。凡例目次刋在圖像之後。圖全，共二十一幅，雙面。雙文小像一幀，單面。西廂記考目錄則刋在卷六之首，書後有跋文，不具姓名年月，想係刻在次葉而缺脫。書首鈐有「國立北平圖書館收藏」朱文方印。

此本卷首書名標題之後，署「古虞謝伯美山陰朱朝鼎同校」，而前本作「古越李潤山陰朱朝鼎同校」，此爲兩本差異之處。國立中央圖書館善本書目題前本爲「明香雪居刋清初印本」，印工較差，圖又不全，兩本之中，當以此本爲善也。

15061　新刻魏仲雪先生批點西廂記　二卷三册

元王實甫撰，關漢卿續，明魏浣初評，李裔蕃註，明末存誠堂刋本，國立中央圖書館收藏。匡高21.2公分，寬12.5公分。每半葉10行，每行27字，科白小字雙行，每行亦27字。白口，單欄，欄內刻眉批。版心上端刻書名、卷次，下刻葉數。

卷前附元稹會眞記一篇，缺一葉。蒲東詩一百一十首，魏仲雪批評錢塘夢、園林午夢各一卷。其次圖十幅，雙面，鶯鶯遺像一幀，單面。鶯鶯像係陳一元倣唐六如筆繪，由劉素明所刋。陳一元，明福建侯官人，與大學士葉向高爲姻親。劉素明，新安人，爲明末名雕工。

此本亦二十齣，每齣以四字標目。齣目與李卓吾評本相同。每卷卷首大題「新刻魏仲雪先生批點西廂記卷幾」，卷上第二行空一字題「上虞魏浣初仲雪父批評」、「門人李裔蕃九仙父註釋」。每齣終了有總批及釋義，總批、眉批出於魏氏，釋義、字音出於李氏。魏氏名浣初，初字龍超，常熟人，明萬曆丙辰進士，所批戲曲除此劇外，尙有琵琶記二卷，亦由其門人李裔蕃音註。

此書曾爲鄭振鐸收藏，卷首鈐有「長樂鄭氏藏書之印」朱文長方印，「國立中央圖書館收藏」朱文長方印。卷末有「存誠堂梓」白文方形木記一方。

15162　鼎鐫陳眉公先生批評西廂記　二卷
附釋義　二卷　蒲東詩　一卷　錢塘夢
一卷一册

元王實甫撰，明陳繼儒評，明末書林蕭騰鴻刋本。國立中央圖書館收藏。匡高22.7公分，寬14.8公分。每半葉10行，每行26字，科白小字雙行，每行亦26字。單欄，欄內刻眉批。白口。版心上刻書名，中刻卷次，下刻葉數，並「師儉堂板」四字。

此書扉葉題「陳眉公先生𠜂潤批評西廂記傳奇」、「內倣古今名人圖畫翻刻必究」，印以藍色。其上鈐有朱文正楷大方印，印文曰：「此曲坊刻不啻牛毛，獨本堂是集齣評句釋，字倣古宋，隨景圖畫，俱出名公的筆，眞所謂三絕也。是用繡梓買者，幸具隻眼。謹白。」其次卷上目錄一葉（缺卷下目錄），錄一至十齣齣目，此葉後半面空白處有手書題記七行，題曰：「金元樂府運用成語多食而不化，反爲本色語槖，獨實父顓歙，收北宋南唐詩餘之精華，如蠭釀春髓，鮫杼霞絲，渾成無迹。人巧極而天工錯，玉若好勝，欲以奇巧過之，終入晦澁，明當翠羽不及一倩盼，此事自關天才，非可腹笥競也，貫華武斷，喧賓奪主，折衡敗律，壿㩌無餘，花間美人，橫受昭平之刑，爲之眦裂，今得此本，如漢殿傳呼，忽睹王嬙眞面，快甚，而不知何傖父以貫華惡札添註其旁，天下殺風景事往往有不可理喻者。」下鈐「黃人過目」朱文橢圓形小印。次陳眉公評會眞記一卷，次錢塘夢一卷。錢塘夢記宋代司馬猷事。猷旅居錢塘時，夜半讀書，有女來薦枕蓆，猷嚴拒之，女歌蝶戀花云：「妾本錢塘江上住，花落花開不記流年度，燕子啣將春色去，紗窗幾陣黃梅雨。」俄頃，猷霎然驚覺，乃知是夢，悔之不及，援筆立就蝶戀花半闕：「斜插犀梳雲半吐，檀板輕敲唱徹黃金縷，歌罷彩雲無覓處，夢回明月生南浦。」其次即正文。每卷卷首大題「鼎鐫陳眉公先生批評西廂記卷幾」，次行三行四行分別題「雲間眉公陳繼儒評」、「潭陽儆韋蕭鳴盛校」、「一齋敬止余文熙閱」、「書林慶雲蕭騰鴻梓」。第一齣至第十六齣佳句旁有墨筆圈點，間用硃筆點斷，句旁有校訂字，欄外有墨筆手批。第十六齣末有手書「西廂記已畢」五字，其意蓋謂西廂本止於驚夢而已，團圓結局乃後來續成。書中墨跡不知出於誰手？審其字體，批校者與題記者不同一人。釋義分作二卷，分刋在兩卷之後，解釋每齣中難解之辭，以及字音之反切。書後蒲東詩一卷，共七律一百十首，起「夫人自敍」，止「生驚赴任」，全以詩句敍出西廂故事。

圖十幅，分刻在上下兩卷中。每圖佔雙面，圖上記刻工名，曰「聘州」、「次泉」、「鳳州」等，繪圖者則米元章、趙松雪等大家，繪刻並精美。書中藏印甚多，有：「烏程張氏適園藏書印」朱文方印、「菦圃收藏」朱文長方印、「無雙」朱文小印、「黃人過目」朱文小楕圓印、「東海黃公」白文方印、「摩西」朱文方印、「前生明月今生半子」白文長方印等，另一白文方印印文不易辨識，容後再考。案：「菦圃」爲張乃熊之字，其父鈞衡，號「適園」，父子皆藏書家，此書曾爲張氏收藏。至於「東海黃公」、「摩西」等藏印，不知誰主，俟日後續考。

15063 樓外樓訂正妥註第六才子書　六卷六册

清鄒聖脉編註，清初原刻本，國立中央圖書館收藏。匡高21.2公分，寬14.8公分。每半葉13行，每行24字，科白小字雙行，每行亦 24 字。左右雙欄，亦間或有單欄者，欄內刻眉批，眉批每半葉小字 26 行，每行 7 字。白口，單魚尾。書名刻在魚尾之上，題「妥註第六才子書」七字，魚尾下刻卷次、篇名（齣目）、葉數。

書前有凡例一葉，次目錄一葉，再次爲圖像。圖首幅爲鶯鶯全身像半葉，手執紈扇，側身而立。下半葉爲五言詩八句，其後每折一圖，四圖刋一葉，殘存三葉，共十二幅，缺第一至第八折圖八幅，末幅有「程致遠寫」四字。

此本亦二十齣，由鄒聖脈取金喟評第六才子書加以編註而成。目次與金谷園刋金評本相同，唯卷首多出宮譜辨登、音韻考二篇。且眉端所刻除鄒氏註外，尙有李卓吾雜語、林西仲雜說評、李笠翁塡詞餘論等二十五種雜文。每卷卷首大題「樓外樓訂正妥註第六才子書卷之幾」，次行空九字題「聖歎外書」，其下再空七字題「鄒聖脈梧岡氏妥註」。卷六爲金喟所撰西廂論文，卷首題「樓外樓訂正妥註第六才子制藝文卷之六」。此書雖爲淸刋本，但傳本少見，是亦珍貴。卷一、卷二、卷五首葉皆鈔配，卷六末葉鈔配。書中鈐有「詩書夢白雲」朱文方印，「紫□山房珍藏書畫」朱文方印。

15164 第六才子書 八卷十册

元王實甫撰，淸金喟評，淸書坊金谷園刋本，國立中央圖書館收藏。匡高 21 公分左右，寬 15 公分。每半葉 11 行，每行 22 字，小字雙行，每行字數亦同。單欄，白口，黑魚尾。書名刻在魚尾之上，卷次刻在魚尾之下，再下記葉數。扉葉題「金谷園藏板繪像眞本金聖嘆先生批點貫華堂第六才子書」，此葉右下角鈐「江南宏文會館後奇望街聽松樓內金谷園書坊發兌」

朱文正楷條印，印文分三行排列。其次目錄，載八卷之目次：

卷一：序一曰慟哭古人　　　序二曰留贈後人

卷三：讀第六才子書西廂記法

卷三：會眞記

卷四：第一之四章　驚艷　借廂　酬韻　鬧齋

卷五：第二之四章　寺警　請宴　賴婚　琴心

卷六：第三之四章　前候　鬧簡　賴簡　後候

卷七：第四之四章　酬簡　拷艷　哭宴　驚夢

卷八：泥金捷報　錦字緘愁　鄭恆求配　衣錦榮歸

其次圖十幅，每圖雙面，版心刻標題，例如「驚艷」「寺警」「請宴」等等。另雙文小像一幀（該葉書眉鈐「三和號記」朱文方印一枚）單面，冠在十圖之前，詠榮歸七律一首，佔半葉，附刻在圖後。其次六才子西廂文十六則。

此書名爲八卷，其實西廂記曲文始於第四卷，四卷以前爲金聖嘆雜文及元稹會眞記等。曲文之中，金評又佔大半，其例每隔一段卽有批評，例如題目正名之後卽評之曰：「率爾一題，亦必成文，觀其東南北三，陪西字焉。」全劇二十齣，前十六齣齣目標題只取二字，第十七齣以後則題四字，由此不同，可知驚夢以後各折爲後添者。金評亦論及此事曰：「此續西廂記四篇，不知出何人之手，聖嘆本不欲更錄，特恐海邊逐臭之夫，不忘羶薌，猶混絃管，因與明白指出之，且使天下後世學者覩之，而益悟前十六篇之爲大仙化人，永非螺獅蚌蛤之所得而暫近也。」其意甚推崇前十六齣明矣。此書每册鈐「國立中央圖書館收藏」朱文長方印。卷四第五葉上半葉書眉有二枚朱文印記，一作菱形，一作人形（類似天官賜福狀），上寫「晉恆豫記」，疑係書估所鈐。

金聖嘆名喟，一名人瑞，聖嘆乃其字，本名張采，清長洲人。約生於明萬曆三、四十年間，卒於清順治十八年，其盛年正與明之亡國同時。其誕辰爲三月三日，俗傳三月三日爲文昌生日，聖嘆亦於是日生，故人稱其爲文曲星。爲人狂傲有奇氣，嘗言天下才子之書有六：一莊、二騷、三馬史、四杜律、五水滸、六西廂記。因作各書批評，其中水滸西廂兩種，頗爲世俗所傳誦。此本題爲「第六才子書」，卽由金評而來。

15065　第六才子書　四卷四册

元王實甫撰，舊鈔巾箱本。國立中央圖書館收藏。此書卷帙極小，袖珍可愛，書長僅17.5公分，寬12.2公分。每半葉10行，每行18字。小字雙行，每行亦18字。字體工楷，清雋而圓潤，行間並有硃筆圈點，紅黑相間，倍增清晰，爲難得一見之精鈔本。

此本僅十六齣（章），止於草橋驚夢。每卷卷首大題「第六才子書卷之幾」，每卷又各有題目正名列在卷首，例如「老夫人開春院，崔鶯鶯燒夜香，小紅娘傳好事，張君瑞鬧道場」之類。卷一另有題目總名曰：「張君瑞巧作東床婿，法本師住持南禪地，老夫人開宴北堂春，崔鶯鶯待月西廂下」，囊括全劇要目。書眉及每一段落之後，又有批釋。此書係依照清金谷園刋本鈔錄而成，略去首尾，僅取一至十六齣曲文及批評。書中鈐有「徐振聲」白文小方印，「夔拊」朱文小方印，「國立中央圖書館收藏」朱文長方印。扉葉題「韻生珍藏」，鈐「韻生」朱文小方印。

15066 新刋巾箱本蔡伯喈琵琶記　二卷二册

元高明撰，明初葉刋巾箱本。清黃丕烈、吳翌鳳、翁同龢等各各手書題記，孫雲鴻、陳寶琛、褚德彝、吳湖帆等觀款，國立中央圖書館收藏。匡高12.5公分，寬10.4公分。每半葉10行，每行18字。科白小字雙行，每行亦18字。左右雙欄，白口，單魚尾。魚尾下刻書名，作「忠孝傳卷幾」，版心下三分之一處記葉數。書前有吳湖帆手題書名，及「穀孫道兄所藏元刻孤本，黃氏士禮居舊物，庚午十月吳湖帆書於梅影書堂」數行識語。書尾有名家手書題記及觀款四葉。

此本又稱斯干軒本。每卷之首大題「新刋巾箱蔡伯喈琶琵記卷幾」，次行低十字題「東嘉高先生編集」，三行亦低十字題「南溪斯干軒校正」，第四、五兩行低二字題上場詩，即「極富極貴牛丞相」四句。全劇四十三齣，每齣只刻齣數不標齣目，曲牌亦不註宮調。卷上四十九、五十、卷下二十四、五十、五十一、五十二鈔配。書中所鈐藏印甚多，計有：「東溪」朱文長方印，「陸貽衮印」白文方印，「冶先」朱文方印，「階臣」朱文方印，「錢孫保一名客保」白文方印，「孫保」白文方印，「錢氏校本」朱文方印，「上元」朱文方印，「錢印謙孝」白文方印，「錢王桓一名謙服」白文方印，「非昔珍秘」朱文方印，「黃印丕烈」白文方印，「復翁」白文方印，「老堯」朱文方印，「汪印士鏡」白文方印，「閬源眞賞」朱文方印，「張蓉鏡」朱白合文印，「蓉鏡珍藏」白文方印，「芙川鑒定」朱文方印，「芙川心賞」白文長方印，「虞山張蓉鏡鑒藏」朱文長方印，「蓉鏡過眼」白文方印，「小嫏環福地」朱文方印，「舊山樓」朱文長方印，「虞山翁同龢印」白文方印，「均齋收藏」朱文方印，「松禪」白文方印，「陳廷恩觀」朱文方印，「貴池劉世珩叚觀」朱文橢圓印，「葱石讀書記」白文方印，以及「迮圃收藏」朱文長方印。

案黃丕烈跋語：「此刻楮墨古雅，疑是元刻，却與遵王所藏不同，詞句亦多與陸鈔本間異。」黃氏亦未論定，只云「疑是元刻」。國立臺灣大學鄭因百教授曾有專文討論此本，謂其年代，不晚於嘉靖，可能早到明初，爲台灣現存琵琶記最早刻本，原文載於香港文學世界季刊九卷二期。至於黃氏跋中提及清代陸勅先鈔本，與錢遵王藏本，雖是元本，目前陷在大陸，一時未能見到。據所見陸鈔本書影，確是每葉 38 行，每行 30 字，與黃跋所記相同。玆過錄黃跋與各家題記於後：

余向從華陽橋顧氏，得陸勅先手鈔琵琶記，其標題曰新刋元本蔡伯喈琵琶記，後有覲菴跋云：遵王固有二本，其一元本，其一郡肆翻刻本。蓋元本者，文三橋識云，嘉靖戊申七月四日重裝本也，郡肆翻刻本者，蘇州府閶門中街路書舖依舊本重刋印行之本，亦嘉靖戊申歲刋者也。然鈔本照元本繕錄，計葉28行，每行 30 字，與此刻異矣。此刻楮墨古雅，疑是元刻，却與遵王所藏不同，詞句亦多與陸鈔本間異，未敢定彼是而此非。此本亦爲顧氏物，最後散出，卷端有陸貽裘冶先印，當是陸貽典兄弟行，何覲菴跋語中未之及，惟云定遠亟稱花邊本，已從求亦得之，而此本有錢孫保印，未知卽此本否？以余並藏鈔刻，可云合璧，未容軒輊於其間，裝成因誌數語于後。　嘉慶乙丑春二月四日蕘翁黃丕烈識

明詩綜云：高明字則誠，元至正進士，爲處州錄事，聞則誠

塡詞，夜案燒雙燭，塡至吃糠一齣，句云：糠和米本一處飛，雙燭花交爲一，洵異事也。今檢此本，句云：糠和米本是兩倚依，又有異文，未知此果原本否也？詞曲舊刻，世不多見，誌此俟考。　　壬申二月小晦日復翁識

陸務觀詩云：斜陽古道趙家莊，負鼓盲翁正作場，死後是非誰管得，滿村聽說蔡中郎。據此則南渡日已演作小說矣，不知宋本流傳尙在天壤否？　　復翁　　錄畢知古道道字乃柳之誤，復筆之俾知原詩如是。

余舊閱吃糠句云：糠和米本是同根氣，有誰來簸揚作兩處飛。與竹垞詩話中語各異，未知孰是也。　　嘉慶乙亥秋日枚庵記

光緒戊戌五月余歸田，午橋觀察端方，以此本及元刻荆釵記見贈，重是吾鄉舊物，乃受而藏之。　　是月十一日同龢記

是書流轉吾鄉久矣，陸貽裘、錢謙孝、錢孫保皆邑人也。自歸士禮居，遂歸汪閬源家，旣而張芙川、趙次公收得，復來虞鄉，初不意，旣入京師而友人轉以贈余也，楚人之弓，可稱奇事。　　壬寅六月十三日雨後仍大熱病中偶識松禪

庚午十月初七日吳湖帆藉觀

辛亥閏月十九日舟次觀雲鴻

庚午年十月二十五日，南陵徐乃昌、合肥龔心銘、心釗、武進董康、南皮張厚穀、餘杭褚德彝，集烏程蔣氏密均樓同觀。德彝記

宣統壬戌年三月二十五日，何維樸、王秉恩、秦炳直、余肇康、陳重威、左孝同、朱祖謀、王乃徵、章浸、鄭孝胥、劉錦藻、張元濟、沈琬慶、卞綍昌、李宣龔、李經邁、黃懋謙、張

志潛、劉承幹、陳寶琛、寶瑛同觀　　寶琛記

此劇演蔡伯喈與趙五娘故事，五娘身背琵琶，上京尋夫，故名琵琶記。劇中主題及故事來源等等，已著於琵琶記考述一文之中，見嘉新論文第六十四種。撰者高明字則誠，自號菜根道人，世稱東嘉先生，元末浙江瑞安人。至正間官處州錄事，明洪武初召修元史，以老病辭歸，著有柔克齋集二十卷。其事蹟俱載於元史文苑傳、明詞綜、瑞安縣志。趙汸東山存稿有「送高則誠歸永嘉序」，敍述高氏學業、爲人、政事、交遊等甚爲詳盡，其詩多收入元詩選、明詩綜、列朝詩集等處。另有烏寶傳一文，收在陶宗儀輟耕錄中，敍述元代紙幣，予以人格化之描寫，諷而不虐，陶宗儀云：「雖曰以文爲戲，要亦有關于世教。」由此可以想見高氏爲人。一說琵琶記作者爲高拭，而非高明。案：高拭字則成，燕山人，其字「則成」，與「則誠」音同字不同，遂有混淆之嫌。王國維宋元戲曲史辨之甚詳，謂「余按元刋本張小山北曲聯樂府，前有海粟馮子振燕山高拭題詞，此卽涵虛子曲譜中之高拭。琵琶乃南曲戲文，則其作者自當是永嘉之高明，而非燕山之高拭，況明人中如姚福靑溪暇筆、田藝衡留靑日札，皆以作者爲高明，當不謬也。」主高拭之說，出自蔣仲舒堯山堂外紀，蔣氏或別有所據，姑且存疑。

15067　琵琶記　三卷六册

元高明撰，明新都黃正位刋巾箱本。前國立北平圖書館收藏，國立中央圖書館保管。此本卷帙極小，便於携帶。匡高 14 公分，寬 9.3 公分，書長 18.5 公分，寬 11公分。字大淸晰，每半葉 7 行，每行僅 16 字，科白小字雙行，每行亦 16 字。單

欄，白口，白魚尾，欄中有界格。書名在魚尾之上，僅刻「琵琶」二字，魚尾下記卷次，再下記葉碼，葉碼下偶有「尊生館校刋」字樣。書前刻琵琶記題辭二葉，署新都黃正位著。每半葉 5 行，每行 11 字左右。其後有凡例三葉，敍琵琶記始末。再次爲目錄，共四十二齣。每卷卷首大題「琵琶記卷幾」，次行低二字題齣數，齣目小字旁註。圖三十七幅，雙面，圖中無文字。曲文旁註板眼，故目錄題「元本出相點板琵琶記」。此書爲朱希祖舊藏，卷首鈐有「朱希祖」陰陽合文小方印。案：朱希祖，民國時人，其著作有汲冢書考、鴨江行部志節本考證、順治元內外官署奏疏、楊么事蹟考證、僞楚錄輯補等。黃正位，明新都人，輯有陽春奏三種，亦戲曲書籍。

15068　琵琶記　三卷三册

元高明撰，明刋本。前國立北平圖書館收藏，國立中央圖書館保管。匡高 21.5 公分，寬 13.8 公分。每半葉 10 行，每行 22 字，科白小字雙行，每行亦 22 字。單欄，白口，有眉批。版口不刻書名，僅記卷次與葉碼，版匡內有界格。書前有目錄，每半葉 11 行。目錄第一行題「元本出相南琵琶記目錄」，其下鈐有「積學齋徐乃昌藏書」長形朱文正楷印。每卷卷首大題「琵琶記卷幾」，次行低二字題齣數，齣目小字旁註。有圖，雙面，殘存三十八幅。曲文自第三十齣「五供養」以至劇終全缺。全劇四十二齣，齣目如次：

1. 副末開場	2. 高堂稱慶	3. 牛氏規奴
4. 蔡公逼試	5. 南浦囑別	6. 丞相教女
7. 才俊登程	8. 文場選士	9. 臨粧感歎

10.春宴杏園	11.蔡母嗟兒	12.奉旨招婿
13.官媒議婚	14.激怒當朝	15.金閨愁配
16.丹陛陳情	17.義倉振濟	18.再報佳期
19.強就鸞凰	20.勉食姑嫜	21.糟糠自厭
22.琴訴荷池	23.代嘗湯藥	24.宦邸憂思
25.祝髮買葬	26.拐兒紿誤	27.感格墳成
28.中秋望月	29.乞丐尋夫	30.暇詢衷情
31.幾言諫父	32.路途勞頓	33.聽女迎親
34.寺中遺像	35.兩賢相遘	36.孝婦題眞
37.書館悲逢	38.張公遇使	39.散髮歸林
40.李旺回話	41.風木餘恨	42.一門旌奬

15071　琵琶記　四卷四册

元高明撰，明烏程閔氏朱墨套印本。前國立北平圖書館收藏，國立中央國書館保管。匡高20.4公分，寬14.5公分。每半葉8行，每行18字，科白小字雙行，每行亦18字。本文墨印，眉批、圈點及批校語朱印。白口，單欄。版心上端刻書名、卷次，下記葉次。書前有西吳三珠生跋，版心有「鄭聖卿携」字樣。其次卽空觀主人撰凡例十則，再次圖二十幅，單面，署「吳門王文貞」繪，每圖皆有圖目，例如「芳草斜陽望斷長安路」、「重門半掩黃昏雨」等等，雕繪俱佳，但未刋刻工姓名。按閔刻套印本尙有西廂記，其挿圖亦王文貞繪，由新安黃一彬鏤鐫，此本圖刻，或亦出於黃氏之手。

此本四卷，共四十四折，每齣不標齣目，每曲亦不注宮調。卷首大題「琵琶記卷幾」，次行低九字題「元高東嘉塡詞」，三行低二字題齣數。書前無目次，書尾有附錄二篇，及弘治戊午白雲散仙序。序題「重訂慕容喈琵琶記序」，題下有「見江陰徐充暖姝由筆」小注一行，序末題「弘治戊午菊花新時白雲散仙書於雙桂堂」。序稱曾得一夢，夢中見高則誠前來訴寃，謂彼編琵琶記爲刺東晉慕容喈不孝，牛金不義，時被柳文肅公所責，稿遂焚毁，不料好事者取殘稿增補，遂訛慕容爲蔡邕云云。附錄二篇，謂一補第三折內，一補第七折後，蓋據傳本所增。按「弘治戊午」爲明孝宗弘治十一年，「雙桂堂」是明濮州李廷相室名，白雲散仙是否即李廷相，或更有他人，有待考覈，又序中提及「瓊台先生」、「柳文肅公」，亦不知何人，一併待考。

15069 又一部

國立中央圖書館收藏。卷數、册數、版本、行格與前同。正文及插圖皆不及前者清晰，卷二第四十二葉、四十三葉鈔配而成。此本原爲澤存書庫舊藏，後由國立中央圖書館接收。

15070 又一部

國立中央圖書館收藏。版本、行格、卷數、册數與前同。唯先序後凡例，再次目錄，三珠生跋在書尾。書中鈐有「包氏遺硯堂藏書畫印」白文方印，「茭閦堂所有書籍記」朱文長方小印，「昔非過目」朱文方印，「吳福之印」白文方印，「栖巖」朱文方印，「硯田農」朱文楕圓印，「振宗吳印」白文方印，以及「□□武山吳栖巖氏珍藏」白文方印。

此本有缺葉，卷二第三十九葉、四十葉鈔配，卷三第三十六葉鈔配。四十四折之齣目如下：

1. 副末開場
2. 伯喈慶壽
3. 牛氏戒婢
4. 蔡公逼試
5. 長亭送別
6. 牛公訓女
7. 擧子登途
8. 趙氏思夫
9. 遊街赴宴
10. 五娘解鬧
11. 丞相遣媒
12. 狀元辭婚
13. 媒婆囘話
14. 牛氏自嘆
15. 伯喈辭朝
16. 趙氏請糧
17. 促赴佳期
18. 牛氏成親
19. 蔡母生疑
20. 糟糠自厭
21. 琴訴荷池
22. 侍舅湯藥
23. 宦邸思親
24. 五娘剪髮
25. 拐兒詒誤
26. 親築墳台
27. 中秋賞月
28. 描畫眞容
29. 詰問憂懷
30. 牛氏諫父
31. 路途勞頓
32. 遣使陳留
33. 遺失眞容
34. 兩賢相遇
35. 題詩托諷
36. 書館悲逢
37. 張公掃墳
38. 拜別登途
39. 夫妻途路
40. 李旺囘話
41. 張公暖寒
42. 牛公馳驛
43. 免擾墳塋
44. 滿門榮贈

15072 新刻重訂出像附釋標註琵琶記　四卷四册

元高明撰，明戴君賜註，明金陵唐晟刋本。國立中央圖書館收藏。匡高22公分，寬13公分。每半葉8行，每行21字，科白小字雙行，每行亦21字。單欄，白口，有眉批，眉批卽註釋。欄內有界格。書名在魚尾之上，卷次在魚尾之下，再下記葉數。書前有河間長君重刻琵琶記序，其次爲目錄。每卷首行大題「新刻重訂出像附釋標註琵琶記卷幾」，次行低十字題「東嘉高則誠編次」，三行四行分別低十字題「羊城戴君賜註釋」、「金陵唐晟校梓」。每齣標齣目，曲牌注明宮調。有插圖二十六幅，單面，圖目四字橫排。全劇亦四十二齣，齣目與前幾本略有不同：

1.副末開場	2.伯喈祝壽	3.牛氏玩春
4.強子求官	5.辭親赴選	6.丞相訓女
7.諸友赴場	8.科場中選	9.對鏡梳粧
10.狀元赴宴	11.公婆埋怨	12.丞相遣媒
13.伯喈辭婚	14.丞相強婚	15.牛氏怨婚
16.伯喈辭官	17.里正奪糧	18.官媒請婚
19.成婚牛氏	20.孝婦供飴	21.孝婦咽粃
22.伯喈操琴	23.五娘煎藥	24.伯喈思歸
25.五娘剪髮	26.伯喈寄書	27.五娘造墳
28.牛氏翫月	29.孝婦題眞	30.牛氏詰閨
31.牛氏啓歸	32.孝婦尋夫	33.差人迎請
34.五娘追薦	35.五娘至府	36.書館題詩
37.書院相逢	38.鄰爲看墓	39.伯喈辭行
40.李旺差回	41.伯喈廬墓	42.封贈團圓

此本墨色不勻，第三十七齣「解三醒」（嘆雙親把兒指望）以下鈔配二葉。書中無題跋，序文亦不署年月。黃丕烈曾有「定遠亟稱花邊本」一語，按：金陵唐氏富春堂所刻戲曲，板匡四周都有雲雷紋花邊，例如商輅三元記、韓朋十義記等皆是。此書板匡幷無「花邊」，黃跋所謂花邊本，當不至於指此。又潘承弼所編明代版本圖錄初編稱：「此書與富春堂刋本相似，當必唐氏一家所刻」，又稱其「寫刻至精」。既是一家所刻，又譽爲「寫刻至精」，可見亦有其勝處。

15073 新刻魏仲雪先生批點琵琶記 二卷四册

元高明撰，明魏浣初評，李裔蕃註，明初古吳陳長卿刋本。前國立北平圖書館收藏，國立中央圖書館保管。匡高21.4公分，寬12.5公分。每半葉10行，每行27字，科白小字雙行，每行亦27字。白口，單欄，有眉批。版口上端刻書名卷次，下刻葉數，版匡內無界格。書前扉頁題「魏仲雪先生評釋」「新刻琵琶記」「古吳陳長卿梓」。有圖四幅，每圖次頁有圓形牌記，上題「惟願取百歲椿萱長似他三春花柳」、「齧雪餐氈蘇卿猶健餐松食柏到做得神仙侶」、「夢裡分明鬼神想是天憐念」、「到京畿拜謝皇恩歸院宇一家賀喜」。其次目錄一葉，每半葉11行。

此本四十二齣。每卷卷首大題「新刻魏仲雪先生批點琵琶記卷幾」，次行低一字題「上虞魏浣初仲雪父批評」、「門人李裔蕃九仙父註釋」，三行即題齣數及齣目。每曲注明宮調，每齣下場詩之後有批語和釋義。上卷末葉缺一角，所缺爲第二十一齣的下場詩及釋義。四十二齣的齣目如下：

1.副末開場	2.高堂慶壽	3.牛女規奴
4.蔡公逼試	5.南浦囑別	6.丞相教女
7.才俊登程	8.文場選士	9.臨粧感歎
10.春宴杏園	11.蔡母嗟兒	12.奉旨招婿
13.官媒議婚	14.激怒當朝	15.金閨愁配
16.丹陛陳情	17.義倉賑濟	18.再報佳期
19.強效鸞凰	20.勉食姑嫜	21.糟糠自厭
22.琴訴荷池	23.代嘗湯藥	24.宦邸憂思

25.祝髮買葬	26.拐兒詒惧	27.感格墳成
28.中秋賞月	29.乞丐尋夫	30.暇問衷情
31.幾言諫父	32.路途勞頓	33.聽女迎親
34.寺中遺像	35.兩賢相遇	36.孝婦題眞
37.書館悲逢	38.張公遇使	39.散髮歸林
40.李旺回話	41.風木餘恨	42.一門旌獎

案：魏仲雪先生名浣初，初字龍超，常熟人。明萬曆丙辰年進士，歷任嘉興府教授，南京戶部主事，吏部郎中，廣東僉事等職，卒于官。其人公愼明允，淸隃自好，喜爲詩，得元白遺意。

15074 李卓吾先生批評幽閨記 二卷二册

元施惠撰，明李贄評，明代末葉虎林容與堂刋本配補影鈔本。國立中央圖書館收藏。匡高 23 公分，寬 13.8 公分。白口，單欄。每半葉 10 行，每行 22 字。版心上端刻書名，魚尾下刻卷次，再下記葉次及「容與堂」三字，又葉次下小字旁記該葉字數，蓋宋元版皆如此，唯版刻劇曲則少見如此記法。

書分上下兩卷，每卷卷首大題「李卓吾先生批評幽閨記卷之幾」，次行低二字題齣數及齣目，卷上幷刻有「虎林容與堂梓」字樣。書前有李贄序，係影鈔配補。目錄及插圖亦分刋在每卷之前，卷上目錄影鈔配補。圖二十幅，雙面，每幅有題目，首幅有「謝茂陽刻」字樣，其中十八幅半係影繪配補。又卷下第四十九葉以後影鈔配補。書中鈐有「希古右文」朱文方印，「不薄今人愛古人」白文方印，「國立中央圖書館收藏」朱文方印。

此劇本於關漢卿拜月亭雜劇而作。演蔣世隆兄妹、王瑞蘭母女，避番兵之亂中途失散事，後世隆與義弟興福同中文武狀元，兄妹母女得以團圓，并以瑞蘭配世隆，蔣女配興福，共偕良緣。以王瑞蘭幽閨拜月為全劇關鍵，故稱幽閨記，亦稱拜月亭。劇凡四十齣，齣目標以四字，錄之如下：

1. 開場始末
2. 兄妹籌咨
3. 虎狼擾亂
4. 罔害皤良
5. 亡命全忠
6. 圖形追捕
7. 文武同盟
8. 少不知愁
9. 綠林寄跡
10. 奉使臨番
11. 士女隨遷
12. 山寨巡邏
13. 相泣路岐
14. 風雨間關
15. 番落回軍
16. 違離兵火
17. 曠野奇逢
18. 彼此親依
19. 偷兒擋路
20. 虎頭遇舊
21. 子母途窮
22. 招商諧偶
23. 和寇還朝
24. 會赦更新
25. 抱恙離鸞
26. 皇華悲遇
27. 逆旅蕭條
28. 兄弟彈冠
29. 太平家宴
30. 對景含愁
31. 英雄應辟
32. 幽閨拜月
33. 照例開科
34. 姊妹論恩
35. 詔贅仙郎
36. 推就紅絲
37. 官媒回話
38. 請諧伉儷
39. 天湊姻緣
40. 洛珠雙合

此書為近人劉之泗公魯所藏，書皮有劉氏朱筆手書題籤。上冊題「幽閨記」「李卓吾批評本」「繆藝風太丈贈先大夫者」「之泗謹識」，下冊題「幽閨記」「李卓吾批評本」「戊辰上元夜五鼓揭櫫」，是知此書原屬繆荃孫氏，後由繆氏贈予劉氏者。書尾有宣統元年繆荃孫跋，以及劉之泗手錄金陵瑣事二則，一併鈔錄如下：

「拜月亭記，元施君美撰。何元朗謂勝於琵琶，王弇州不以爲然。然琵琶襲舊太多，與西廂同病，且其曲無一句可入絃索，拜月則字字穩帖，與彈搊膠黏，蓋南曲全本可上絃索者惟此耳。至於走雨、錯認、拜月諸折，俱問畣往來，不用賓白，固爲高手，即旦兒髻雲堆小曲（在少不知愁齣），模擬閨秀嬌憨情態，活脫逼眞，琵琶咽糠、描眞亦佳，終不及也。沈德符亦向曾與王房仲談此曲，渠亦謂乃翁持論未確，且云不特別調之佳，即如聶古陀滿爭遷都俱是兩人胸臆見解，絕無奏疏套子，亦非今人所解。予深服其言，若西廂才華富贍，北詞大本未有能繼之者，終是內勝於骨，所以讓月亭一頭地。月亭後小半已爲俗工删改，非復舊本矣。今細閱拜新月以後無一詞可入選者，便知此語非謬，至王靜庵以雙手擘開生死路二語，據小說爲明太祖撰句，證非元人，太祖自僧爲盜，目不知書，此等事相襲甚多，皆非事實，不足爲證。至拜月改爲幽閨，約在明末，萬曆癸巳，吳中諸公子習武，爲江南朱撫軍所訐，謂諸公子且反，其贈答詩云：『君實有心追季布，蓬門無計託朱家。』以實謀反確證。時三相皆吳越人，恐上遂信爲眞，急疏請行撫按會勘虛實，朱已去任，代之者爲解曰，拜月亭曲中陀滿興福投蔣世隆，蔣因有此句答贈，非創作者，因取坊間刻本證之，果然，諸公子獄始漸解。王房仲亦諸公子中一人也，今新舊刻本俱無此一聯，豈大獄興時，憎其連累，削去此二句耶？或云拜月初無是詩，特解紛者詭爲此說，以代聊城矢耳。邇時尚未改幽閨記，荃孫所得李卓吾批評本已作幽閨記，亦無季布朱家二語，足證解紛之說。開場沁園春是大字，第一折䌞山月以下五闋未移，喜遷鶯、杏花天、小桃紅三闋亦無之，只前圖尚存一葉半，前半葉是走雨，全葉是杵衣光景，書中無此情景，書口又明書幽閨記卷上，又非他書雜訂，質之靜庵以爲如何？幷以奉贈葱石鑒定之。宣統元年二月江陰繆荃孫跋。」

劉之泗所錄金陵瑣事二則如下：

「海門周吏部邀諸同寅遊弘濟寺，達觀老納在坐，庖人買得鮒魚一尾，此魚有禁，尙未進供也。海門向達觀曰：食好？不食好？乞老師一賜語。達觀曰：須是進供過方可食。海門曰：門外漢，門外漢。李卓吾聞而擊節，喜之。數年後一士大夫奉此公案，要無象和尙下一賜語，無象學於卓吾者，乃曰：只須投魚於江中。余謂此二僧皆死，語皆門外漢。續集上卷　戊辰正月二十四夜偶讀周吉甫金陵瑣事，遇卓吾事，因錄於此，知李氏於禪宗亦甚深也。貴池劉之泗公魯甫幷識。」

「金陵瑣事二續上云：太祖微行，入村店小飲，肴核俱無。上出聯云：小村店三杯五酌，無有東西。店主對云：大明國一統萬方，不分南北。又太祖出游，登樓買酒，寥寥獨酌。任福跪伏，上問爲誰？福曰：某國子監生，四川重慶府巴縣人。上出聯云：千里爲重，重山重水重慶府。福云：一人爲大，大邦大國大明君。據此則兩手擘開生死路一聯，或出明太祖手，未可知也。戊辰正月二十七日夜，公魯又記。」

據吳梅霜厓曲跋，謂幽閨記多用僻調，令人無從定板，又科白多鄙俚，是嘉隆間梅禹金、梁少白輩作劇，所以用駢句入科白，亟欲革除此陋習也。又謂劇中拜月一折，全襲關漢卿拜月亭原文，故爲全書最勝處，餘則頗多支離叢脞。

撰者施惠，字君美，一作均美，元杭州人。生卒年月不詳，約於元成宗元貞初左右在世。居吳山城隍廟，以坐賈爲業，與鍾嗣成等常相往來，酒酣之餘，以塡詞和曲爲事。著有古今砌話、別續常談等。又與范居中、黃天澤、沈拱合作鸘鷫裘雜劇（君美作第二折）。顧曲麈談以水滸作者耐菴居士即施惠，懷香樓叢話亦以水滸傳爲施君美作，當有所據。李卓吾名贄，明晉江人，嘉靖三十一年擧人。崇釋氏，卑孔孟，著有李氏焚書等，明史第二二一有傳。

15075　又一部

前國立北平圖書館收藏，國立中央圖書館保管。卷册、版式與前者相同，原爲董康舊藏，卷首鈐有「董康」朱文方印。

15076　幽閨怨佳人拜月亭　四卷四册

元施惠撰，明刋朱墨套印本，前國立北平圖書館收藏，國立中央圖書館保管。匡高 20.5 公分，寬 14.7 公分。每半葉8行，每行 18 字。單欄，白口，無魚尾。版心上刻書名卷次，下記葉碼。眉批及圈點朱色套印。卷前有西吳椒雨齋主人三珠生跋，其次目錄，目次分刋在各卷前，再次爲揷圖，刻畫極爲工緻，共二十幅，單面，各圖版心處刻文字，解釋圖意。每卷卷首大題「幽閨怨佳人拜月亭記卷某」，次行低二格即題第某折。折下不標題目，每曲註明宮調，觀其版式及體例，與閔氏所刻各戲曲相同。

全劇四十折，齣目與前本李評幽閨記同，唯第二折稱「書幃自嘆」。此書藏印甚多，計有：「一生淸白」朱文小長印，「張印奕樞」白文方印，「文斌圖章」白文方印，「臣樞」白文方印，「秋田」朱文方印，「長歌當哭」白文方印，「粵鴻」朱文方印，「稺虹」朱文方印，「魏印廷宰」白文方印，「一口」朱文小長印，「今滴」朱文方印，「白海閣主」朱文方印，「百羅山人」白文方印，「古滇山人珍藏」朱方文印，「楊印文彬」白文方印，「仲章」朱文方印，「文彬」白文扁方印，「古滇山人」白文方印，「多情歡喜如來」朱文方印，「稺虹」朱文小長印，「小王田塡詞」白文方印，「國立北平圖書館收藏」朱文方印。

15077 連環記 不分卷二册

明王濟撰，鈔本。前國立北平圖書館收藏，國立中央圖書館保管。書長 26 公分（連襯 31.5 公分），寬 20.8 公分。每半葉 9 行，每行 20 字，正楷鈔寫，字體工整，間有錯別字。行間并有朱筆圈點。首尾鈐有「國立北平圖書館收藏」朱文方印，及「朱希祖」朱白合文小方印。

全劇三十齣，齣目如下：

1.家門	2.從駕	3.觀燈	4.起布
5.敎技	6.大議	7.說布	8.剌父
9.反助	10.拜印	11.議劍	12.獻劍
13.賜環	14.起兵	15.歎環	16.問探
17.三戰	18.拜月	19.回軍	20.小宴
21.大宴	22.送親	23.納妾	24.激布
25.梳粧	26.擲戟	27.計盟	28.假詔
29.誅卓	30.團圓		

登場角色計有：王允（生）、呂布（小生）、貂蟬（小旦）、王允妻梁氏（老旦）、董卓（淨）、袁紹及李儒（末）、柳

青娘及董母（丑）、李肅蔡邕丁原（外）、曹操（副）等。

此劇寫漢末董卓專權，王允獻美女貂蟬予董卓及呂布，借布除卓事。因王允曾以玉連環予貂蟬，授之密策，故曰連環記。再者，以貂蟬一女兩用，周旋於董、呂之間，關係妙絕，恰似連環之不可分也，故以連環記名之。

撰者王濟字伯雨，號雨舟，自稱紫髯仙客，晚更號白鐵道人，烏程人。以大學生授廣西橫州判官，嘗採其風土物宜與域中異類爲一編，曰君子堂日詢手鏡。嘉靖十九年卒。撰有浙西倡和、谷應水南詞、和花蕊夫人宮詞等。事見明史第221。又有王濟字汝舟者，亦烏程人，成化十年進士，想與此劇無關。

15078　四聲猿　四卷二册

明徐渭撰，明末書坊大成齋刋本。國立中央圖書館收藏。匡高20.8公分，寬14.6公分。每半葉9行，每行20字。單欄，白口，欄外刻眉批。版心上端刻書名，中刻子題，下記葉數。書前有澂道人題四聲猿引，其次讀四聲猿調寄沁園春一闋，澂道人記曰：「此余歸黃伯姊知和氏所作也，伯姊著有臥月軒稿行世，今年春秋八十矣，揮毫不倦，間塡此闋，其音節豪壯，褒貶謹嚴，堪與是編同垂不朽，因附刻焉。」再次刻袁宏道所撰徐渭傳，再次爲總目，此葉有朱筆手題七絕一首：「滴露研朱細品量，中郎傾倒也尋常，看他濃艷驚人處，直壓臨川玉茗堂。」下署乙酉八月二日午刻蘗雲外史題詞。再次圖四幅，雙面，每圖敍一故事，首幅刻「水月居寫」。扉葉刻「新鐫繡像批評四聲猿大成齋藏版」。每卷之首大題「四聲猿」，次行三行低五格並題「天池生著」，「澂道人評」。第四行低一格題子目，例如「狂鼓吏」、「玉禪師」等等。書後又有附跋。書中鈐有「國立中央圖書館收藏」朱文小長方印，「曼農過眼」白文方印，并有紅綠二色圈點。

此書收有狂鼓吏、玉禪師、雌木蘭、女狀元四劇，全稱爲「狂鼓吏漁陽三弄」、「玉禪師翠鄉一夢」、「雌木蘭替父從軍」、「女狀元辭凰得鳳」，每劇之後有澂道人評語一二則。

狂鼓吏演三國時禰衡擊鼓罵曹事。劇末有綠筆手書云：「此折純用白描，其秀勁處較實甫、漢卿有過之無不及也。乙酉八月初三早起燮雲記。」

玉禪師寫宋代玉通和尚與妓女吳紅蓮事，故事詳見田汝成西湖志。元人王實甫有度柳翠雜劇，此劇與王著事同而詞異。劇末有墨筆手書兩行：「元人有此白描，無此奇傑，近人有此風味，無此老辣，眞是天地間有數文字。乙酉八月三日早起燮雲外史記。」

雌木蘭記花木蘭代父從軍事，劇中稱姓花名弧及嫁王郎，皆徐渭撰出。木蘭故事詳載於古樂府木蘭辭，湧幢小品云：「孝烈將軍，隋煬帝時人，姓魏氏，本處子，名木蘭，亳之譙人。孝烈痛父老羸，弟妹皆稚騃，慨然代行。服甲胄韃櫜，操戈躍馬而往，歷一紀閱十有八戰，人莫識之。後凱還，天子嘉其功，除尚書，不受，懇奏省覲，及還譙，釋其戎服，衣其舊裳，同行者駭之，遂以事聞於朝，召赴闕，帝奇之，欲納諸宮中，對曰：臣無媲君之理，以死誓拒，迫不已，遂自盡。帝驚憫，追贈將軍，諡孝烈。」明田藝蘅留青日札記有韓貞女事，亦女扮男裝從軍。與木蘭事相類。此劇之末綠筆手評云：「脫口生香，令人把玩不置。乙酉八月初三早起燮雲記。」又朱筆七絕云：「紅腔低唱四聲猿，一樣風華別樣姸，千古詞人齊下拜，清才不數柳屯田。乙酉八月初四早孌雲讀。」

女狀元乃五代臨卯女子黃崇嘏辭凰得鳳事。崇嘏原名春桃，幼年父母雙亡，與乳母相依，長成後才學絕異，乃改扮男裝，入京應試，得中狀元，周丞相以女妻之，崇嘏題詩辭婚，曰：「一辭拾翠碧江湄，貧守蓬茅但賦詩，自着藍衫爲郡掾，永抛鸞鏡畫娥眉。立身卓爾青松操，秉志鏗然白璧姿，相府若容爲坦腹，願天速變做男兒。」丞相攬詩驚駭不已，遂命與其子匹配姻緣。

此書總名四聲猿者，蓋以猿聲至哀，唐詩有巴東三峽巫峽長，猿鳴三聲淚霑裳句，猿啼之哀，三聲足以墮淚，而況四聲？其托意可知也。

撰者徐渭字文長，一字文清，晚號青藤，明嘉隆間浙江山陰人。工詩文書畫，知兵，又好奇計，惜以負才不遇，抱憤而卒。著有路史分釋、筆玄要旨、徐文長集等。「田水月」、「天池生」者，亦文長之自號也。明史第288有徐渭傳。

15079 又一部

明末刊本，國立中央圖書館收藏。卷册、板式俱與前同，唯缺袁宏道所撰徐渭傳，亦無大成齋藏版字樣，玉禪師一劇眉欄有墨書手批。書中鈐有「國立中央圖書館收藏」朱文小長方印，「□□之印」白文方印。

15080 李卓吾先生批評浣紗記 二卷四册

明梁辰魚撰，明刊本。前國立北平圖書館收藏，國立中央圖書館保管。匡高22.6公分，寬13.7公分。每半葉10行，每行22字。白口，單欄，黑魚尾。魚尾上刻書名，下刻卷次，再下記葉碼。每卷卷首大題「李卓吾先生批評浣紗記卷幾」，次行空二格題第某齣，每齣之末有總評，眉頭有評語。目次及圖分刋在兩卷之前，圖不全，雙面者八幅，單面者四幅。書中鈐有「董康」朱文方印，「國立北平圖書館收藏」朱文方印。

全劇凡四十五齣，演范蠡謀王圖覇，勾踐復越亡吳事。此劇第一齣漢宮春云：「范蠡遨遊，早把風流倜儻，歷遍諸侯。因望東南覇起，越國遲留。尋春行樂，遇西施浙水西頭，姻緣定，將紗相贈，雙雙逐結綢繆。誰料邦家多事，共君投異國，三載覇囚。歸把傾城相借，得報吳仇。佳人才子泛太湖，一葉扁舟。看今古浣紗新記，舊名吳越春秋。」劇情及命名由來，因此得知矣。此書有缺葉缺字，其四十五齣之齣目如下：

1.家門　2.遊春　3.謀吳　4.伐越
5.交征　6.被圍　7.通嚭　8.允降
9.送餞　10.投吳　11.捧心　12.談義
13.養馬　14.打圍　15.越嘆　16.問疾
17.效顰　18.降赦　19.放歸　20.論俠
21.宴臣　22.訪女　23.～30.（目次殘缺）
31.定計　32.諫父　33.死忠　34.思憶
35.被擒　36.飛報　37.同盟　38.誓師
39.行成　40.不允　41.顯聖　42.吳刎
43.擒嚭　44.治定　45.泛湖

撰者梁辰魚，字伯龍，明崑山人。好任俠，不屑就諸生試。嘉靖間李攀龍、王世貞等七子皆折節與之交。伯龍雅擅詞曲，邑人魏良輔能喉轉音聲，變戈陽、海鹽故調爲崑腔，伯龍塡浣紗記付之，是爲崑曲之始。兼工詩，著有遠遊稿、鹿城新集等。
參看 15081 重刻吳越春秋浣紗記

15162 三刻五種傳奇

15081　重刻吳越春秋浣紗記　二卷二册

明梁辰魚撰，明萬曆間武林陽春堂刋本。前國立北平圖書館收藏，國立中央圖書館保管。匡高 20 公分，寬 13.5 公分。每半葉 10 行，每行 22 字。科白小字雙行，每行亦 22 字。白口，單欄，書名卷次刻在魚尾之下，再下記葉碼，魚尾黑白兼有。每卷卷首大題「重刻吳越春秋浣紗記卷某」，卷上第二三行空十四字題「武林陽春堂校梓」。卷前有明萬曆戊申（三十六年）朱其輪序，其次刻兩卷目錄。圖不全，雙面者十四幅，單面者一幅，分刻在各齣之中。書亦有缺葉，卷上缺第三十五葉（即第十三齣後半齣及圖半幅），卷下第七十二葉以後缺，即缺北梅花酒、南錦衣香、北收江南、南漿水令、北清水引等曲。

劇分四十五齣，齣目與前本不同，鈔錄如下：

1. 提綱	2. 尋春	3. 祝壽	4. 起兵
5. 鏖戰	6. 議降	7. 賄奸	8. 許成
9. 憶約	10. 行成	11. 智歸	12. 訪友
13. 羈囚	14. 遊台	15. 議解	16. 嘗遺
17. 病心	18. 釋越	19. 歸越	20. 使齊
21. 臥薪	22. 選女	23. 聘施	24. 結吳
25. 敎技	26. 寄子	27. 施別	28. 詳兆
29. 應卜	30. 採蓮	31. 神木	32. 拒諫

33.死節	34.懷故	35.圍吳	36.聞警
37.會盟	38.計圖	39.逐嚭	40.請成
41.顯聖	42.吳刎	43.提嚭	44.復國
45.歸湖			

參看 15080 李卓吾先生批評浣紗記

15162 三刻五種傳奇

15082 新刋重訂出相附釋標註千金記 四卷二册

明沈采撰，明金陵書林世德堂刋本，前國立北平圖書館收藏，國立中央圖書館保管。匡高 22.5 公分，寬 13公分。每半葉 8 行，每行 21 字，科白小字雙行，每行亦 21 字。雙欄，欄內刻眉批。白口，單魚尾。書名刻在魚尾之上，卷次刻在魚尾之下，再下爲葉數。目錄分四卷，共三十六齣。一至十齣在卷一，十一至十九齣在卷二，二十至二十七齣在卷三，二十八至三十六齣在卷四，齣目錄之如下：

1. 副末開場	2. 仙賜書劍	3. 妻嘆夫賢
4. 項良起兵	5. 夫妻分辯	6. 寄食漂母
7. 受辱胯下	8. 夫妻分別	9. 韓信投軍
10.被惡奪布	11.鴻門會宴	12.信封執戟
13.鴻門謝宴	14.子房訪信	15.韓信投河
16.火燒連厫	17.恩赦韓信	18.何良追信
19.蕭何薦信	20.登壇拜將	21.三傑同盟
22.韓信破趙	23.訪計左車	24.楚謀救齊
25.韓信伐齊	26.貳客說信	27.楚歌散兵
28.虞姬自刎	29.羽刎烏江	30.好音傳寄

31.封信齊王	32.舉觴奉餞	33.報信淮陰
34.棄職歸山	35.衣錦還鄉	36.合宅團圓

此書原爲朱希祖所有：民國二十年一月十五日贈予前國立北平圖書館，書前有朱氏贈書簽署及印章。又扉葉刻有「鍥重訂出像註釋韓信千金記題評金陵書林唐氏世德堂梓」24 字，該葉邊匡有迴紋。每卷卷首大題「新刋重訂出相附釋標註（卷三卷四加韓信兩字）千金記卷幾」，次行三行四行低十二字分別題「星源游氏興賢堂訂」、「繡谷唐氏世德堂梓」、「臨汝鄒氏慶雲堂錄」（卷二卷四僅題星源游氏興德堂訂一行，卷三則全不錄）。齣數自第十一開始數字用大寫，註釋則刻在書眉及行間。有圖二十幅，每圖單面。劇演韓信貧困時乞食漂母事，後以千金還報之，故名之曰千金記。韓信事史記漢書載之甚詳，戲劇不過敷演故事而已，惟信妻高氏，妻兄高起，於史無所考據。

15083 新刋重訂出相附釋標注裴度香山還帶記

二卷二册

明沈采撰，明末繡谷唐氏世德堂刋本，國立中央圖書館收藏。匡高 22.3 公分，寬 13.1 公分。每半葉 8 行，每行 21 字，小字雙行，每行亦 21 字。雙欄，欄內刻眉批。白口，單魚尾。版心上端刻書名，中記卷次，下記葉數。扉葉刻「繼志齋原板鐫重校出相點板還帶記」十五字。目錄佔一葉半，劇分四十一齣，齣目作：

1.副末開場	2.二郎諂裴	3.宗一生非
4.方正被誣	5.裴度初相	6.周女送飯

7.乞帶救父	8.裴度拾帶	9.裴度還帶
10.玉帝褒裴	11.送帶贖罪	12.出獄謝裴
13.劉二勒債	14.裴度別妻	15.裴度赴選
16.米送裴宅	17.衆朋就相	18.棘圍考試
19.衆友看榜	20.裴寄家書	21.捷報及第
22.夫人往京	23.夫人到京	24.元濟談兵
25.議討淮西	26.辭家討賊	27.陰謀行刺
28.陰謀遣報	29.居民逃亂	30.奮追元濟
31.訪裴消息	32.辨士妄報	33.揑謗裴死
34.妄報傳音	35.生擒元濟	36.喜逢佳報
37.夫人榮歸	38.上表歸田	39.劉二悔罪
40.賜歸田里	41.綠野團圓	

目錄之後即曲文。每卷卷首大題「新刋重訂出相附釋標註裴度香山還帶記卷幾」，次行低十一字署「星源游氏興賢堂重訂」，三行亦低十一字署「繡谷唐氏世德堂校梓」。齣數頂格大題，牌名角色皆以墨圍標記。有圖二十四幅，每圖單面。卷首鈐「國立中央圖書館收藏」朱文小長方印。卷末欄外左上端有墨筆手書「長樂鄭振鐸藏書」小字一行，據此，書爲鄭氏所藏無疑。上卷第四十一、四十二兩葉單欄，而字體略扁，版心上「上卷」兩字作「上了」，恐係後來補刻者。

此劇演裴度因陰德獲榮顯事。唐人小說有此說。云裴君貌不入相，科場累屈。一日遊香山寺，拾得周氏玉帶而送還之，周氏因得贖其父罪，裴後亦中高第。香山寺拾帶還帶，爲全劇主要情節，故以此命名。撰者沈采，號練川，字不詳，吳縣人，明憲宗成化左右在世。工曲，除此劇外尙有千金記、四節記傳奇各一。

15084 鼎鐫陳眉公先生批評繡襦記　二卷二册

明薛近兗撰，明末書林蕭騰鴻刋本。國立中央圖書館收藏，原爲鄭振鐸所有。匡高 22.5 公分，寬 14.5 公分。每半葉 10 行，科白小字雙行，每行大小皆 26 字。單欄，白口，欄內刻有眉批。版心上端刻書名，中刻卷次葉數，其下刋「師儉堂版」四字。書前有序及目錄，目錄分上下，上卷止於第二十齣，下卷終於第四十一齣。圖十一幅，每圖雙面，上刋劉素明　、蔡汝佐寫。是書插畫繪刻俱精，堪與琵琶記、牡丹亭相媲美。

此劇寫鄭元和與李亞仙戀愛故事。亞仙乃一風塵弱女，能剔目勸學，激勵鄭生重登科擧，父子重逢和好如初，可謂節義雙全。前此，唐人白行簡有李娃傳，元人石君寶撰有曲江池雜劇，此記曲海總目提要未曾收入。取名繡襦記者，因鄭生落魄時，亞仙以繡襦擁之而歸也，故名。

此書每卷卷首大題「鼎鐫陳眉公先生批評繡襦記卷幾」，二行三行四行分別題「雲間眉公陳繼儒評」、「潭陽徵韋蕭鳴盛校」、「一齋敬止余文熙閱」、「書林慶雲蕭騰鴻梓」。首卷目錄之後附唐白行簡汧國傳，記李娃與鄭生相戀始末，劇作者遂據此而敷演故事。全劇凡四十一齣：

1. 傳奇綱領	2. 正學求君	3. 僞儒樂聘
4. 厭習風塵	5. 載裝遣試	6. 結伴毘陵
7. 長安稅寓	8. 遣策相挑	9. 述葉良儔
10. 鳴珂嘲宴	11. 面諷背逋	12. 乳婿傳凶

13.姨鴇誇機	14.試馬調琴	15.套促纏頭
16.鬻賣來興	17.謀脫金蟬	18.竹林祈嗣
19.詭伏傲居	20.生折鴛鵝	21.墮計消魂
22.歌郎競技	23.得覔知音	24.逼娃逢迎
25.責善則離	26.卑田救養	27.孤鸞罷舞
28.教唱蓮花	29.聞信倍思	30.慈母感念
31.襦護郎寒	32.追奠忘辰	33.剔目勵學
34.策射頭名	35.却婚受僕	36.偕發劍門
37.馳驛認丞	38.郵亭共宿	39.父子萍逢
40.鸞宦重媒	41.泮國流馨	

撰者薛近兗，字信余，應旂子，明武進人。與鄭若庸同時，若庸作玉玦記傳奇，以訕院妓，一時白門楊柳少年無繫馬者，群妓患之，共醵金數百求近兗作繡襦記以雪之，秦淮花月，頓復舊觀。

參看 15162 三刻五種傳奇

15085　重校五倫傳香囊記　二卷二册

明邵璨撰、明白下陳大來寫刋本。前國立北平圖書館收藏，國立中央圖書館保管。是書原屬董康舊藏，鈐有「董康」朱文方印。匡高 20.8 公分，寬 14.5 公分。白口，單欄，有眉批。每半葉 10 行，每行 20 字，科白小字雙行，每行亦 20 字。版心上端刻「香囊記」三字，中刻卷次葉數，扉葉有「鐫出像點版古本香囊記繼志齋原板」字樣。書尾倒數第四行刻「白下陳大來手書刋布」。此書無目錄，除第十齣標「瓊林賜宴」外，其餘各齣亦不標齣目。圖五幅，每圖佔雙面，挿在第三、七、

十九、二十三、二十九各齣中。卷下第四十三、四十四、四十九葉由德聚堂補刻，各葉版心刻有「德聚堂補」四字。

全劇共四十二齣，演宋張九成事。按宋史九成字子韶，其先開封人，徙居錢塘，紹興二年進士，累官刑部侍郎。時秦檜主和，九成異議，檜甚惡之，謫守邵州。此劇大半無中生有，與本傳殊不相合。名以香囊記者，九成佩一香囊，於戰場中遺失，以此爲穿插，生出許多情節。標以五倫傳者，正如開場所云：「伯奇孝行，左儒死友，愛兄王覽，罵賊睢陽。孟母賢慈，共姜節義，萬古名垂有耿光。因續取五倫新傳，標記紫香囊。」蓋以其兄弟、朋友、賢妻、良母可與古人相比擬，取義於五倫全備也。

按此記曲海總目提要原題「明邱濬撰」，其實邱濬所撰爲羅囊記，已散佚。邵璨字文明，一字宏治，江蘇宜興人。

參看15162三刻五種傳奇。

15086 新刊出相點板紅梅記 二卷一冊

明周朝俊撰，明末書坊唐振吾廣慶堂刊本。前國立北平圖書館收藏，國立中央圖書館保管。匡高20公分，寬14公分。單欄，欄內有眉批。每半葉10行，每行20字，科白小字雙行，每行亦20字。白口，單魚尾。魚尾上刻書名「紅梅記」三字，下刻卷次及葉數。此書無目錄。卷首大題「新刊出相點板紅梅記卷之幾」，次行低十二字題「秦淮墨客校正」三行亦低十二字題「唐氏振吾刋行」。扉頁刻「鐫校正全相點板紅梅記廣慶堂刋行」，共十五字，分三行排列。有圖六幅，插附在各齣間。每圖佔雙面，首幅刻「君裕劉鐫」。

全劇三十四齣，寫宋代裴禹與盧昭容事。裴禹字舜卿，唐裴行儉後裔。一日與諸友遊西湖，遇賈似道擁歌妓乘畫舫至。有妓名李慧娘者，慕裴生風雅，賈歸即殺慧娘以示群妓。時有盧總兵夫人崔氏孀居湖上，女名昭容，貌甚妍麗，又善詞賦。某日，盧女登樓詠梅，適裴生于牆外攀枝，女即以所折紅梅相贈。賈似道聞女研麗，欲謀為妾，女不從，崔氏無策，以女許與裴生。賈似道憤裴生沮其事，拘裴於密室，欲置之死，為李慧娘陰魂所救。後裴中第，遂與盧昭容共諦良緣。事以紅梅作合，故名紅梅記。齣目有：

1.提綱	2.湖遊	3.慈訓	4.殺妾
5.贈梅	6.虜圍	7.瞥見	8.詢婢
9.充婿	10.誘禁	11.私推	12.夜走
13.幽會	14.抵揚	15.謀刺	16.脫離
17.考伎	18.探姻	19.調婢	20.秋懷
21.怨聚	22.遣杭	23.城破	24.恣宴
25.劾奸	26.得耗	27.應試	28.促歸
29.改粧	30.尋遇	31.夜晤	32.速訟
33.空喜	34.完姻		

此書已破舊，紙質尤易脆裂，幾乎不便翻閱。末齣止於「但願的歲歲梅花開到眼」一句，不見下場詩及卷終字樣，疑有缺葉。

作者周朝俊，字夷玉，明浙江鄞縣人。除紅梅記外，尚有畫舫記一種。又據曲海總目提要記載，此記為袁宏道刪潤，中間李慧娘數折，借用綠衣人傳云云。

15087 新刻五鬧蕉帕記 二卷二册

明單本撰，明金陵唐氏文林閣刋本，前國立北平圖書館收藏，國立中央圖書館保管。匡高21公分，寬14.7公分。每半葉11行，每行20字，科白小字雙行，每行亦20字。單欄，欄內有眉批，眉批卽音註。白口。版心上端刻「全像鬧蕉帕卷幾」，下端刻葉數。書前有目錄，載三十六齣之目：

1.開場	2.尋春	3.遊湖	4.幻形
5.詢醫	6.贈帕	7.解謎	8.採眞
9.鬧釵	10.倩媒	11.議婚	12.行賄
13.竊珠	14.付珠	15.備聘	16.鬮婚
17.鬧婚	18.赴任	19.超悟	20.脫化
21.鬧題	22.防險	23.叩仙	24.造逆
25.演法	26.鬧闈	27.會獵	28.報捷
29.陷差	30.分別	31.巡警	32.祈雪
33.擣巢	34.相逢	35.提因	36.揭果

每卷卷首大題「新刻五鬧蕉帕記卷幾」，次行低二字卽題齣數及齣目。有挿圖共九幅，雙面，卷下似缺一幅。圖頗精美，但無刻工姓名。

此劇爲單本所撰，單本字槎仙，明會稽人。劇演狐女報恩事。有書生龍驤，東吳人，父母早亡，由父僚胡招討撫養長大。胡有女名弱妹，風姿俊雅，性情聰穎，龍生私心傾慕之。有一白牝狐，生前爲西施，只因傾覆吳國，天曹罰作狐類，居住洞府，號作霜華大聖，修身鍊形已三千餘年，欲得眞陽元氣，方登正果，因此屬意於龍生。一日白狐化作弱妹小姐模樣，取窗前芭蕉一葉，變作羅帕，贈予龍生，帕上并題詩句，相約「花園晚會」，事端卽由此而起。其後狐女修成正果，撮合龍生與弱妹姻緣，并授龍生天書，助其中舉，又點化各人前身。原來龍驤前身是王母殿前燒香童子，弱妹是王母殿前執拂侍兒，彼此引動凡心，被謫在塵世，將來終歸正道。事雖出于無稽，但其中贈帕、鬧婚、竊珠、鬧題諸齣，頗有戲劇效果。此劇由蕉葉變化羅帕引起情節，故以蕉帕記名之。劇中有「鬧釵」、「鬧婚」、「鬧題」、「鬧闈」四齣，皆以鬧字題其目，書名題五鬧蕉帕記，「五鬧」不知由何而來？或者五爲中數，取其吉順也。

15088 新鐫全像曇花記　二卷二册

明屠隆撰，明浙杭翁文源刋本。前國立北平圖書館收藏，國立中央圖書館保管。匡高19.8公分，寬13.4公分。每半葉10行，每行21字，科白小字雙行，每行亦21字。單欄，白口，白魚尾。書名刻在魚尾之上，卷次在魚尾之下，再下爲葉碼。版口下有「文源藏版」四字。此書略有破損，并有蟲蝕痕，卷上目錄二葉，以及第一葉至第三葉，第十八葉，第七十五葉皆鈔配成書。卷上首行大題「湯海若先生批評曇花記卷上」，卷下首行大題「新鐫全像曇花記卷下」，二行三行皆低十三字分別題「海陽月池生校」，「浙杭翁文源梓」。卷首鈐有「董康」朱文方印。

屠隆字長卿，又字緯眞，號赤水，別號由拳山人，浙江鄞縣人。少有異才，使十人執筆，並作十詩，給令分寫，十首立就，而鈔者未嘗停筆。明萬曆五年進士，官至禮部郎中，所著有由拳、白楡等集，所撰傳奇總名鳳儀閣樂府，包括彩毫記、修文記及曇花記三種。此記演木清泰事，木係假托，其關鍵在清泰離家時手植曇花，後得道返家，曇花大放，故以為名。全劇五十五齣，齣目如下：

1. 本傳開宗	2. 定興開讌	3. 祖師說法
4. 仙伯降凡	5. 郊遊點化	6. 辭家訪道
7. 仙佛同途	8. 雲遊遇師	9. 從師學道
10. 夫人內脩	11. 檀施積功	12. 群魔歷試
13. 天曹採訪	14. 奸相造謀	15. 士女私奔
16. 讐邪設謗	17. 群仙會眞	18. 公子尋親
19. 遊戲傳書	20. 夫人得信	21. 超度沉迷
22. 嚴公寃對	23. 眞君顯聖	24. 西來遇魔
25. 魔難不屈	26. 聖力降魔	27. 公子思親
28. 公子受封	29. 面聖辭官	30. 冥官迓聖
31. 卓錫地府	32. 閻君勘罪	33. 遍遊地獄
34. 冥司斷案	35. 普度群生	36. 衆生業報
37. 郊行卜佛	38. 陰府凡情	39. 窺園遘難
40. 禮佛求禳	41. 眞君驅邪	42. 上遊天界
43. 尼僧說法	44. 群仙會勘	45. 凶鬼自嘆
46. 討賊立功	47. 木侯夜巡	48. 東遊仙都
49. 凱旋見母	50. 西遊淨土	51. 義僕遇主
52. 菩薩降凡	53. 西來悟道	54. 還鄉報信
55. 法眷聚會		

此書有揷圖九幅，每圖佔雙面，刻畫幷無勝處。

15089 修文記 二卷一册

明屠隆撰，明刋本。前國立北平圖書館收藏，國立中央圖書館保管。匡高20.5公分，寬13公分。每半葉9行，每行21字，科白小字雙行，每行亦21字。單欄，白口。版心上端刻書名，中刻卷次，下刻葉碼。書前有目錄，每卷卷首有插圖，目錄題「修文傳奇題綱」。插圖共八幅，每圖單面，圖上分別題「賞花」、「群魔」、「修眞」、「遇師」等。每卷卷首大題「脩文記卷幾」，次行低九字題「一衲道人屠隆緯眞父著」，三行亦低九字題「了因居士范汝穀君善父校」。全劇四十八齣，演蒙曜一家妻女子媳修鍊得道事。齣目如下：

1.賞花	2.遇師	3.論文	4.考仙
5.群魔	6.遣女	7.蹈空	8.降魔
9.靜居	10.仇鬼	11.仙化	12.朝眞
13.訪道	14.野宿	15.化齋	16.鬼趣
17.勘罪	18.遇師	19.流謗	20.指迷
21.誤驚	22.別師	23.傳信	24.報喜
25.法遣	26.僧歎	27.歷險	28.拔幽
29.仙降	30.勘樞	31.分果	32.衆參
33.修文	34.除妖	35.樞歎	36.樞度
37.仙歸	38.試遣	39.試樞	40.雙修
41.姆談	42.綿信	43.說法	44.錄思
45.婆訓	46.璇嘆	47.小會	48.大會

曲海總目提要卷七，載有修文記，題明屠隆撰，謂記李賀事，其實此劇專演蒙曜事，與李賀毫不相涉。

書中鈐有「顧玠」朱文方印，「子發」朱文方印，「顧玠」朱白合文方印，「子發」朱白合文方印，「顧田之印」朱白合文方印，「心耕」朱文方印，「長宜子孫」朱文方印，「希代之寶」朱文方印，「淸白傳家西湖顧氏」朱文方印，以及「國立北平圖書館收藏」朱文方印。

15090　新刻出像音註商輅三元記　二卷二册

明末金陵書坊富春堂刋本，國立中央圖書館收藏。匡高19.5公分，寬13.2公分。每半葉10行，每行21 字，科白小字雙行，每行亦21 字。花欄，白口，單魚尾。魚尾上刻「出像三元記」，下刻卷數、葉數，版心下刻「富春堂」三字。第五、六兩葉裝訂顚倒。

此書無目錄及序跋，有揷圖十六幅，每圖單面，刋在曲文間，刻畫粗陋，無可取之處。每卷卷首大題「新刻出像音註商輅三元記卷幾」，次行低十字題「金陵書坊富春堂梓」，三行卽題「第一折」。

此劇共三十八折，不標齣目，演秦雪梅守節撫孤，商輅連中三元事。曲海總目提要題此劇爲「斷機記」，亦名「三元記」，明成化間人作。相傳吳縣王鏊，明成化甲午乙未鄉試皆第一，自擬必中三元，及殿試，得榜眼，疑宰相商輅忌其名而阻之，乃令人作斷機記，言輅父歿而輅始生，以詆其輅。及後鏊入內閣，見輅有揭帖，力請以鏊爲狀元，憲宗不從，其疑始釋。此記甚淺陋，恐非王鏊手筆，亦非其門下士所作也。曲海又錄明沈受先撰三元記一種，演馮京父事。京父壯年無子，買得一妾，問妾所自來，涕泣言因父債賣身，遂不忍犯，遣還其父。

後其妻得一子，即京也。京少年中三元，官至參知政事，與商輅事無關。是以此記應題作無名氏撰，不得題沈撰也。

15091 明珠記 二卷四册

明陸采撰，明末刋本，國立中央圖書館收藏。匡高19.7公分，寬13公分。每半葉9行，每行19字，科白小字單行，每行字數亦同。左右雙欄。版心上端刻「明珠記」三字，卷次及葉數接下略偏右。目錄分刋在兩卷之首，一至二十二齣在卷上，二十三至四十三齣在卷下，齣目如下：

1.提綱	2.赴京	3.□節	4.□留
5.□謀	6.□房	7.却婚	8.閨歎
9.拒奸	10.送愁	11.激亂	12.驚破
13.趕駕	14.探關	15.□逸	16.□旆
17.抄沒	18.遇僕	19.宮怨	20.贅蘋
21.別母	22.獲廕	23.巡陵	24.郵迎
25.煎茶	26.會橋	27.拆書	28.訪俠
29.禁怨	30.雪慶	31.吐衷	32.買藥
33.寫詔	34.僞勅	35.飲藥	36.珠贖
37.授計	38.聞赦	39.回生	40.會內
41.珠圓	42.江會	43.榮封	

此書無序跋，卷首大題「明珠記上」或「明珠記下」，字大佔兩行，其次不題撰者及刋刻者。鈐有「澤存書庫」朱文方印，「國立中央圖書館收藏」朱文長方印。由於書紙較薄，內有鑲襯，襯紙係「武備志」散葉，觀其卷次，自卷一百幾至卷二百三十幾，每半葉9行，每行19字，與此書相似。

此劇演王仙客與劉無雙事。唐時有王仙客者，年少喪父，隨母寄居外家，與表妹劉無雙相戀，并許婚姻。及長，舅氏毀約，又因變故，無雙流入掖庭，唯婢女採蘋寄居金吾將軍王遂中宅。仙客命舊僕塞鴻喬扮煎茶童子混入禁中，得見無雙，以明珠爲記，暗通款曲。終以古生設計，藥鴆無雙，贖屍送還，得茅山道士仙丸，使無雙還陽，仙客與無雙遂共偕姻眷。曲海總目提要著錄此劇曰：「明嘉靖間長洲陸采所作。」案陸采字子玄，號天池，又號清癡叟，明吳縣人，陸粲之弟。年十九即撰此記，曾選梨園子弟，登場敎演，名重一時。或謂此記爲其兄陸粲草擬，由采續成，不知確否？采著傳奇除此記外，尚有南西廂、懷香記、分鞋記、椒觴記四種，唯椒觴記今已不存。

15092　桃符記　二卷一册

明沈璟撰，清康熙四十七年張仲雲手鈔本。前國立北平圖書館收藏，國立中央圖書館保管。書長 24.2 公分，寬 12.9 公分。每半葉 9 行，每行 40 字左右。上卷末尾題「康熙四十七年閏三月念三日錄桃符上卷終七十三叟張仲雲草筆」，下卷末行題「四月初一日錄下卷終第三册記張仲雲草筆」，是知此書爲清康熙四十七年三四月間所鈔，當時鈔者已七三高齡，由於目力減退，書法較爲潦草。

全劇二十八折，一至十五折在上卷，十六至二十八折在下卷。此劇故事本於元鄭廷玉後庭花雜劇，沈璟增改而作桃符記，演劉天儀與裴青鸞事。有裴青鸞者，洛陽小家女，家貧被賣予傅樞密爲妾。傅妻善妬，不允女入門，陰使人謀殺裴女，裴女乃逃至黃公店投宿。適有書生劉天儀遊學汴京，因川資用盡，亦寓居黃公店中，以售春聯字畫爲生。店小二羨裴女美艷，因起歹念，青鸞不從而死，店小二遂用天儀所書桃符版長命富貴一片，挿在青鸞鬢上，而埋於後花園中。是夜裴女魂現，對天儀詭稱鄰女，天儀贈以後庭花詞。詞云：「雲鬢堆綠鴉，羅裙簇絳紗，巧鎖眉顰柳，輕勻臉襯霞。小粧札，凌波羅袜，洞天何處家。」青鸞和云：「無心度歲華，夢魂常到家，不見天邊雁，相親井底蛙。碧桃花，鬢邊斜挿，伴人憔悴殺。」其後青鸞之母與傅樞密俱訴於開封府，府尹包拯斷明此事，用神丹救活青鸞，荐天儀授官，劉裴兩家遂成姻眷。與鄭撰後庭花雜劇所不同者，天義改作天儀，趙忠改作傅忠，王翠鸞改裴青鸞，獅子店改黃公店，而又以青鸞復生，兩家聯姻作結也。

按沈璟字伯英，號寧菴，世稱詞隱先生，吳江人。明萬曆甲戌進士，仕由吏部郎轉丞光祿。酷好聲律，著述甚富，其傳奇有桃符、十孝、雙魚、合衫、紅葉、義俠、分錢、博笑、奇節、埋劍、結髮、四異、鴛衾、分柑、珠串、墜釵、鑿井共十七種，其中以桃符、義俠、紅葉三記最爲著名。散曲有情癡寱語、詞隱新詞各一卷。其他著作有曲海青冰二卷，增定南曲全譜二十一卷，南詞韻選十九卷，以及論詞六則、唱曲當知、正吳編、考定琵琶記等書。

15093　臨川四夢　八卷十六册

明湯顯祖撰，臧懋循訂，明刋本。前國立北平圖書館收藏，國立中央圖書館保管。匡高 22.3 公分，寬 13.7 公分。每半葉 9 行，每行 19 字。左右雙欄，眉欄內刻音注及評語。白口，白魚尾。魚尾上刻書名，下刻卷次，再下記葉數。裝訂考究，書葉內有襯紙，包角線裝，外套青布函。書中鈐有「國立北平圖書館收藏」朱文方印。

臨川四夢包括還魂記、紫釵記、邯鄲記、南柯記四種，茲分述如下：

還魂記二卷四册，卷前有萬曆戊子（十六年）清遠道人序，目錄及插圖。圖三十五幅，單面，每幅描繪一折劇情，繪刻俱精美。每卷卷首大題「還魂記卷幾」，上卷次行三行低十字並題「臨川湯義仍撰」、「吳興臧晉叔訂」。劇演柳夢梅與杜麗娘故事。麗娘乃南安太守杜寶之女，年華二八，春日遊園，偶得一夢，夢與柳生夢梅相遇於牡丹亭上，因是感病而亡，葬于後園梅樹之下。後三年，果有柳生名夢梅者開其墳而成親。事由春遊牡丹亭引起，以還魂聯姻作結局，故名還魂記，又稱牡丹亭。事雖虛構，然爲人艷稱，至今膾炙人口。全劇三十五折，目次如下：

1. 言懷	2. 訓女	3. 延師	4. 勸農
5. 遊園	6. 謁遇	7. 尋夢	8. 詰病
9. 寫眞	10. 牝賊	11. 悼傷	12. 旅寄
13. 冥判	14. 玩眞	15. 魂遊	16. 僮女
17. 幽媾	18. 繕備	19. 冥誓	20. 回生
21. 移鎭	22. 婚走	23. 駭變	24. 如杭
25. 寇問	26. 耽試	27. 折寇	28. 急難
29. 圍釋	30. 遇母	31. 鬧晏	32. 榜下
33. 硬拷	34. 聞喜	35. 圓駕	

綴白裘收入冥判、拾畫、叫畫、學堂、遊園、驚夢、尋夢、圓駕、勸農、離魂、問路、吊打十二齣。其中遊園一齣，流傳最

廣，至今尚有單演此折者。

紫釵記二卷四册，卷前有乙未（二十三年）春清遠道人序，目錄及挿圖，圖三十六幅，單面，每圖繪一折劇情。卷首題署與還魂記相同。劇演唐代詩人李益與霍王女小玉故事，本於唐人小說蔣防霍小玉傳，而略予改飾。以釵圓、宣恩收場，另就婚盧氏事不及也，并以元夕墮釵添出許多關目。劇分三十六折，目次如下：

1.述懷	2.春遊	3.謁鮑	4.出鎭
5.觀燈	6.議釵	7.報允	8.僕馬
9.合巹	10.窃覇	11.試喜	12.赴洛
13.杏苑	14.權嗔	15.榮歸	16.餞別
17.高宴	18.歎襒	19.濟友	20.計局
21.邊愁	22.銀屛	23.還朝	24.參軍
25.裁詩	26.猜寄	27.勸贅	28.強婚
29.賣釵	30.泣玉	31.撒錢	32.醉評
33.入夢	34.遇俠	35.釵圓	36.宣恩

吳梅評此劇云：「四夢之中以此爲最艷。」又謂記中舛律處頗多，唯臨川當時尚無南北宮譜，所據塡詞者，僅太和正音譜、雍熙樂府、詞林摘艷數種而已，不得以後人之律，輕議前人之詞也。此本經臧懋循刪定，律則合矣，其詞如何?」（見霜厓曲跋卷二）

邯鄲記二卷四册，卷前有辛丑（二十九年）秋湯顯祖序，其次目錄及挿圖，挿圖二十八幅，每幅單面，每圖繪一折劇情。卷首所題與還魂記相同。此劇敍呂翁路經邯鄲，於旅邸中遇山東盧生，盧思榮貴不得，呂翁授之以枕，生遂入夢。夢中娶清河崔氏女，女家資財甚厚，生由是榮顯。三十餘年間，崇盛赫奕，一時無比，而寵辱之數，得喪之理，生死之情，亦盡知之。初，生入夢時，店主正蒸黃粱爲饌，及生夢醒，黃粱尚未熟也。事出唐沈旣濟枕中記，元人馬致遠有黃粱夢雜劇，湯顯祖敷演而成此記。按此記第五折有「開元天子重賢才，開元通寶是錢財，若道文章眞使得，狀元曾值幾文來？」又云：「拼把所贈金資，交結朝貴，則小生之文，字字珠玉矣。」觀此，可知義仍嘲諷之寓意也。劇分二十八折，標目如下：

1.行田	2.度世	3.入夢	4.招賢
5.贈試	6.奪元	7.驕宴	8.虜動
9.外補	10.鑿郟	11.邊急	12.望幸
13.東巡	14.西諜	15.大捷	16.勒功
17.閨喜	18.飛語	19.死竄	20.讒快
21.備苦	22.織恨	23.功白	24.召還
25.極欲	26.友歎	27.生寤	28.合仙

吳梅評此劇曰，直捷了當，無一泛語，增一折不得，刪一折不得。記中備述人世險詐之情，是明季官場習氣，足以考鏡萬曆年間仕途之況。度世、西諜、死竄、合仙四折，久已膾炙人口。

南柯記二卷四册，卷前有萬曆庚子（二十年）清遠道人序，其次目錄及插圖，圖三十五幅，單面，每幅繪一折劇情，卷首題署與還魂記相同。劇演淳于棼夢入槐安國，與金枝公主成婚，掌理南柯郡政事，歷二十載，郡中大治。百姓立生祠，王賜爵錫邑，位居台甫，生五男二女，榮盛莫比。及其醒寤，於古槐樹下，尋得一洞穴，上有土壤，爲城郭台殿之形，有群蟻集其間，乃槐安國也，事本於陳翰大槐宮記。此記三十五折，標目依次如下：

1. 俠概	2. 樹國	3. 禪請	4. 宮訓
5. 謾遣	6. 週棨	7. 情著	8. 決婿
9. 就徵	10.引謁	11.貳館	12.尚主
13.伏戎	14.侍獵	15.拜郡	16.御餞
17.錄攝	18.之郡	19.玩月	20.啓寇
21.閨警	22.雨陣	23.圍釋	24.帥北
25.繫帥	26.朝議	27.召還	28.臥轍
29.芳殞	30.議葬	31.棨誘	32.象譴
33.遣歸	34.尋寤	35.情盡	

此劇爲度世之作，亦爲見道之言。四夢之中，惟此最爲高貴，蓋臨川有慨於不及情之人，而借至微至細之蟻，爲一切有情物說法，又慨於溺情之人，而託喻乎落魄沉醉之淳于生，以寄其感喟。

以上四記，總稱臨川四夢。邯鄲、南柯是榮華之夢，紫釵、還魂是愛情之夢。義仍乃失意之人，平生感悟較深，歷經世間變幻，深知富貴情愛，轉眼成空，如同睡夢一場也，故以四夢名之。吳梅曰：「就表面言之，則四夢中主人爲杜女也，霍郡主也，盧生也，淳于棼也。卽在深知文義者言之，亦不過曰，還魂鬼也，紫釵俠也，邯鄲仙也，南柯佛也。殊不知臨川之意，以判官黃衫客呂翁契玄爲主人，所謂鬼俠仙佛，竟是曲中之意，而非作者寄託之意。蓋前四人爲場中之傀儡，而後四人則提掇線索者也，前四人爲夢中之人，後四人爲夢外之人也，旣以鬼俠仙佛爲曲意，則主觀的主人，卽屬於判官等四人，而杜女霍郡主輩僅爲客觀的主人而已。玉茗天才，所以超出尋常傳奇家者，即在此處，彼一切刪改校律諸子，如臧晉叔、鈕少雅輩，殊覺得多事矣。」（霜厓曲跋卷二）此本即臧晉叔刪訂本，律則合矣，然素來才華之士，皆不斤斤於音律也。

撰者湯顯祖，字義仍，一字若士，號海若，別署清遠道人，明江西臨川人。明嘉靖二十九年生，萬曆十一年進士，官禮部主事，因事被謫廣東。後罷歸，不復出，家居玉茗堂，蕭閒詠歌，俯仰自得。所撰傳奇五種，除紫簫記外，即臨川四夢，又稱玉茗堂四夢，其他尚有玉茗堂詩集、文集、尺牘等。萬曆四十五年卒，享年六十八，其事詳明史二百三十。臧懋循，字晉叔，長興人。萬曆進士，官南國子監博士，輯有唐詩所、古詩所、元曲選等，其自著集名負抱堂集。

15094 又一部

明末吳郡書業堂翻刊六十種曲本，國立中央圖書館收藏。卷冊、版式與前本相同。

邯鄲記，扉葉刻「新編繡像邯鄲記吳郡書業堂梓行」14字。插圖僅二十四幅，單面，描繪第一、二、三、四、七、八、九、十、十一、十二、十三、十四、十五、十六、十七、十八、十九、二十、二三、二四、二五、二六、二七、二八各折情節。

紫釵記，圖二十八幅，單面。

還魂記，圖二十五幅，單面。又附萬曆四十六年臧晉叔玉茗堂傳奇引一篇。

南柯記，圖二十五幅，單面。

書為徐乃昌舊藏，書中鈐有「徐」朱文方小印，「積學齋徐乃昌藏書」朱文長條印。

15095 又一部　八卷十册

明湯顯祖撰，淸初坊刋本。前國立北平圖書館收藏，國立中央圖書館保管。匡高 20.5 公分，寬 14 公分。每半葉 10 行，每行大小皆 21 字。單欄，白口，白魚尾。魚尾上刻書名卷次，下刻葉數。分場稱齣不稱折，未經臧晉叔删定，書中鈐有「國立北平圖書館收藏」朱文方印。

還魂記二卷四册，卷首首行大題「湯義仍先生還魂記」，下署「玉茗堂舊本」。次行空二字題第一齣，每齣不刻齣目。卷前有目次，目次錄五十三齣，（正文有五十五齣）以二字標目，目次之前有湯氏牡丹亭記題詞。此本齣目多於臧訂本，移錄如下：

1.標目　2.言懷　3.訓女　4.腐歎
5.延師　6.悵眺　7.閨塾　8.勸農
9.肅苑　10.驚夢　11.慈戒　12.尋夢
13.訣謁　14.寫眞　15.虜誴（諜）　16.詰祟
17.牝賊　18.鬧殤　19.謁遇　20.旅寄
21.冥判　22.拾畫　23.憶女　24.玩眞
25.魂遊　26.幽媾　27.旁疑　28.懽撓
29.繕備　30.冥誓　31.秘議　32.詗藥
33.回生　34.婚走　35.駭變　36.淮警
37.如杭　38.僕貞　39.耽試　40.移鎮
41.禦淮　42.急難　43.寇間　44.折寇
45.圍釋　46.遇母　47.淮泊　48.鬧宴
49.榜下　50.索元　51.硬拷　52.聞喜

53.圓駕

邯鄲夢二卷二册，卷首大題「湯義仍先生邯鄲夢記」、「臨川玉茗堂編」。正文每齣刻齣目，字體略小，似後來補刻。卷前有湯顯祖題詞及目次。全劇三十齣，目次僅二十八，漏刻第十一鑿郟，第十二邊急。臧訂本亦二十八齣，此本齣目與臧訂本同，多出「標引」、「雜慶」兩齣而已。

紫釵記二卷二册，卷首大題「湯義仍先生紫釵記」，「臨川玉茗堂編」。卷前有湯顯祖題詞及目次，全劇五十三齣，正文不標齣目，目次以四字標目如下：

1.本傳開宗	2.春日言懷	3.插釵新賞
4.謁鮑述嬌	5.許放觀燈	6.墮釵燈影
7.托鮑謀釵	8.佳期議允	9.得鮑成言
10.回求僕馬	11.粧台巧絮	12.僕馬臨門
13.花朝合巹	14.狂言試喜	15.權夸選士
16.花院盟香	17.春闈赴洛	18.黃堂言餞
19.節鎮登壇	20.春愁望捷	21.杏苑題名
22.權嗔計貶	23.榮歸報喜	24.門楣絮別
25.折柳陽關	26.隴上題詩	27.女俠輕財
28.雄番窃霸	29.高宴飛書	30.河西款檄
31.吹台避暑	32.計局收才	33.巧夕驚秋
34.邊愁寫意	35.節鎮還朝	36.淚展銀屏
37.移參孟門	38.計哨訛傳	39.淚燭裁詩
40.開箋泣玉	41.延媒勸贅	42.婉拒強婚
43.緩婚收翠	44.凍賣珠釵	45.玉工傷感
46.哭收釵燕	47.怨撒金錢	48.醉俠閑評

49.曉窗圓夢	50.玩釵疑嘆	51.花前遇俠
52.劍合釵圓	53.節鎭宣恩	

南柯記二卷二册，卷首大題「湯義仍先生南柯記」，「臨川玉茗堂編」。卷前有湯顯祖題詞及目次，全劇四十四齣，每齣二字標目，目次如下：

1.提綱	2.俠概	3.樹國	4.禪請
5.宮訓	6.謾遣	7.偶見	8.情着
9.決壻	10.就徵	11.引謁	12.貳館
13.尙主	14.伏戎	15.侍獵	16.得翁
17.議守	18.拜郡	19.薦佐	20.御餞
21.錄攝	22.之郡	23.念女	24.風謠
25.玩月	26.啓寇	27.閨警	28.雨陣
29.圍釋	30.帥北	31.繫帥	32.朝議
33.召還	34.臥轍	35.芳隕	36.還朝
37.粲誘	38.生恣	39.象遣	40.疑懼
41.遣師	42.尋寤	43.轉情	44.情盡

15096 牡丹亭還魂記 二卷四册

明湯顯祖撰，明萬曆丁巳（四十五年）刋本。國立中央圖書館收藏。匡高21公分，寬13.1公分。每半葉10行，每行22字。科白小字雙行，每行亦22字。單欄，白口、白魚尾。魚尾上刻書名、卷次，下刻葉次。書前有萬曆戊戌（二十六年）清遠道人湯顯祖題詞（程子美刻），其次萬曆丁巳(四十五年)石林居士書引，再次爲目次。此本五十五齣，齣目與清初坊刋臨川四夢中還魂記相同，多出「道覡」、「診祟」兩齣。

此本每卷卷首大題「牡丹亭還魂記卷某」，次行低十一字題「明臨川湯顯祖若士編」。有揷圖三十九幅，單面，刻畫精細可愛，人物意態輕盈，造境佈局尤爲高雅，爲明代版畫絕作。圖中刻有「一鳳」、「一楷」、「鳴歧」、「端甫」、「吉甫」、「季迪」等名，以一鳴、鳴歧、吉甫、端甫所繪居多。端甫姓黃，爲明末名畫手，明末所刻吳騷集揷圖，卽其所繪，精美可與此書相埒。

15098 又一部 二卷二册

明湯顯祖撰，明萬曆丁巳（四十五年）刋本。前國立北平圖書館收藏，國立中央圖書館保管。行款及版式與前相同，序文目次亦同。圖四十幅，單面，揷印在各齣中。書中鈐有「鑑心書屋」朱文方印，「秀田」朱文方印，「陸良瑜印」白文方印，「國立北平圖書館收藏」朱文方印。

15097 又一部 二卷四册

明湯顯祖撰，明末懷德堂刋本，國立中央圖書館收藏。行款版式與前本相同，齣目與揷圖亦同。卷前仍有湯顯祖萬曆二十六年題詞，其次有目次。唯卷首大題「牡丹亭還魂記卷某」，次行低四字題「明臨川湯顯祖若士編」、「歙縣玉亭朱元鎭較（避）明熹宗諱校改作較）」，扉葉刻「重鐫繡像牡丹亭懷德堂藏板」，分作三行排列，右下角鈐有方盾形朱文木記：「江南狀元境內懷德堂周氏書坊發兌」共三行十五字。書中鈐有「國立中央圖書館收藏」朱文長方印。

15099　又一部　二卷四册

明湯顯祖撰，卷册、行款、版式、序文、目次、卷首俱與前本相同，扉葉亦同。書中鈐有「國立中央圖書館收藏」朱文方印。

15100　柳浪館批評玉茗堂還魂記　二卷四册

明湯顯祖撰，明末葉刋本，國立中央圖書館收藏。匡高 21 公分，寬 14 公分。每半葉 10 行，每行 21 字。單欄，白口，無魚尾。板心上刻書名，中刻卷次，下記葉碼，欄外刻眉批。

有插圖，分刋在兩卷之首，雙面者殘存十一幅，單面者四幅。每卷卷首大題「柳浪館批評玉茗堂還魂記卷某」，次行即題第某齣，無齣目，凡五十五齣。書中偶有朱批及圈點。殘葉甚多，以空白界格紙補之。書中鈐有「國立中央圖書館收藏」朱文小長方印。

15101　南柯記　三卷三册

明湯顯祖撰，明刋朱墨套印本。前國立北平圖書館收藏，國立中央圖書館保管。匡高 19.7 公分，寬 14.6 公分。每半葉 8 行，每行 18 字。科白小字雙行，每行亦 18字。單欄，白口，無魚尾。版心上刻書名卷次，下記葉次，書名僅標兩字。欄外評語及音注朱墨二色套印，正文中圈點朱色套印。

此本凡四十三折，連開場四十四，分三卷，每卷卷首大題「南柯上（中、下）」，卷前有湯顯祖萬曆庚子（二十八年）序，其次爲目錄，再次圖二十幅，每圖單幅，圖葉版心下刻圖目及次第，第十一、十二圖各殘缺一角。書中鈐有「董康」朱文方印，「國立北平圖書館收藏」朱文方印。

15102 邯鄲夢 二卷 南柯夢 二卷四册

明湯顯祖撰，明刋本。前國立北平圖書館收藏，國立中央圖書館保管。匡高22.1公分，寬13.3公分。每半葉7行，每行18字。科白小字雙行，每行亦18字。單欄，白口，無魚尾。書名及葉碼刻在版心下端。每卷卷首大題「玉茗堂全集」，次行低九字題「臨川義仍湯顯祖次」，三行空一格題「傳奇」二字，第四行空一字題「邯鄲夢上（下）或「南柯夢上（下）」。卷前各有目次，邯鄲夢凡三十齣，南柯夢凡四十四齣，齣目與臨川四夢（八卷十册清初坊刋本15095）相同。

此書之紙微黃，紙質已脆，不宜多翻閱。書中鈐有「國立北平圖書館收藏」朱文方印。

15103 湯義仍先生紫釵記 二卷四册

明湯顯祖撰，明末刋本，國立中央圖書館收藏。匡高20.7公分，寬14公分。每半葉10行，每行21字，科白小字雙行，每行亦21字。單欄，白口，白魚尾。魚尾上刻書名、卷次，版心中記葉碼。每卷卷首大題「湯義仍先生紫釵記卷某」，次行低二格題第某齣。卷前有目次，以四字標目，共五十三齣，齣目與清初坊刋臨川四夢本相同。

此書原藏於澤存書庫。卷上第六十二葉及六十三葉眉頭有手書七絕各一首，詩云：「星斗黃昏淨碧天，水光月色互盤旋，一輪在上原如舊，湖底分開幾處圓。」又：「劍閣風檣各苦辛，別時冰雪到時春，爲憑何遜休聯句，瘦盡東陽姓沈人。」其他各處亦偶有批語，又下卷卷終四句下場詩：「佳人才子各天涯，兩處傳音定有差，直待黃衫來仗義，相逢共喜玉無瑕。」係手書抄補。書中鈐有「國立中央圖書館收藏」朱文小長方印。

15104 金鎖記 存一卷一册

明葉憲祖撰，鈔本。前國立北平圖書館收藏，國立中央圖書館保管。書長27.6公分，寬19.5公分。每半葉10行，每行大小皆22字。正楷鈔寫，有朱筆句讀。書中鈐有「國立北平圖書館收藏」朱文方印。

此書非完本，僅存上卷一册，演竇娥事。所存十八齣之殘目如下：

1. 標略	2. 相期	3. 慈箴	4. 憐嬌
5. 偶識	6. 從姑	7. 迎緣	8. 驚溺
9. 奇合	10.聞凶	11.晚達	12.私負
13.計貸	14.解厄	15.遺鎖	16.購毒
17.誤傷	18.寃鞫		

此劇本於元人關漢卿竇娥寃雜劇，而情節略予改異，以竇娥不死，便於團圓也。劇中蔡昌宗項掛金鎖，乳名鎖兒，由金鎖生出許多情節，故劇名金鎖記。

葉憲祖，字美度，一字相攸，號桐柏，別號六桐，明餘姚人。萬曆進士，官工部主事。工樂府，所作玉麟、四艷諸記，爲世膾炙。紫金道人，槲圓居士，皆爲葉之別號也。

15105 李卓吾先生批評玉合記　二卷四册

明梅鼎祚撰，李贄評，明虎林容與堂刊本。國立中央圖書館收藏。匡高22.7公分，寬14公分。每半葉10行，每行大小皆22字。單欄，白口，單魚尾。書名刻在魚尾之上，卷次、葉數刻在魚尾之下。版心下端并刻「容與堂」三字，李評則刋在欄內眉頭及行間。又，版心葉碼下或小記數字，例如卷上第五葉刻「四、三十七」，第十四葉刻「四、廿」等等，迨係刻工所爲，終不解其意。

此本每卷卷首大題「李卓吾先生批評玉合記卷之幾」，次行空二字即題第幾齣及齣目，卷上第二行下端并署「虎林容與堂梓」。書前有李卓吾序一篇，缺首葉。目錄及插圖分刋在兩卷之首，圖二十幅，雙面，爲黃應光所刻，末二幅有「應光」二字。書尾缺一二葉，止於第四十齣小生謝恩之說白。書中鈐有「國立中央圖書館收藏」朱文方印，「吳興劉氏嘉業堂藏書記」朱文長方印。案：劉氏名承幹，字貞一，號翰怡，吳興人。館藏善本書，得自劉氏嘉業堂者不少，而嘉業堂藏書，係源於甬東盧氏（址）抱經樓，獨山莫氏（友之）影山艸堂，仁和朱氏（一勤）結一廬，以及平湖陸氏（烜）之奇晉齋。

此劇演韓翃與妻柳氏離合故事。柳氏原係李王孫家姬人，與侍女輕娥居郊外章台下別館，翃見其美，以玉盒贈之得爲夫婦。後翃因事離家，柳被番將沙吒利所刼，居之數年而不從。後翃與柳相遇於途中，柳擲還玉盒，以示永訣。別有許俊者，聞知此事，至沙宅誑出柳氏，復歸於翃。此劇本於唐許堯佐柳氏傳，中間插以唐明皇御遊，安祿山兵變等事，主要以玉盒之投送爲關目，故名玉合記，而明吳鵬之金魚記，吳大震之練囊記亦演此事。案：柳氏故事，發生於唐天寶末迄於代宗大歷之世。韓翃，孟棨本事詩及太平廣記並作「韓翊」，唯新唐書盧綸傳，及類說與醉翁談錄皆作此名。王夢鷗教授有「柳氏傳及其作者問題」一文，考辯甚詳，刋在國立中央圖書館館刋新六卷第一期。柳氏傳又名章台柳傳，因柳氏住章台下，而韓又以章台柳爲首句，作詩贈之，故名。詩云：「章台柳，章台柳，昔日青青今在否？縱使長條似舊垂，也應攀折他人手」柳答之曰曰：「楊柳枝，芳菲節，所恨年年贈離別。一葉隨風忽報秋，縱使君來豈堪折？」甚爲膾炙人口。觀二者之詞意，柳之用情，較韓尤爲深刻。

全劇凡四十齣，皆以二字標目：

1.標目	2.贈處	3.懷春	4.宸遊
5.邂逅	6.緣合	7.參成	8.除戎
9.詗約	10.懷仙	11.義姤	12.譯賓
13.醳負	14.逆萌	15.逢世	16.拒間
17.言祖	18.悟眞	19.發難	20.焚修
21.杭海	22.西幸	23.祝髮	24.兵變
25.逃禪	26.入道	27.通訊	28.感舊
29.嗣音	30.奏凱	31.砥節	32.卜居
33.閨晤	34.道遘	35.投合	36.出山
37.還玉	38.謝僞	39.聞上	40.賜完

其中「邂逅」、「緣合」、「道遘」、「投合」、「還玉」諸齣，爲劇中關鍵。

撰者梅鼎祚，字禹金，明宣城人。自築天逸閣，藏書著述其中。著有梅禹金集、青泥蓮花記、石室集、歷代文紀、古樂苑、唐樂苑、書記洞詮、宛雅諸書。李卓吾，名贄，明晉江人。嘉靖三十一年舉人，萬曆中官姚安知府。性好禪，專崇釋氏，卑侮孔孟。所評戲曲有西廂記、幽閨記等數種。

15106 新刊音註出像齊世子灌園記 二卷二册

明張鳳翼撰，明金陵富春堂刋本，國立中央圖書館收藏。匡高19.5公分，寬13公分。每半葉10行，每行大小皆21字，卷上科白小字單行，卷下則小字雙行。白口，花欄，富春堂刋本皆如此。每卷首行大題「新刊音註出像齊世子灌園記卷之幾」，第二三四行分別題「西漢司馬子長析傳」、「大明張伯起氏彙編」、「金陵唐富春堂梓行」。版心上刻書名，題「出像灌園記」五字，中記卷次，下記葉數。卷前有目錄，以四字標齣目，凡三十齣，曰：

1.開場家門	2.王燭論諫	3.齊王拒諫
4.太史賞花	5.樂毅攻齊	6.齊王出奔
7.田單鍊籠	8.淖齒被擒	9.齊王被害
10.法章聞變	11.計投太史	12.臧兒□命
13.后識法章	14.王燭死節	15.君后製衣
16.君后授衣	17.田單用間	18.后母授簪
19.騎刼代將	20.園中幽會	21.朝英夜候
22.牧童拾簪	23.朝英尋簪	24.計成火牛
25.田單破燕	26.迎立世子	27.太史自嘆
28.墓祭王燭	29.君后自責	30.迎后合婚

有插圖十幅，單面，圖上有標目，四字橫排，如「王燭論諫」

、「樂毅攻齊」、「后識法章」等，題目與齣目相同。

此劇通行者唯有汲古閣六十種曲本。此本槧刻較早，且係單行者，極爲可貴。劇演齊世子田法章灌園事，取材於史記田完世家。劇云：湣王被害，世子法章變姓名爲太史敫家傭，敫女奇其相貌，以爲非常人，憐而推食贈衣，而與之私通。後法章既立，迎爲君王后，并以后之婢女朝英賜予田單爲妻。正史無田單娶婢女事，法章改名「王立」亦未聞。清馮夢龍改定此劇爲「新灌園」，史實以戰國策爲本，大旨以推食贈衣定盟爲主，而不及於私情，雖與史記稍不合，却得立言之體。

張鳳翼字伯起，號靈墟，又號凌虛先生，冷然居士，明江蘇長洲人。嘉靖四十三年舉人，好塡詞，所作傳奇有紅拂記、祝髮記、竊符記、虎符記、扊扅記、平播記、蘆衣記、玉燕記等，前五種與此記合稱陽春六集。此記爲張氏戲作，嘗自云：「吾率吾兒試玉峯，舟中無聊，率爾弄筆，遂不暇致詳。」自馮夢龍改定，忠孝節義，種種俱備，庶幾有關風敎而奇可傳矣。

15107 櫻桃夢 二卷三册

明陳與郊撰，明萬曆丙辰（四十五年）海昌陳氏原刋本。前國立北平圖書館收藏，國立中央圖書館保管。匡高 15.2 公分，寬 11 公分。每半葉 9 行，每行 18 字，科白小字雙行，每行亦 18 字。單欄，白口。版心上端刻書名，下端刻葉數。卷前有萬曆甲辰（三十二年）齊愨題辭、華亭陳繼儒序各一，其次凡例五則，再次爲總目及齣目。附圖二十幅，單面，爲長洲錢穀所繪，每圖皆有標題。圖末半葉刻「萬曆丙辰修玄之季海昌陳氏繪像鏤板」篆文兩行。每卷卷首大題「櫻桃夢卷幾」，次行空八字題「浙汜任誕軒編」。書眉刻有字音。

此劇凡三十五齣，上卷十九齣，下卷十六齣，書中齣字皆作「齣」。其開宗一章云：「人生皆夢也，自王侯將相以至府史胥徒，夢中人也，山河大地苑囿樓台，夢中景也，貴賤升沉，禍福修短，夢中遭也，……踢一生於一夢者，櫻桃夢也。」劇演范陽盧生，夢中得享榮貴事，故事與湯顯祖之邯鄲記相似，但其章法辭采不能與臨川相提并論。

此本已非完本，僅存三册，缺第八至第十九齣一册，今錄其目，亦可窺知全劇梗概。

1. 適寺	2. 聽講	3. 入夢	4. 謁姑
5. 議親	6. 結婚	7. 獵飲	8. 破嗔
9. 幽期	10.遣試	11.覺貪	12.訪道
13.遊街	14.報喜	15.逆旅	16.迎吠
17.義激	18.魍魎	19.狹邪	20.清談
21.囈語	22.幻俠	23.虐戲	24.召起
25.慨世	26.晤仙	27.惡誚	28.漁色
29.送妾	30.詐傳	31.互妄	32.還朝
33.逐詔	34.退思	35.出夢	

書中鈐有「董康」朱文方印，「季貞」白文方印，「國立北平圖書館收藏」朱文方印。

撰者陳與郊，字廣野，號玉陽仙史，別名高漫卿，明浙江海寧寧人。萬曆二年進士，官至太常少卿。工樂府，有檀弓輯注、方言類聚、黃門集、杜詩注評、隅園集、文選章句、蘋川集；雜劇有昭君出塞、文姬入塞、義犬記等數種。所撰傳奇四種，總名「詅癡符」，櫻桃夢即其中之一，另三種名曰「鸚鵡洲」

、「麒麟罽」與「靈寶刀」。

15108 八義記 二卷二册

明徐元撰，舊鈔本。前國立北平圖書館收藏，國立中央圖書館保管。書長27.8公分，寬19公分。每半葉10行，每行大小皆22字。工楷鈔寫，有硃筆圈點。書中鈐有「國立北平圖書館收藏」朱文方印，以及「朱希祖」陰陽合文小方印。

劇演趙盾一家被害，趙氏孤兒復仇之事，據元人紀君祥雜劇趙氏孤兒改編。以孤兒報仇，趙朔夫婦團圓作結。撰者徐元字叔回，浙江錢塘人，所撰傳奇僅此一種。劇中周堅、靈輒、鉏麑、提彌明、韓厥、鶯哥（嬰子代孤兒死者）、程嬰、公孫杵臼八人，忠於趙家，仗義救孤，是故劇以八義記名之。

此劇凡二十八齣，齣目如下：

1.家門	2.放燈	3.沽酒	4.索錢
5.賞燈	6.訓子	7.猜忌	8.勸農
9.翳桑	10.評話	11.打彈	12.鬪綱
13.遣鉏	14.觸槐	15.演犬	16.撲犬
17.宮別	18.揭榜	19.付孤	20.盜孤
21.拷千	22.托孤	23.首孤	24.殺孤
25.下山	26.耀武	27.相逢	28.觀畫

15109 玉鏡台記 二卷二册

明朱鼎撰，明末刊本，國立中央圖書館收藏。匡高19.7公分，寬13.2公分。每半葉9行，每行大小皆19字。白口，左右雙欄。版心上端刻書名、卷次、葉數。每卷卷首大題「玉鏡台記」，字大佔兩行，版式，行款與館藏明珠記相同，紙質亦相類，疑係同時所刻。扉葉刻「繡刻玉鏡記定本」七字，每卷前有目錄二葉，所載齣目或二字，或三字，或四字不定，目次如下：

1. 開場　2. 宴會　3. 探姑　4. 議婚
5. 刺繡　6. 請婚　7. 下鏡　8. 成婚
9. 石勒起兵　10. 王敦失守　11. 慶賞
12. 新亭流涕　13. 聞鷄起舞　14. 石勒稱王
15. 詔聘太眞　16. 絕裾辭母　17. 赴官
18. 母妻思憶　19. 渡江擊楫　20. 郭璞仙術
21. 燃犀　22. 閨思　23. 石勒報敗　24. 寄家書
25. 得書　26. 王敦反　27. 召太眞　28. 擊幘
29. 丹陽兵報　30. 拘溫家屬　31. 繫獄
32. 獄吏相戒　33. 獄中寄書　34. 拆書見鏡
35. 敗王含　36. 擒王敦　37. 蘇獄　38. □雪
39. 南北凱旋　40. 完聚

全劇共四十齣，演溫嶠以玉鏡台聘娶表妹劉潤玉事，本於關漢卿溫太眞玉鏡台雜劇而作。案：溫嶠字太眞，晉司徒羡弟之子，性聰敏而有膽識，博學能文，又擅談論，少以孝悌稱。曾爲劉琨參軍，琨以爲左長史，歷官散騎侍郎、江州刺史、驃騎將軍、開府儀同三司，封始安郡公。正史未及聘表妹事，謹稱「劉琨妻嶠之從母也，琨深禮之」，其表妹姓劉，當無疑問。又謂：「嶠後妻何氏卒，子放之便載喪還都，詔葬建平陵北，并贈嶠前妻王氏及何氏始安夫人印綬。」據此，嶠妻並非劉姓表妹，事見晉書第六十七溫嶠本傳。此劇係以玉鏡台爲聘，作爲關目，并揷以晉朝歷史故實，所謂「五胡作釁，神州陸沈，懷愍北狩，天馬南奔。奉詔勤王，絕裾辭母，夫婦萱堂兩處分。與劉祖同心協力，百戰淨邊塵……」（第一齣沁園春），當不謬也。

撰者朱鼎，字永懷，明崑山人，明史無本傳，附在趙德勝傳下，趙傳見明史卷一百三十三。

15110 **雙螭璧** 二卷一册

明鄒玉卿撰，鈔本。前國立北平圖書館收藏，國立中央圖書館保管。書長23.8公分，寬13公分。每半葉9行，每行32字左右。行間有硃筆斷句及訂正字。此本鈔於淸康熙三十一年，卷末有「康熙壬申年夏月寫於粵省仙城紀綱再思堂謄錄」一行。首尾鈐有「國立北平圖書館收藏」朱文方印。

此劇演裴碩叔侄事，凡三十一齣。錢塘人裴碩，年邁無子嗣，僅有一侄裴正宗，被裴家贅婿奚屺逐居在外。時碩之妾梅姑有孕而未產，屺貪戀裴家資財，懼梅姑生子繼承家業，又恐正宗接掌財產，於是設計陷害正宗及梅姑。正宗因此被放戍邊，梅姑被害身死，幸新生嬰兒爲老奴畢義所救，携往京師，扶養成人，變姓爲田，取名延宗。裴家原有螭璧一雙，爲祖上所傳，分別付予梅姑及正宗。梅姑以之配掛在嬰兒身上，作爲日後團聚信物。後正宗被友人龍昇所救，延宗長大亦中高魁，二人相逢，螭璧合而成雙，彼此相認爲兄弟，一家遂又團圓。事本出於稗官。此劇改換姓名，添飾關目，以螭璧爲樞紐。由二璧復合成雙，名之曰「雙螭璧」。

撰者鄒玉卿，字崑圃，江蘇長洲人。除此劇外，尙有靑虹嘯一劇，演馬超事，蓋原本於三國演義，非實事也。

15111 新刻出像音註劉漢卿白蛇記 二卷一册

明鄭國軒撰，明金陵書坊唐氏富春堂刋本。前國立北平圖書館收藏，國立中央圖書館保管。匡高19.7公分，寬13公分。每半葉10行，每行大小皆21字。白口，花邊匡。版心上刻書名，中記卷次，下記葉數及「富春堂」三字。卷首大題「新刻出像音註劉漢卿白蛇記卷之幾」，次行三行四行低六字分別題「浙郡逸士鄭國軒編集」、「書林子弟朱少齋校正」、「金陵三山富春堂梓行」。扉葉刻「新刻出像劉漢卿白蛇記」大字兩行，中間夾刻「金陵唐錦池梓行」小字一行。首卷鈐有「好古居士志階平篆」朱文方印。

此劇演劉漢卿救白蛇放生故事。海龍王子因獲天譴，化作白蛇，居于洪山渡口，農夫擒欲斃之，遇漢卿放生巨壑中，蛇遂乘霧而去，漢卿因此而致貴顯，故名白蛇記。後有無名氏改劇中人姓名別爲鸞釵記者，其關目與此大同小異，唯劉氏夫婦臨別以鸞釵一對各分其半，故標以爲名。全劇三十六齣，多半以四字標目。此本紙質脆裂，幾乎不能翻閱，而卷內殘缺尤多。挿圖殘存四幅，單面，繪刻俱不精。此記僅有富春堂刻本一種，且流傳甚罕，固屬珍本。今錄其齣目，書雖不全，由齣目所示，亦可見劇情之一斑。

1. 演白蛇誌	2. 飲宴賞春	3. 邀友赴選
4. 大叔撥唆	5. 覊留漢卿	6. 龍宮囑子
7. 農夫拿蛇	8. 漢卿到莊	9. 賀蛇放生
10.別親經營	11.投牙販貨	12.构欄感慨

13.衆客觀燈　　14.太守審問　　15.見母訴情
16.漢貴廷珍思憶　　17.囑子投水　　18.廷珍報母
19.龍宮報德　　20.江邊拜祭　　21.漢卿獻寶
22.漢貴思憶　　23.南莊殺鷄待叔　　24.途中被擄
25.詢問漢貴　　26.夜往南莊　　27.監官點夫
28.（缺標目）　　29.漢卿思憶　　30.漢貴遇兄
31.張婆計害廷珍　　32.旺保仗義　　33.（缺標目）
34.廷珍獄中見母　　35.廷珍遇父叔
36.榮歸書錦團圓

撰者鄭國軒，自署「浙郡逸士」，浙江人。

15112　新編目蓮救母勸善戲文　三卷六册

明鄭之珍撰，明萬曆壬午新安鄭氏高石山房刋本，國立中央圖書館收藏。匡高 22.3 公分，寬 13.5 公分。每半葉 10 行，每行 24 字，小字雙行，字數亦同。白口，單欄。版心上端記書名卷數，下端記葉碼，書名僅題「目連」兩字。此書每卷卷首大題「新編目連救母勸善戲文卷之幾」，次行低十三字題「新安高石山人鄭之珍編」，三行空十七字題「館甥葉宗泰校」。書前有序評五篇：㈠萬曆己卯（七年）春葉宗春序，版心題「黃鈁刻」。㈡萬曆壬午（十年）陳昭祥序，文末署「歙邑黃鋋刻」。㈢萬曆壬午（十年）孟秋高石山人鄭之珍自序。㈣萬曆癸未（十一年）春倪道賢讀鄭山人目連勸善記。㈤萬曆壬子進士陳瀾勸善記評。書尾有萬曆壬午胡元祿勸善記跋。

此記演目連救母故事。目連救母緣起，具見盂蘭經，唐人變文，屢有譜者，鄭氏演爲戲文，關目尤多增飾。鄭氏名之珍，別號高石山人，新安人。倪道賢序云：「山人性至孝，童齔至壯，左右志養，無毫髮違父母心。在諸生中，英氣勃勃，自負文武才。喜譚詩，兼習吳歈，宏詞奧義，一於調笑中發之。顧數奇，跲踔場屋垂三十年，晚謝博士去。」胡元祿跋云：「高石鄭先生，予母太孺人之表弟也。弱冠補邑庠，較藝屢冠諸士，人以異材目之。中年棄舉子業，遨遊於山水間。常謂人曰：予不獲立功于國，獨不能立德立言以垂訓天下後世乎！暇日取目連傳，括成勸善記三册。予詳觀之，不過假借其事，以寓勸善懲惡之意。」由此可見鄭氏事略，及製曲始末。

全劇分刻三卷：上卷三十二齣，圖單面者十五幅，雙面者五幅。卷末有「通册典顯」、「天都譚文轅」字樣，觀字跡似爲後來補刊者。中卷三十四齣，圖單面者十二幅，雙面者五幅。卷首下場詩後有「廷刋」字樣。下卷三十四齣，圖單面者十四幅，雙面者五幅，卷末刋有葉柳沙批四行。以上總計一百齣，插圖雙面十五幅，單面四十一幅。此記版刻，此以本最爲珍貴，乃萬曆十年鄭氏自刻本，海內藏此原刻者，亦極罕見。別有萬曆間唐氏富春堂刋本，亦極難得，唯不載序跋，共一百零二折，與此本不同。此本每卷扉頁又冠圖一面，上卷刻漁翁吹簫狀，上方橫題「高石山房」四字，右行標曰「新編目連救母勸善戲文」，左行標曰「萬曆壬午孟秋吉旦繡梓」。中卷下卷刻加冠進爵圖，上方及右方標題與上卷同，唯左行題「萬曆□□孟多訂訛增補」字樣。

此書原爲劉氏嘉業堂舊藏，每册首葉均鈐有「劉印承幹」白文方印，「嘉業堂藏四庫缺佚書」朱文方印，以及「國立中央圖書館收藏」朱文方印。

全劇一百齣，多半用四字標目，今將齣目一併錄之於後：

1.開場	2.元旦上壽	3.齋僧齋道
4.劉氏齋尼	5.博施濟衆	6.三官奏事
7.閻羅接旨	8.城隍掛號	9.觀音生日
10.花園燒香	11.傅相囑子	12.修齋薦父
13.傅相昇天	14.尼姑下山	15.和尙下山
16.勸姐開葷	17.遣子經商	18.拐子相邀
19.行路施金	20.遣買犧牲	21.雷公電母
22.社令插旗	23.劉氏飲宴	24.肉饅齋僧
25.議逐僧道	26.李公勸善	27.招財買貨
28.觀音勸善	29.羅卜囘家	30.觀音救苦
31.劉氏憶子	32.母子團圓	（以上上卷）
1.開場	2.壽母勸善	3.十友行路
4.觀音渡阨	5.匠人爭席	6.劉氏自嘆
7.齋僧濟貧	8.十友見佛	9.司命議事
10.閻羅接旨	11.公作行路	12.花園捉魂
13.請醫救母	14.城隍起解	15.劉氏囘煞
16.過金錢山	17.羅卜描容	18.才女試節
19.過滑油山	20.縣官起馬	21.羅卜辭官
22.過望鄉台	23.議婚辭婚	24.主僕分別
25.遣將擒猿	26.白猿開路	27.挑經挑母
28.過愛河橋	29.過黑松林	30.過昇天門
31.過寒冰池	32.過火焰山	33.過爛沙河
34.見佛團圓	（以上中卷）	
1.開場	2.師友講道	3.曹府元宵

4.主婢相逢	5.目連坐禪	6.一殿尋母
7.二殿尋母	8.曹氏清明	9.公子回家
10.見女托媒	11.三殿尋母	12.求婚逼嫁
13.曹氏剪髮	14.四殿尋母	15.曹氏逃難
16.五殿尋母	17.二度見佛	18.曹氏到庵
19.曹公見女	20.六殿見母	21.傅相救妻
22.七殿見佛	23.曹氏却餽	24.目連掛燈
25.八殿尋母	26.十殿尋母	27.益利見驢
28.目連尋犬	29.打獵見犬	30.犬入庵門
31.目連到家	32.曹氏赴會	33.十友赴會
34.盂蘭大會	（以上下卷）	

15114　新刻出像音註勸善目蓮救母行孝戲文　八卷六册

明鄭之珍撰，明金陵唐氏富春堂刋本，國立中央圖書館收藏。匡高 19.7 公分，寬 13 公分。每半葉 10 行，每行 21 字，科白小字雙行，每行亦 21 字。白口，花邊匡。版心上端刻書名，中記册數卷次，再下記葉次及「富春堂」三字。

書分三册，上册二卷，中册二卷，下册四卷，實際共訂成六册。首卷扉葉題「勸善金科目出像目連記本堂藏版」十四字。上册卷首大題「新刻出像音註勸善目連救母行孝戲文上册某卷」，次行三行低十二字分別題「新安鄭之珍編」、「金陵富春堂梓」。中册卷首大題「新刻出像音註行孝勸善目連救母戲文中册某卷」，次行三行低十字分別題「金陸（應作金陵）書坊富春堂梓」、「高石山人鄭之珍編」。下册四卷首行題署不一，或作目連行孝救母回生，或作行孝勸善目連救母記。全劇共一百零二折，古今傳奇中，除清代內廷承應大戲外，以此劇篇章最多。有插圖共四十二幅，其中雙面者十幅，單面者三十二幅。圖上有圖目，橫排於畫面頂端，刻繪俱不精。下册第三卷第一二兩葉板匡無花邊，殆爲刻工漏刻者。

此書遞經張乃熊、陶湘收藏。書中鈐有「芷圃收藏」朱文長方印，「陽湖陶氏涉園所有書籍之印」朱文長方印。案：張乃熊字芹伯，一字芷圃，吳興人，張鈞衡之子，著有芷圃善本書目，適園藏書志。陶湘字蘭泉，號涉園，江蘇武進人，著有故宮殿本書目，皆近代名藏書家。

15113 又一部

前國立北平圖書館收藏，國立中央圖書館保管。卷册、版本、行款俱與前同。唯每卷扉葉所刻不同，不作「勸善金科……」等十四字，而作「新刻出像音註」（右行）、「目連救母某卷（左行）、「金陵書坊唐氏富春堂梓」（中行）三行。上方又刋小字，標曰：「傅相昇天劉氏違戒開葷傅羅卜勸母齋僧布施團圓」（上卷）、「觀音點化目連西天見佛指引陰司尋母」（中卷）、「目連遊十地獄救母回生盂藍大會團圓」（下卷）。又每卷副葉貼有書簽，上刻「新刻出像音註目連救母記某卷」，首册書簽并鈐有「書業興記發兑」朱文方印。全書首尾鈐「國立北平圖書館收藏」朱文方印。

15115 新鐫節義鴛鴦塚嬌紅記　二卷二册

明孟稱舜撰，陳洪綬評點，明崇禎十二年原刋本。前國立北平圖書館收藏，國立中央圖書館保管。匡高 20.7 公分，寬 14

公分。每半葉9行，每行大小皆 20 字。白口，單欄。板心上刻書名、卷次，中記葉碼。板匡外眉頭刻評語，行間刻句讀。每卷卷首大題「新鐫節義鴛鴦塚嬌紅記上（下）」，次行空一字題「古越孟稱舜著」、「陳洪綬評點」、「朱曾莱訂正」（卷下作「劉啓胤訂正」）。每齣署齣目，以二字標目。卷前有崇禎戊寅（十一年）馬權奇題詞一篇，崇禎己卯（十二年）王業浩序一篇，及崇禎戊寅（十一年）撰者孟稱舜題詞一篇。其後又附嬌娘肖像四幅，單面，每幅畫面皆刻有陳洪綬印記，疑即陳氏所繪圖，首幅版心有「項南洲刋」字樣，南洲爲版畫名匠，刻工之精，無與倫比，而洪綬繪圖又精，兩相匹配，可謂雙絕。每圖之後，又繫以蝶戀花詞一闋，更添畫中意境。

此劇名曰「鴛鴦塚嬌紅記」，鴛鴦塚以結局命名，嬌紅記則直記其名，寫申純與王嬌娘戀愛故事。劇云：申純與王嬌娘原爲金童玉女下凡，兩家爲中表之親，申生與嬌娘兩情相悅，爲侍婢飛紅所阻，求婚又被拒於舅氏，間以留詩、竊鞋，誤會重重，終不能如願。後嬌娘許聘於帥府之子，未過門而病逝，申生聞訊亦自縊而死，兩家遂將二人合葬於濯錦江邊，清明日墳上雙鴛飛翔，因名之曰鴛鴦塚。與此劇同名者有多種，關目則大同小異，作者各逞其才而已。雜劇有四本：一爲元王實甫所撰，一爲明劉兌所撰，一爲明湯式所撰，一爲明金文質所撰。傳奇有三本：一爲沈受先所撰，一爲盧伯生所撰，一即此本孟氏所撰。孟氏名稱舜，字子若，一字子塞（又作子適），浙江會稽人。所作雜劇有桃花人面、英雄成敗、死裏逃生、眼兒媚、花前一笑（即花舫緣）等，傳奇則有二胥記、貞文記、赤伏符以及此記。

此記分五十齣，目次分載上下兩卷，現存上卷目次二十六齣。今按齣錄其齣目如次：

1.正名	2.辭親	3.會嬌	4.晚繡
5.訪麗	6.題花	7.和詩	8.番釁
9.分燼	10.擁爐	11.防番	12.期阻
13.遣召	14.私帳	15.盟別	16.城守
17.求醫	18.密約	19.歸圖	20.斷袖
21.遣媒	22.婚拒	23.妓飲	24.媒覆
25.病禳	26.三謁	（以上卷上）	
27.絮鞋	28.詬紅	29.詰詞	30.玩圖
31.要盟	32.紅搆	33.愧別	34.客請
35.贈佩	36.赴試	37.喜賀	38.榮晤
39.妖迷	40.詰祟	41.明妖	42.帥媾
43.生離	44.演喜	45.泣舟	46.詢紅
47.芳隕	48.雙逝	49.合塚	50.仙圓

（以上卷下）

劇中「晚繡」、「分燼」、「擁爐」、「絮鞋」、「詬紅」各齣是關目所在。陳洪綬評此記云：「此曲之妙，徹首徹尾一縷空描，而幽酸綉艷，使讀者無不移情，固當比肩實甫，弟視則誠。」其意謂可與西廂琵琶媲美也。

書中所鈐印章甚多，計有：「皖懷固學廬舒紹基珍藏書畫」朱文小長方印，「勿造因齋」白文小橢圓印，「我心安得如石頑」朱文小長條印，「徐□讀過」朱文小方印，「坐華醉月」朱文小圓印，「綠窗人靜」白文方印，「愼思氏」朱文方印，「程印世佩」白文方印，「鳳鳥」白文方印，以及「國立北平圖書館收藏」朱文方印。卷端與行間又有墨書批語，以及朱墨二色圈點，字跡秀而有力，不似書賈所寫，批語中肯不浮，恐是行家手筆。

15116　麗句亭評點花筵賺樂府　二卷四册

明范文若撰，明烏衣巷刊本。前國立北平圖書館收藏，國立中央圖書館保管。匡高20.3公分，寬13.6公分。每半葉9行，每行大小皆20字。白口，單欄，欄外刻批語，句中有圈點。版心上端刻書名，僅題「花筵賺」三字，中刻卷次葉數，下刻「烏衣巷藏版」五字。每卷卷首大題「麗句亭評點花筵賺樂府卷幾」，次行空一字題「吳儂荀鴨塡詞」、「空谷玉人訂譜」。卷前有「話柄」一段，塡西江月、沁園春二曲，略述劇情大意。

此本殘缺不全，止於第二十七齣而已。卷上缺第六至九葉，卷下缺第一葉、第十至十二葉，又第四十四葉下半葉以後全佚。書爲董康舊藏，鈐有董康印信。案：此劇傳本甚罕，台灣公藏善本劇曲中，明刊本僅此一部，淸刊本則有兩部，收在玉夏齋傳奇中，亦爲前國立北平圖書館藏書。劇名花筵賺者，以溫嶠冒名謝鯤，賺娶表妹劉碧玉，花燭筵前，碧玉又以侍婢芳姿替代新娘，故名。溫嶠聘娶表妹事，又別見玉鏡台記。此劇則詼諧可喜，辭采亦纖巧淸麗，對白尤其傳神。「閨逗」、「鬧婚」、「閨綻」幾齣，是全劇關目。今錄其殘目如下：

1. 鰥嘆	2. 鵠吟	3. 狂約	4.（缺）
5. 蓄異	6. 閨逗	7. 網賢	8. 調扇
9. 楚泣	10. 諭逆	11. 宵覘	12. 夜窘

13.媒賺	14.鏡聘	15.（缺）	16.妬夢
17.移眷	18.訴陛	19.（缺）	20.江偵
21.鬧婚	22.妖警	23.闈綻	24.激恚
25.痴索	26.殲逆	27.譁醉	（以下全缺）

撰者范文若，初名景文，字更生，又字香令，別署吳儂荀鴨、荀鴨檀郎，江蘇松江人。明萬曆四十七年進士。其人美丰儀，工談笑，好爲樂府詞章，惜乎天不假年，四十八歲卒。所撰傳奇共計十六種，傳世者僅剩花筵賺、夢花酣、鴛鴦棒三種。夢花酣一劇在台未見傳本，鴛鴦棒只有清刋本，收在玉夏齋傳奇中，是以此明刋本之花筵賺彌足珍貴也。

15117　識閒堂第一種翻西廂　二卷四册

明研雪子撰，明刋本，近人朱希祖手跋。前國立北平圖書館收藏，國立中央圖書館保管。匡高 21 公分，寬 13.2 公分。每半葉 9 行，每行大小皆 20 字。單欄，白口，眉欄內刻評語。板心黑魚尾，書名在魚尾之上，魚尾下記卷次及葉數。每卷首行大題「識閒堂第一種翻西廂卷幾」，次行三行各空十二字並題「古吳研雪子編」、「燕都傻道人評」。每齣以二字標目，並在齣目下注宮調及韻目。

卷前有翻西廂本意一篇，題「癸未花朝研雪子識」。研雪子，江蘇吳縣人，姓氏名字皆不詳，生平事蹟亦不可考，其書齋曰識閒堂。所撰傳奇有二種，此本翻西廂卽其一，另一種賣相思則未見流傳。卷後有近人朱希祖手跋一篇，跋云：「此翻西廂題古吳研雪子撰，不知其姓氏，謂爲崔鄭洗垢，爲世道持風化。余讀清初沈謙東江別集南北曲二卷，中有集伯撰商霖是日演余新劇翻西廂北曲套數一篇，其要孩兒云：俺將這西廂業案平反，盡費幾許移花鬥筍，止不過痛惜那雙文，根究出微之漏網元因。似此本翻西廂卽爲謙所撰。惟謙爲仁和臨平人，祖籍湖州武康，不可謂古吳，豈別有一翻西廂耶？謙與洪昉思、毛稚黃、彭羨門、沈豐垣等相唱和，才調稱於時，觀其所作南北曲，亦曲中名手。毛稚黃爲作墓志銘，謂所著有傳奇若干卷，意其不僅翻西廂一種，未知尙傳於世否？書此以俟訪求。十六年三月朱希祖跋。」書爲朱氏舊藏，卷首鈐有「朱希祖」陰陽合文小方印。

案：翻西廂別有明周公魯所撰一種，又名錦西廂，曲海總目提要、傳奇彙考、曲錄等均有記載，謂紅娘代鶯鶯嫁予鄭恒，鶯鶯卒與張生相聚，與此本研雪子所撰劇情不同。此劇偏重於鶯鶯與鄭恒之婚姻，故以生飾鄭恒，以丑飾張生。謂鄭恒張生俱與崔家爲中表之親，時鶯已許鄭恒爲妻。鄭居西廂別室，朝夕思念而不得會面，某日，於花園吟詩，詩云：「細雨收殘夜，微雲綻碧天，那堪孤客影，翻對月光圓。」鶯聞之，和云：「兩地殷勤望，淸光共一天，年年十二度，何用此回圓。」情意眞切而不及於亂。時張生正暗戀鶯鶯而不可得，先唆使孫飛虎搶親未遂，後乃作會眞記，謂由紅娘傳書遞簡，己與鶯已有私情。事傳於鄭，遂欲退婚，鶯受誣亦割臂矢貞，終由老尼周旋，事乃眞相大白，崔與鄭和好如初。由於情節與西廂記全不相同，故名之曰「翻西廂」。

翻西廂全劇三十齣，齣目錄之如下：

1. 標概	2. 睽遠	3. 傷亂	4. 移鎭
5. 詭譾	6. 鬧齋	7. 麾謁	8. 寇圍

9.賺脫	10.塗遇	11.別襯	12.破賊
13.圓寓	14.逐奸	15.琴感	16.憶子
17.聯吟	18.作記	19.問病	20.償孽
21.祖餞	22.奏典	23.驚夢	24.讀記
25.緘膺	26.交達	27.媢媾	28.矢貞
29.尼俠	30.出師	31.探眞	32.病訣
33.誅奸			

驚夢一齣，描寫幽細入微。傻道人評之曰：「劇中作夢，全妙在似眞非眞，似幻非幻。牡丹亭有驚夢，其妙處全在尋夢，此則前半夢以想成，後半夢以兆見，千奇萬化，而卒不離乎眞情意，宛然而卒能歸乎幻，允推此爲第一。」意甚推崇此劇。

據周志輔讀曲類稿記載，與西廂有關之劇作，除此與與周公魯所撰錦西廂外，尚有多種，一併錄之以資參考。

新西廂　明卓珂月撰　（劇說）

續西廂昇仙記　盱江韻客撰　（劇說）

錦翠西廂　無名氏撰　（寶文堂書目）

西廂印　淸程端撰　（曲海總目提要）

後西廂　淸薛既揚撰　（今樂考證）

竟西廂　淸周坦綸撰　（今樂考證）

眞西廂　淸周懷聖撰　（今樂考證）

續西廂　淸查繼佐撰　（今樂考證）

正西廂　陳辛衡撰　（今樂考證）

後西廂　石天外撰　（今樂考證）

新西廂　張錦撰　（乾隆刻本鄭西諦藏）

西廂後傳　梅菴逸叟撰　（鈔本鄭西諦藏）

續西廂殘稿四齣　清吳國棟撰

15118　詠懷堂新編十錯認春燈謎記　二卷二册

明阮大鋮撰，清初刋本，國立中央圖書館收藏。匡高20.2公分，寬14公分。每半葉9行，每行20字，科白小字雙行，每行亦20字。白口，單欄，黑魚尾。書名刻在版心上端，作「春燈謎上（下）」，下端刻葉數。卷上首行大題「詠懷堂新編十錯認春燈謎卷上」，次行低十二字題「百子山樵撰」，卷下則僅題「春燈謎卷下」，不另題撰著者。書前有目次兩葉，其次圖七幅，雙面，一面繪劇中情節，一面繪四季花卉。書中鈐有「希古右文」朱文方印，以及「不薄今人愛古人」白文長方印。

此劇記宇文義、宇文彥兄弟與韋節度兩女姻緣事。事起於元宵節猜燈謎，故以春燈謎爲劇名，而故事結局於花燭之夜，各各相認，始知種種錯誤。錯誤計有十件，男入女舟，女入男舟，一也；兄娶次女，弟娶長女，二也；以媳爲女，三也；以父爲岳，四也；以韋女爲尹生，五也；以春櫻爲宇文生，六也；義改李文義，七也；彥改盧更生，八也；兄豁弟之罪案，九也；師以仇爲門生，而媒己女，十也，是以春燈謎又名十錯認。按春燈謎爲阮大鋮詠懷堂四種之一。大鋮字集之，號圓海，別號百子山樵，安徽懷寧人，萬曆丙辰進士，崇禎時附魏忠賢，名列逆案。所撰傳奇十種，今存燕子箋、春燈謎、雙金榜、牟尼合四種，總名石巢園四種曲，又名詠懷堂四種，而獅子賺、忠孝環、桃花笑、井中盟、賜恩環、翠鵬圖六種已佚。此記作於崇禎時，大鋮藉此表白心意，意欲東林持清議者，憐而恕之，謂己誤上人船，非有大罪，而通本事事皆錯，凡有十件，以見當時錯誤之事甚多，而己實誤入也。全劇共四十齣，茲錄齣目於後：

1.提唱　2.赴湘　3.宴擢　4.湖警
5.偕泊　6.泊遊　7.改豔　8.轟謎
9.改岸　10.玩窘　11.沈誤　12.撫迷
13.溺獲　14.歛婢　15.織獄　16.報溺
17.巧憶　18.傷繫　19.蜀捷　20.賊弭
21.泄箋　22.臚誤　23.倅贅　24.虜卜
25.湘省　26.籲觸　27.誤痊　28.釋櫜
29.覡妄　30.釋別　31.鬧祠　32.呼盧
33.灌虜　34.托贅　35.宴感　36.自媒
37.留餘　38.矢箋　39.贅合　40.表錯

其中沈誤一齣，是大關目，大鋮以之喻己與呈秀，不過書札往還，并無別情，正如宇文生醉入官舫，身懷詩箋，不過逢場消遣而已。

此本爲清初所刻，案大鋮撰成此劇已在明末，清初刊本，已是最早，且藏者不多，尤爲可貴。館藏又一部，亦二卷本，收在玉夏齋傳奇二十二卷之中。

15119　懷遠堂批點燕子箋　二卷四册

明阮大鋮撰，湯顯祖評，明末刊本，國立中央圖書館收藏。匡高20.4公分，寬12.2公分。每半葉9行，每行大小皆24字。白口，雙欄，湯評刻在欄外書眉。版心上刻書名，中記卷次，下刻葉碼。每卷首行大題「懷遠堂批點燕子箋卷幾」，次行空十五字題「百子山樵撰」。百子山樵，阮大鋮之別號也。卷前殘存序文一葉，缺題署及年月。其次人像兩幅，每幅單面，一題「酈飛雲像」，一題「華行雲像」，畫中仕女，意態甚爲嫻雅。其次挿畫十六幅，單面，每圖皆有標題。首幅及第六幅署「項南洲刻」。再次目錄，僅刋上卷目次。扉葉署「本衙藏板湯若士先生評繡像燕子箋」三行。書原藏於澤存書庫，鈐有「澤存書庫」朱文方印，及「國立中央圖書館收藏」朱文小長方印。

此劇演霍都梁與酈飛雲、華行雲兩女結合始末。以燕子啣箋作關目，故名曰燕子箋。劇云：扶風才子霍都梁與風塵女華行雲夙有姻緣之約。都梁風儀俊雅，又擅丹青，曾爲行雲寫撲蝶聽鶯圖一幅，繪己與行雲儷影於其上，并題款於末，送禮部裝潢匠人趙酒鬼裱之。時有酈學士女飛雲，面貌與華行雲相似，亦以吳道子所繪水墨觀音像一幅送裱。取畫時，兩家各誤取以去。飛雲見圖中女與己儼然無二，又見一男子在側，心甚驚異，於是題一詩箋，以誌此事。詩箋巧爲燕子啣去，又爲都梁拾得，霍與酈二人遂由此各抱恙。有女醫孟婆者，嘗出入兩家，爲都梁及飛雲治病，探得飛雲之病，由觀畫引起，偵都梁之病，則見酈詩在焉，因知二人因相思成疾。其後安祿山作亂，酈飛雲隨母避難，中途失散，遇孟婆，皆爲賈節度使收留，并收酈爲義女。而華行雲于途中反遇酈母，母認爲己女，挈之同行。都梁有友鮮于佶者，曾與點吏謀割都梁闈試之作，以爲已卷，又悉燕子啣箋之事，傳布流言以嚇都梁，都梁懼而逃遁，易名卞無忌，投賈節度幕中。及亂平，賈以卞有功，以女妻之。孟婆見卞，乃指認爲霍都梁，而都梁猶未知賈節度之女即酈女也。賈酈兩家本係舊交，俟兩老相見，各出其女，始知本末，二女又出示詩箋及圖像，各各相認。於是酈父奏明聖上以狀元歸霍，并同以兩女妻之，各有封秩。故事并非泛寫一男兩女之奇緣，劇中人物，件件皆有所指，與春燈謎手法相似。曲海總目提要謂此記乃大鋮廢棄時所作。霍都梁乃大鋮自寓，先識華行雲，行雲是門戶中人，以比呈秀，後娶酈飛雲，酈是貴家之女，以比東林。是時東林與呈秀之黨相攻，皆互詆爲門戶也。其云「朱門有女，與青樓一樣」，暗詆東林也。其云「走兩路功名的是單身詞客」，自比兩路兼走，未嘗偏於一黨，又云「丹青是我畫，詩箋是酈小姐眞筆，供說燕子啣來，就渾身是口，誰人肯信，定要受刑問罪。」以燕子比維垣，言其代奏己疏，以致獲罪。「奸遁」一折，記鮮于吉假狀元鑽狗竇，實指沈同和事，至今尙膾炙人口，全劇共四十二齣，玆錄齣目如下：

1. 家門	2. 約試	3. 授畫	4. 偖征
5. 合圍	6. 字像	7. 購倖	8. 誤畫
9. 駭像	10.防胡	11.寫箋	12.拾箋
13.入闈	14.開試	15.試窘	16.駝泄
17.謀緝	18.閨痊	19.僞緝	20.守潰
21.扈奔	22.拒挑	23.兵囂	24.收女
25.誤認	26.謁洴	27.入幕	28.閨憶
29.刺奸	30.平胡	31.勸合	32.招婿
33.放榜	34.轟報	35.箋合	36.辨奸
37.遷官	38.奸遁	39.雙逅	40.排宴
41.合宴	42.詰圓		

焦循劇說云：「相傳阮圓海作燕子箋是刺倪鴻寶。」

15120 雪韻堂批點燕子箋記　二卷二册

明阮大鋮撰，明末刋本，國立中央圖書館收藏。匡高 20.5 公分，寬 14.3 公分。每半葉 9 行，每行 20 字。白口，單欄。書名、卷次、葉碼皆刻在板心上端，欄外刻眉批。每卷首行大題「雪韻堂批點燕子箋記卷幾」，次行空十二字題「百子山樵撰」。每卷之前各有目次及挿圖。圖共十二幅，單面，刻作圓形，每圖皆有標目，例如「寫像」、「拾箋」等等。首卷扉葉刻「燕子箋」三字。

此本齣目、評語與懷遠堂批點本相同。書中鈐有「鄒氏家藏」白文方印，「勤藝堂鄒氏藏書記」朱文方印，「鄒儷笙讀書印朱文方印，「儷笙重閱」朱文方印，「儷笙閱過」白文方印，以及「國立中央圖書館收藏」朱文小長方印。

15121 粲花齋新樂府四種　八卷八册

明吳炳撰，明末金陵書坊兩衡堂刋本，國立中央圖書館收藏。匡高 19.5 公分，寬 14.5 公分。每半葉 9 行，每行 20 字。單欄，白口，白魚尾。魚尾上刻書名，下刻卷次、葉數，欄外刻評語。書中鈐有「澤存書庫」朱文方印，「國立中央圖書館收藏」朱文小長方印。

此集收傳奇四種，即綠牡丹、療妬羮、畫中人、及西園記。每種各有目次，以二字標名。卷首皆大題書名卷次，次行低五字題「粲花主人編」，評者則綠牡丹爲「牡丹花史評」，療妬羮爲「鶬鶊子評」，畫中人爲「畫隱先生評」，西園記爲「西園公子評」。扉葉刻「粲花齋新樂府四種」大字兩行，左方小字題曰：「綠牡丹療妬羹畫中人西園記」，下署「金陵兩衡堂梓行」。茲將各劇之內容分敘如下：

綠牡丹二卷，三十齣，演謝英、顧文玉二生事。劇云：吳興沈重，投閑家居，有一女婉娥，雅負文譽，尙未字人。庭前有綠牡丹，婉娥嘗以綠牡丹爲題，作一絕句，詩頗可誦。時沈重欲爲女擇婿，而難得其選，因舉文社，邀舊家子弟，做詩以辨高下。柳五柳、車尙公、顧文玉皆與焉。顧亦有文譽，惟柳與車皆不知文字，柳因請謝英捉刀，車則求其妹靜芳代筆。及試之日，題即綠牡丹，柳車二子得人代作，名居首二，顧列第三。其後沈重再舉社集，嚴加防範，柳車皆托疾而去，於是重以女許顧文玉，而以靜芳許謝英。此劇之齣目如下：

1. 奇略	2. 強吟	3. 謝吟	4. 倩筆
5. 社集	6. 私評	7. 贋售	8. 閨賞
9. 訪俊	10.扼腕	11.報閨	12.友謔
13.疑貌	14.覬姻	15.艱遇	16.群謁
17.戲草	18.簾試	19.逐館	20.辨贋
21.談心	22.邀館	23.疑釋	24.叨倩
25.嚴試	26.晤賢	27.閨晤	28.爭婚
29.假報	30.捷姻		

此劇爲烏程溫育仁而作，詳見陸桴亭復社紀略及張秋水多青館集。末齣第五十九頁缺後半葉，其後又鈔配一葉，亦殘而不全。

療妬羹二卷，三十二齣，演喬小青事。吳梅霜厓曲跋云：「此記之作，石渠以朱京藩風流院記微傷冗雜，因作此掩之。結構謹嚴，稿較朱作爲佳。」劇演楊器無子，夫人顏氏勸其納妾。鄰家褚太郎亦無子，妻苗氏性奇妬，由陳媽媽覓得楊州女子喬小青，納爲褚家之妾。小青色美善詩，苗氏置之後園，不允褚近。楊妻顏氏來見小青，愛其才色，欲求才貌相等者不可得。小青向楊妻借牡丹亭，讀後題詩夾書中，詩云：「冷雨幽窗不可聽，挑燈閑看牡丹亭，人間亦有痴於我，何必傷心是小青。」詩爲楊器所見，激賞之，和其韻曰：「艷曲靡詞總厭聽，傷心只有牡丹亭，臨川劇譜人人讀，能讀臨川是小青。」其後楊器絜眷上京，顏氏念小青處境危困，乃巧言勸妬婦置小青於孤山別宅。小青抑鬱成病，自念不起，倣杜麗娘自留小像，妬婦乘間以毒砒殺害小青，事爲陳媽媽發覺，小青幸免於死，又爲楊器之友韓向宸所救，匿於其家，妬婦不知小青尚在人間也。楊器夫婦歸來，聞小青已死，又得畫像，悲傷不已，經韓生解釋，始知情由，楊乃納小青爲妾，翌年妻妾各得一子，褚太郎夫婦往賀，楊家告以實情，韓生又以劍脅妬婦，令其起誓不再嫉妬。劇中以「梨夢」、「題曲」、「絜影」、「畫眞」、「哭柬」諸齣最佳。茲錄三十二齣之齣目如下：

1.醒語	2.賢風	3.錯嫁	4.梨夢
5.代訪	6.賢遇	7.選妾	8.語嬌
9.題曲	10.空訪	11.得箋	12.妬態
13.遊湖	14.絜影	15.賺放	16.趨朝
17.弔蘇	18.追逸	19.病雪	20.買毒
21.畫眞	22.訣語	23.回生	24.哭柬
25.杖妬	26.疑鬼	27.匿寵	28.禮畫
29.假魂	30.假醋	31.付寵	32.彌慶

又，演喬小青事者不止此劇，如徐野君之春波影，來集之之挑燈劇皆是，傳奇則唯有朱京藩之風流院記及此本耳。又據焦循

劇說，謂馮千秋浙中名士，崇正乙亥拔貢，頗以詩文擅名，家素豐，因無子，買妾維揚，小青後以妻妬，置之別室，粲花主人演作楮太郎云。又云當時或有其人，或以夫在故諱其姓字，其詩文或亦有一二流傳者，衆爲緣飾之耳。事見劇說卷三。

畫中人二卷，三十四齣，演庾啓（字長明）與鄭瓊枝事。劇云：秀才庾長明，繪得美人丹青圖一幅，經華陽眞人指點，每日對畫拜呼。畫中美人卽鄭太守女瓊枝，感念庾生眞情，生魂出畫與之交接，其人則染病身亡，停靈柩於寺中，庾生啓而活之，遂爲夫婦。故事雜采趙顏、張欅、葛棠等事。吳梅云：「此記以唐小說眞眞事爲藍本，今俗劇斗牛宮卽從此演出，蓋因范文若夢花酣一記事實欠妥，別撰此本，意欲與臨川還魂爭勝。」又曰「圖嬌」、「玩畫」、「呼畫」諸折，摹效臨川，「拷僮」似西樓之「庭譖」，「攝魂」似紅梅之「鬼辨」，「再畫」似幽閨之「走雨」，「魂遊」又似西樓之「樓會」，可謂集諸家之大成。其三十四齣之目如下：

1. 畫略	2. 圖嬌	3. 花淚	4. 玩畫
5. 示幻	6. 遷藩	7. 呼畫	8. 離魂
9. 畫現	10. 之任	11. 友瞷	12. 拷僮
13. 哭畫	14. 畫變	15. 術窮	16. 攝魂
17. 賊起	18. 再畫	19. 折妄	20. 旅襯
21. 魂遊	22. 被召	23. 示戲	24. 壁畫
25. 痛女	26. 決勦	27. 破賊	28. 魂遇
29. 畫生	30. 代繫	31. 生還	32. 觀場
33. 榮登	34. 證畫		

西園記二卷，三十三齣，演張繼華、趙玉英、王玉眞三人姻

緣事。劇云：趙禮偕妻梁氏女玉英，卜居西山僻處，名曰西園。玉英與王孝廉女玉眞相交，情逾姐妹。時玉英已許字王伯寧，而玉眞則父母早逝，依託趙家為生。一日，有襄陽少年張繼華遊學杭州，閑遊至西園，抵紅樓下，倦臥花茵，玉眞在樓上，偶折梅花一枝，失手墜於華頭，適婢女翠雲尋花至，繼華大喜，立綴絕句一首，云：「羞桃辟杏踞花開，親自佳人手折來，草短花深眠正穩，暗香飛送夢驚回。」囑翠雲口誦于其主。頃之，玉英至樓上，不知玉眞失手墜梅事，欲捲簾下視，繼華未見其面，以為折梅者愛己，復又來也。明日，繼華復訪西園，館于趙家，時玉英以許人不淑，恚而成病，繼華誤以為折梅者，為念己而病，心甚憂切。未久，玉英竟死，趙家遂收玉眞為過房女，視如己出。繼華及弟歸來，又至西園，思念故人，不禁頻呼玉英，玉英鬼魂感念其意，遂與幽媾，又慮其畏己為鬼，乃嫁名玉眞。後趙家果招繼華為婿，以玉眞妻之。婚夕，繼華見玉眞，驚駭以為有鬼，蓋猶以玉眞為玉英而誤，以玉英為玉眞也。玉眞與婢女翠雲歷敘前後故實，始知非鬼，并知折梅者乃玉眞而非玉英也。吳梅霜厓曲跋卷三云：「此記與畫中人故別蹊徑，畫中人摹寫離魂光景，自死之生，在一人上着想。此則玉眞玉英，一生一死，就兩人上分寫，各極生動。冥拒一折，尤為千古奇文。此劇以二字標目，齣目下并注明宮調及韻目：

1. 開卷	2. 舟鬧	3. 倦繡	4. 尋幽
5. 庭譏	6. 雙覯	7. 憶見	8. 訛始
9. 憶訛	10. 留館	11. 巫醫	12. 堅訛
13. 代禱	14. 病訣	15. 聞訃	16. 訛驚

17.議立	18.立女	19.倖想	20.同登
21.再館	22.覲婚	23.呼魂	24.訝練
25.議贅	26.幽媾	27.辭婚	28.遣伺
29.勸婚	30.冥拒	31.驚婚	32.詑釋
33.道場			

撰者吳炳，字石渠，別署粲花主人，明江蘇宜興人。萬曆己未進士，崇禎中，歷官江西督學。隆武中江西陷，從建昌入桂林，時永曆帝監國，遂擢吏部尙書，尋拜東閣大學士。及武岡陷，爲孔有德所執，不食而死。乾隆中，追謚忠節。王船山所著永曆實錄卷四，曾記吳炳事，於不食殉國一節不提，反謂炳與劉承胤偕降，隨孔有德至衡州，有德恒召與飲食，炳旣衰老，又南人不習北味，執酥茶、燒豚炙牛不敢辭，強飽餐之，遂病痢死。吳梅謂明人有黨同伐異之風，賢如船山，尙不能免。炳少時卽喜塡曲，與阮大鋮齊名，然人格迥異。以上四種曲加情郵記傳奇，總稱粲花別墅五種，幷傳於世。又據焦循稱，石渠十二三時便能塡詞，一種情傳奇乃其幼時所作，恐爲父呵責，託名粲花。粲花者，其司書小隸也，今所傳四種綠牡丹等云云，見劇說卷五

15122　又一部

國立中央圖書館收藏，卷册、版本、行款俱與前同。書中批語及手書題詞頗多，皆出於「曼農」之手，據其題記稱，乙酉年七月，以八千購得此書。曼農不知何許人？其自署「曼居士」或「嫛雲外史」。書中鈐有「曼農過眼」白文方印，「國立中央圖書館收藏」朱文小長方印。

此四種劇卷中皆有綠筆圈點，并紅、綠、黑三色手批。綠牡丹目次之末有墨書題記四行，題云：「乙酉七月之抄，訪劉君笛友于楊梅竹斜街，道經琉璃廠，時當秋闈，書攤鱗列，旣以京錢一千六百，購得徐恭士偶更堂集，復以八千購此二書，近來皆所罕有者也。二十九日曼居士識於宣武坊南永光寺街之寓廬。」卷下末尾有綠筆手批，批云：「文有綺思，惜結構處多欠自然。乙酉七月晦日曼記。」又有朱筆七絕一首，詩云：「才子佳人久濫場，吟風弄月費評張，如今花樣翻新本，不把胭脂畫牡丹。八月初二襞雲外史題詞。」療妒羹目次葉又題有朱筆七絕一首：「虛度韶光四十年，難將心事問蒼天，此生自信無□□，一讀新詞一黯然。乙酉八月二日早起讀此偶題襞雲外史。」上卷末缺半葉，此葉空白上有綠筆題記三字，記云：「商瞿已矣，伯道如斯，翹首九閽，不可訴也。自顧家無妬婦，室有小青，已逾強仕之年，尙抱無後之懼，剪燈讀此，悉焉傷懷。乙酉八月朔襞雲記。」畫中人二卷，目次訂在療妒羹一劇之後，目次之尾亦有朱筆題詩，詩云：「也學離魂杜麗娘，輕扶檀板讀（下缺二字），看來瓦礫知多少，爭似瓊裝玉茗堂。乙酉八月二日早起題于京師永光寺街之寓廬襞雲外史。」西園記目次之後，又有朱筆七絕一首，云：「西園鐙火夜黃昏，抵死追歡喚玉英，世上結交渾似此，茫茫人鬼不分明。乙酉八月二日襞雲外史題詞。」卷下首行另有墨筆小字兩行，題云：「粲花不知何許人？所譜四種，頗見巧思，然結構處多欠自然，措辭亦多惡劣。京蚨八千，足抵南錢八百，未免負此重價矣。乙酉八月二日曼記。」其意多有褒貶，又不知粲花爲吳炳之別署。曼農旣讀粲花之劇，不悉粲花爲何許人，無怪乎今人讀曼農之批，亦不知曼農爲何許人也。

15123　又一部

國立中央圖書館收藏，卷册、行格與前同，唯扉葉劇名下不署金陵兩衡堂梓行字樣，故善本書目僅題「明末刋本」。

療妬羹一劇，書眉偶有墨筆批校語，卷上末尾有墨書題記，謂：「此折朝天子是用梁伯龍合圍折格，與周德清早霞晚霞一支不同，蓋普天樂、朝天子南北合套創自伯龍也。」西園記一劇，書眉亦偶有朱筆校語。

書中鈐有「希古右文」朱文方印，「佐伯文庫」朱文長方印，「國立中央圖書館收藏」朱文方印，「不薄今人愛古人」白文小長方印。

15062　西潛小憩（西廂記）
趙松雪寫　陳聘洲刻　明末書林蕭騰鴻刊本

15124 情郵傳奇 二卷二册

明吳炳撰，明末刋本，國立中央圖書館收藏。匡高20公分，寬14.2 公分。每半葉9行，每行 20 字。單欄，白口，白尾魚。魚尾上刻書名，下刻卷次，再下刻葉數，欄外刻批語。卷前有圖十二幅，單面，今殘存五幅。每卷卷首大題「情郵傳奇卷上（下）」，次行空十一字題「粲花主人編次」。每齣之末有集唐詩四句及總評。此書卷上第六葉缺一角，卷下第三八葉缺一角，卷末止於第八二葉上半面，以下全佚，全劇是否止於第四十三齣，尚待考訂。書中鈐有「友蘭之印」朱文方印，「鄴書」白文方印，「國立中央圖書館收藏」朱文小長方印。

此劇記劉乾初（字士元）、王慧娘與婢女賈紫簫三人姻緣事。因劉生於郵亭賦詩，王女與婢紫簫前後賡和，彼此以情相感，故名情郵記。劇云：劉乾初訪友蕭一陽，途經黃河驛，題詩於壁而去。詩云：「年少飄零只一身，風波愁殺渡頭人，青衫穩稱騎羸馬，白面難教撲暗塵，但說荆山常有淚，自生空谷孰爲春，蕭蕭旅館河流上，忽憶青州太守貧。」適有通判王仁，爲樞密買妾維揚，才貌無出衆者，乃以婢女賈紫簫充己女以獻。樞密大喜，擢升王仁長蘆都轉，仁乃攜眷上京。過黃河東驛，遇舊友趙驛丞，少作勾留。仁女王慧娘見驛壁劉所題詩，無端思慕，依韻和之，甫成四句，被迫登程。紫簫由陸路進京，及至此驛，亦心服劉之詩才，又見和詩者筆跡酷似慧娘，乃續成下四句匆匆而去。劉訪友歸來，又過黃河，見所和詩，作閨秀語，詢諸驛中，謂樞密妾所題，於是追隨入京。紫簫入樞密府，遭大婦奇妬，被遣去，劉友蕭一陽以千金聘歸，轉贈乾初。洞房之夜，劉詢知紫簫僅和詩半首，度前半所題亦必才女，紫允其訪得此女，當令並侍，後果與慧娘并事乾初，兩女以姐妹稱。全劇之齣目如下：

1.約言	2.憶友	3.選艷	4.議遣
5.閨恨	6.奸喜	7.題驛	8.遣愛
9.遣婢	10.卑冗	11.旅行	12.半和
13.補和	14.見和	15.邊略	16.追車
17.祝鹽	18.遭妬	19.客窘	20.問婢
21.良晤	22.代聘	23.追寵	24.兩探
25.合歡	26.驚遣	27.陷忠	28.賒許
29.被放	30.夢因	31.拒婿	32.私贈
33.廷對	34.反噬	35.三和	36.蒲徵
37.就詢	38.四和	39.認翁	40.救父
41.約婚	42.爭任	43.正名	

其中「賒許」、「夢因」兩齣，爲全劇精華。吳梅稱譽此劇爲石渠之冠，亦爲明代各傳奇之冠，謂石渠他作頭緒皆簡，獨此曲刻意經營，文心之細，絲絲入扣，有意與阮圓海爭勝也。又謂就文字而論：「閨恨折之囀林鶯、黃鶯兒，題驛折之金絡索，卑冗折之定場白，補和折之豆葉黃、玉嬌枝，見和折之醉太師，問婢折之雁過聲、傾杯序，代聘折之長短拍，追寵折之三字令，賒許折之降黃龍等曲，字字嘔心雕肝，……曲中有石渠，吾嘆觀止矣。」（霜崖曲跋卷三）

石渠之曲，共傳五種，金陵兩衡所刻，僅及四種，吳梅謂此記最後出，故金陵各坊本皆無之，足見其珍貴。館藏此本行間有朱筆圈點，眉頭偶有墨批，想係藏家手蹟。

15125 新鐫磨忠記 二卷一册

明范世彥撰，明崇禎間刋本。前國立北平圖書館收藏，國立中央圖書館保管。匡高20·7 公分，寬13·5 公分。每半葉9行，每行21 字。白口，單欄。版心頂頭刻書名，卷次小字偏右，中記葉數。每卷卷首大題「新鐫磨忠記卷之幾」，次行低十二字題「檇李閶甫編次」，三行低十四字題「子翔校正」。下卷末尾刻有「憲葵羽垣同訂」字樣。

此記卷前冠序兩篇，一爲撰者自序，一爲范玠序，皆未署年月。其次目次一葉半，目次之後注云：「是編也俱係魏監實錄，縱有粧點其間，前後相爲照應，無非共抒天下公憤之氣，如落一齣，便覺脉絡不相關合，演者勿以尋常視之。」有圖12幅，單面，圖上有圖目。此記凡三十八齣，叙明代宦官魏忠賢詔害忠良事。案：魏監出身寒微，恚而自宮，變姓名爲李進忠，後乃復姓。萬曆中入宮，與皇長孫乳娘客氏有私，長孫繼任，是爲熹宗，遷忠賢司禮秉筆太監，掌東廠事，深見信任。屢矯中旨，傾害公卿，誣殺楊漣左光斗等，及莊烈帝卽位，乃發其奸。此劇係實錄，記魏客勾結，與崔呈秀、田爾耕等殺害楊漣、魏大中事。齣目標以四字，錄之如下：

1.本傳始末	2.大洪家慶	3.天王採訪
4.忠賢落魄	5.奴酋內訌	6.入宦擅權
7.經略出邊	8.客氏得寵	9.練兵懷異
10.魏客結連	11.群忠共議	12.二奸獻媚
13.修準彈章	14.群忠會奏	15.夫人聞變
16.獄底含寃	17.書生憤激	18.劉杜會勦

19.誣虜拜公	20.假旨捉拿	21.妻孥分別
22.官差攘變	23.崔田會勘	24.流竄家屬
25.陷忠自樂	26.忠佞爭朝	27.矯旨建祠
28.陰奏天廷	29.夢激書生	30.疊奏鳴寃
31.奉旨貶竄	32.拷打客氏	33.陰兵扑捉
34.公憤合祭	35.群仙會勘	36.召還遠戍
37.聖明平虜	38.陽封表節	

撰者范世彥，字君徵，號闇甫，明浙江嘉興人。生平事蹟，尚待考索。書中鈐有「顧珩」朱文方印，「顧珩」陰陽合文方印,「子發」朱文方印，「子發」陰陽合文方印，「子發珩」白文方印，「呂彭印」白文方印，「希代之寶」朱文方印，「華陽世系」白文方印，「清白傳家西湖顧氏」朱文方印，「家住泉唐西子湖」朱文小長方印，以及「國立北平圖書館收藏」朱文方印。

15126　新編孔夫子周遊大成麒麟記　二卷二冊

明寰宇聖顯公撰，明刊本。前國立北平圖書館收藏，國立中央圖書館保管。匡高21·8公分，寬14·5公分。每半葉9行，每行 21 字，科白小字雙行，每行字數亦同。白口，單欄，眉欄內刻注釋。版心上端刻書名，卷次，下刻葉碼。每卷卷首大題「新編孔夫子周遊列國大成麒麟記卷几」，次行空十二字題「寰宇顯聖公撰」。全劇三十九齣，取四字標目。卷前有圖，雙面者一幅，單面者十八幅，末幅版心有「素明刻像」四字。圖頗精美，所刻人物，衣飾挺拔，面貌如生，不愧爲刻畫名手。

此劇演孔子一生經歷，起於降生，終於刪述六經。觀其齣目,即知全劇梗概。

1. 開場序事	2. 禱祭尼丘	3. 麒麟呈瑞
4. 天生至聖	5. 天倫具慶	6. 委吏乘田
7. 適周感古	8. 問禮老子	9. 問樂問琴
10. 設教洙泗	11. 杏壇化育	12. 孔庭詩禮
13. 聖門問孝	14. 齊景問政	15. 去齊歸魯
16. 仕魯行道	17. 齊計夾谷	18. 魯備夾谷
19. 夾谷宴會	20. 齊演女樂	21. 使調女樂
22. 女樂夜宴	23. 過匡宋鄭	24. 史魚直諫
25. 伯玉下車	26. 適衡主玉	27. 子見南子
28. 天啓聖衷	29. 厄于陳蔡	30. 鳳歌雞黍
31. 昭王聘問	32. 子路問津	33. 喜誕賢孫
34. 悼道無傳	35. 哀公問政	36. 西狩獲麟
37. 夫子泣麟	38. 刪述六經	39. 大封聖典

書尾有缺損，卷下第三十九齣後半亡佚，止於宣讀聖旨之說白。卷首鈐有「董康」朱文方印，「□□印信」白文方印。

撰者寰宇聖顯公，姓名籍貫不詳，生平事蹟亦無可考，所撰傳奇僅此一種傳世。

15127 陌花軒雜劇七種 不分卷二册

明黃方胤撰，清順治間刊本。前國立北平圖書館收藏，國立中央圖書館保管。匡高 19.5 公分，寬 13 公分。每半葉9行，每行 19 字。左右雙欄，白口，黑魚尾。魚尾上刻書名「陌花軒雜劇」，下刻葉數。卷首大題「陌花軒雜劇」五字，次行低十一字題「醒狂黃方胤著」，欄外刻小字批語十一行。卷前有序一篇，題「秦淮盈盈馬麗華志」。全書首尾鈐有「國立北平圖書館收藏」朱文方印。

此劇集爲黃方胤所撰，方胤號醒狂，金陵人。焦循曲考載此劇目，題黃方印作，不作方胤，恐係音同而筆誤。又焦氏劇說亦載此劇，云黃醒狂作，蓋題其號也。明顧起元客座贅語卷八、卷九載有黃方儒事，謂吏部黃公甲有四子，皆負儁才，其三名方儒，落魄廢其業，有陌花軒小集，其事似與方胤爲一人。王國維謂以軒名推之，當以方儒爲是，或方胤本名方儒，後改此名，亦未可知。劇集共十齣，分敘七段故事，曰倚門、再醮、淫僧、偸期、督妓、孌童、懼內。其劇名不另標題，只記於某齣之下，用小字側書之。第一齣至第四齣爲「倚門」，演王八哥與褚十娘事。八哥家道貧困，無銀度日，逼迫其妻十娘賣笑，故名倚門。第五齣爲「再醮」，演女子丁氏，連嫁三夫，皆不中意，央託媒婆，另選夫婿事。第六齣爲「淫僧」，演僧侶嫖院事。第七齣爲「偸期」，演賈學龍妻方氏紅杏出牆事。第八齣爲「督妓」，演鴇母歸大媽督促妓女邀客事。第九齣爲「孌童」，演少年童子皮嵩不務正業事。第十齣爲「懼內」，演韓修懼妻事。所記之事，皆市井敝俗，多鄙陋不雅，其中猥褻之語尤多。卷首有一序，云：「醒狂黃四君，蓋翩翩佳公子也。儂竊辱一日之雅，風晨月夕，擧白命歌，多君稱賞，因出陌花軒雜劇示儂。」末署「秦淮盈盈馬麗華志」，玩其詞意，似妓女之筆，以娼妓之文冠於篇首，其意尤可怪也。

15128　新刊出像音註韓朋十義記　二卷二册

明不著編人，羅祐註，明末金陵富春堂刋本，國立中央圖書館收藏。匡高 19.5 公分，寬 13.2 公分。每半葉 10 行，行 21 字，科白小字雙行，每行亦 21 字。單欄，白口，單魚尾。魚尾上刻書名，下刻卷次、葉數。板心下刻「富春堂」三字，板匡周圍刻雲雷紋，富春堂刋本多如此。書前有目錄一葉，一至十四齣在上卷，十五齣以後在下卷。齣目爲：

1. 副末開場	2. 朋友玩春	3. 巢選宮妃
4. 錢婆求婚	5. 差拿韓朋	6. 義放舊主
7. 復追韓朋	8. 隱跡潛踪	9. 毀容不辱
10. 逃入柳門	11. 禁中訴屈	12. 以理激夫
13. 付托嬰孩	14. 鄭田死節	15. 訴冤馮獻
16. 懷孤逃難	17. 投身爲尼	18. 歸鄉訪息
19. 遣子求名	20. 途中自嘆	21. 差接父母
22. 泥金報喜	23. 爲政以德	24. 父子相逢
25. 庵中被侮	26. 子父團圓	27. 統兵滅巢

此書無序跋。每卷卷首大題「新刋出像音註韓朋十義記卷之几」，次行低五字題「豫章寅所羅祐音註」（卷一羅下缺祐字），三行亦低五字題「金陵對溪唐富春梓行」。此本每齣稱「折」，折下標目或有或無，目錄僅載 27 折，而書末竟有第二十八齣。有圖十八幅，附刻在曲文間，每圖佔單面，其上皆有文字標題，然刻工不精。卷一第十九葉反面缺右下角。卷首鈐有「國立中央圖書館收藏」朱文長方形印。

此劇不知撰者，曲海總目提要著錄爲：「明時舊本，憑空結撰，無可證據。」劇演黃巢入關以後，擬強佔韓朋妻李翠雲，而黃巢妻、李昌國、張義、韓福、鄭田、馮獻，以及李國仁夫婦、獄卒夫婦等男女共十人，皆仗義救韓朋夫婦事。蓋古時有程嬰、公孫杵臼等八義，此擴而爲十義也。

15129 綵樓記　不分卷一册

不著撰人，精鈔本。前國立北平圖書館收藏，國立中央圖書館保管。書長（連襯紙）31.5公分，寬20.8公分。每半葉10行，每行鈔22字。字體工楷，行間鈐有朱色圈點。書中有「朱希祖」朱白合文小方印，「國立北平圖書館收藏」朱文方印。

劇演劉丞相擇婿，呂蒙正接綵球事，故名綵樓記。呂蒙正，字聖劬，宋河南人，太平興國二年中進士第一，累擢中書侍郎，兼戶部尙書，封蔡國公，卒謚文穆。此劇記蒙正未達時遇劉懋選婿，劉千金擲綵球中之，遂與同歸破窰，貧困不改其志，後蒙正應試中狀元，接劉女同享榮華云云。全劇凡二十齣，首齣水調歌頭云：「昔日呂蒙正，飽學負多才。白衣卿相，未遇困塵埃。幸遇相府招贅，一意共和諧。爭奈爹行怒，趕逐離庭堦，破窰中受凍餒苦哀哉。朱門謁遍，滿頭風雪却歸來，羞覩妻兒面，撥盡寒爐一夜灰。喜得選場開，一舉登金榜，名位列三台。」可見劇情大概。齣目作：

1.家門始末	2.訪友贈衣	3.命女求婿
4.抛球擇婿	5.潭府逐婿	6.投店成親
7.店中被盜	8.夫妻歸窰	9.賞雪憶女
10.蒙正祭竈	11.木蘭邏齋	12.辨踪潑粥
13.春闈應試	14.虎撞窰門	15.神壇伏虎
16.差書報捷	17.宮花報喜	18.榮歸謝窰
19.重遊舊寺	20.喜得功名	

其中木蘭邏齋一齣，叙蒙正貧困時，往山中木蘭寺趕齋，寺僧先吃飯而後鳴鐘，蒙正遂空腹而歸，唐代王播有此事，劇情恐借於此。又宋代宰相無劉懋，劇稱劉丞相名懋，官拜平章，係附合添飾。呂蒙正事見宋史二六五，軼事雜見於堯山堂外記、歸田錄、一統志、水東日記等。

前此，元王實甫、關漢卿皆有呂蒙正風雪破窰記，元馬致遠有呂蒙正風雪齋後鐘，情節俱與此同，宋元南戲亦有呂蒙正破窰記。此綵樓記係鈔本，未署撰者姓名，曲考有無名氏撰綵樓記，注云非古破窰本，不知是否指此本？叢書子目類編詞曲類有綵樓記一卷，題「明王錂撰」，與此本是否相同，一併待考。

15130 全德記 不分卷一册

明王穉登撰，朱絲欄鈔本。前國立北平圖書館收藏，國立中央圖書館保管。書長27 公分，寬17.6 公分。朱絲欄稿紙每半葉9行，每行鈔 20 字。此鈔本未署撰者姓名，據曲海總目提要，今樂考證、曲錄、叢書子目類編等著錄，謂「明王穉登撰」。書中鈐有「朱希祖」朱白合文小方印，「國立北平圖書館收藏」朱文方印。

劇演竇禹鈞全德事。禹鈞後周漁陽人，官拜諫議大夫之職，高義篤行，爲一時標表。平生多行善事，士貧無依者，咸衣食之，又盡力拔擢後進，范文正公別集竇諫議錄有其事。馮道贈禹鈞詩云：「燕山竇十郎，教子以義方，靈椿一株老，仙桂五枝芳。」人多傳誦。禹鈞所生五子，曰儀、儼、侃、偁、僖，相繼登科，時稱燕山竇氏五龍。此劇演禹鈞早年無子，而家道甚富，高懷德無力償債，以女抵之，禹鈞不計其惡，撫育其女，代擇良配，許予石守信爲妻，後以種種陰功，天賜五子，一家榮貴。全劇以竇禹鈞積德致多子爲大要，至於石守信、高懷德等，或因事附合，或憑空結撰也。劇分二十四齣，齣目如下：

1.家門始末	2.賞春放生	3.遣童貿易
4.趙公求賢	5.童兒投院	6.拐子認父
7.脫騙高童	8.守信聞召	9.留劵別女
10.遣僕索債	11.竇君施義	12.觀相遇英
13.奇逢佳偶	14.洞房離別	15.款留責女
16.白勝起兵	17.謁見明公	18.出獵遇賢
19.法戰成功	20.奏捷加[illegible]	21.拷打高童
22.上聖勅善	23.弄璋嘉慶	24.榮歸團圓

撰者王穉登，字百穀，號玉遮山人，明江蘇長洲人。嘉靖間諸生，詩文有盛名。萬曆中徵修國史，卒年七十八，著有吳郡丹青志、奕史、吳社編、尊生齋等集，所撰傳奇僅此一種。

15131 虎符記 二卷二册

明張鳳翼撰，鈔本。前國立北平圖書館收藏，國立中央圖書館保管。書長27.5 公分，寬 19.3 公分。每半葉10 行，每行鈔 22 字，字體工楷，行間有朱色圈點。書中鈐有「國立北平圖書館收藏」朱文方印，「朱希祖」朱白合文小方印。

劇演花雲守太平事。花雲，明懷遠人，貌偉而黑，驍勇絕倫。至正十三年，隨明太祖起臨濠，數戰有功，授前部先鋒，擢行樞密院判，陞安遠大將軍。守太平，陳友諒以舟師來攻，城陷，雲與許瑗王鼎共殉節。雲妻郜氏赴水死，侍妾孫氏撫孤長成，太祖賜名花煒，累官水軍左衞指揮僉事。此劇爲後來團圓，故改作被擒囚禁，增出勸降、失明、送藥及花煒立功、張定邊自刎等情節。又添加雲守城時，取所佩虎符，付其妻郜氏，日後以此符作爲父子相見信物，因此劇稱虎符記。全劇三十齣，以二字標目，齣目如下：

1.家門	2.設議	3.起兵	4.拜別
5.邊報	6.遣神	7.交戰	8.報信
9.探親	10.逃難	11.戮忠	12.謁見
13.俘宿	14.寄煒	15.冲散	16.拯溺
17.遣張	18.勸降	19.水戰	20.神引
21.赴闕	22.歸第	23.眼藥	24.談兵
25.復寇	26.奏朝	27.辭母	28.擒理
29.開眼	30.團圓		

國劇有戰太平一齣，即演花雲殉節事，以亂箭射死作結。

撰者張鳳翼，略歷見灌園記條。

此劇國立中央圖書館善本書目題作「不著撰人」，今據曲海總目提要、今樂考證、周志輔讀曲類稿等訂正，作「明張鳳翼撰」。

15132　坦庵詞曲六種　九卷四册

清徐石麒撰，清初南湖享書堂刋本。前國立北平圖書館收藏，國立中央圖書館保管。匡高 18.1 公分，寬 13.5 公分。每半葉9行，每行 20 字，注解小字雙行，每行亦 20 字。單欄，白口，欄外刻批語。

此書爲徐石麒詞曲集，包括下列六種：

一、詩餘甕吟四卷

二、樂府忝香集一卷

三、買花錢雜劇一卷

四、大轉輪雜劇一卷

五、拈花笑雜劇一卷

六、浮西施雜劇一卷

前二種爲詩餘、樂府，後四種爲雜劇。茲分述如下：

甕吟四卷，所收小令六十六調，中調十三調，長調十六調。其小令搗練子憶舊「卿去也……」一闋，以及浣溪沙詠蘭「鬧綠酣紅……」一闋，雋永清麗，風格迥異，而重疊金卿卿一闋，尤俱情味。卷前附坦庵續著書目二葉，所錄之目計有：談經笥8卷、在茲錄40 卷、詞府集絲60 卷、寶儉小言6卷、叙書說2卷、禽愧錄5卷、大籟譜2卷、倦飛集4卷、甕吟4卷、瓢聲集4卷、珊瑚鞭3卷、辟寒釵2卷、胭脂虎2卷、買花錢1卷、大轉輪1卷、忝香集3卷、壺天續筆20 卷、文字戲10 卷、宮閨粧飾5卷、指木遺編6卷、拈花笑1卷、范蠡浮西施1卷、詩餘定譜10 卷、轉注辯2卷、訂正詞韻6卷、談騷寤語4卷、女鑑3卷，以及吉凶影響錄8卷。據徐氏自識，謂舊著40 餘種，計360卷，皆毀於兵災，爾後因病放廢，不求名祿，二三年間浪跡山水，於愁苦呻吟之中，著成以上28種，其運筆之勤，由此可知矣。此詞集每卷卷首大題「坦庵詩餘甕吟卷几」，次行空三字題「邦上徐石麒又陵著」，「同社諸子評閱」。卷前有目錄，目錄四葉及坦庵書目二葉，扉葉半面，皆鈔配而成。

忝香集一卷，所收樂府有小令，有散套。坦庵擅用「一半兒」，用辭遣字輕巧可喜，別有一番風致。又自度中呂曲「美人臨粧」，及雙調曲「錢難」各一套。其「伉儷曲」散套，雖是戲作，然亦遠近傳誦，膾炙人口。此集卷首大題「坦庵樂府黍香集」，次行低二字題「邗上徐石麒又陵父譔」，「同社諸子評訂」。卷前有目錄，殘存二葉。

買花錢雜劇一卷，四折。演落第舉子于國寶事。于生春日遊西湖，在斷橋酒樓買醉，復題詞於壁。詞云：「一春常費買花錢，日日醉湖邊。玉驄慣識西湖路，驕嘶過沽酒樓前。紅杏香中歌舞，綠楊影裡鞦韆。煖風十里麗人天，花壓鬢雲偏，畫船載得春歸去，餘情付湖水湖烟。明日重携殘酒，來尋陌上花鈿。」（風入松）時宋孝宗遊湖，見于所塡詞，甚爲賞識，但覺末句有寒酸氣，因改爲「明日重扶殘醉，來尋陌上花鈿。」并欽賜翰林，駙馬楊震又以歌伎粉兒相贈云云。因塡詞首句有「買花錢」三字，故以之爲劇名。宋周密武林舊事原有此事，馮夢龍警世通言有俞仲舉題詩遇上皇篇，所寫爲一事，唯此劇俞姓作于，并添飾關目，增加贈伎及帝后賞賜等事而已。卷首大題「坦庵買花錢雜劇」，二三四行分別題「邗上徐又陵編」、「友人羅然倩吳園次劉雨先評閱」。扉葉刻「買花錢」大字一行，及「南湖草堂藏版翻刻必究」小字一行。

大轉輪雜劇一卷，四折。演司馬貌斷獄事。書生司馬貌，窮居無聊，作詩怨天。詩云：「謂天至神，福善禍淫，爾胡不鑒，長此佞人。謂天至高，明德是昭，爾胡不鑒，君子嗷嗷。罪惟窃鈎，窃國者侯，睊彼成敗，天實爲讎。堯舜殄嗣，瞍鯀明禋，職是之故，天實爲愆。嗟爾蒼天，昏德多穢，我爲天卿，當易之位。」事爲天帝所知，命太白星官召其下地府判斷疑獄。貌以六個時辰，斷明漢代淮陰侯告劉邦、呂雉等案七宗。天帝大喜，令司馬貌還陽，轉世改名司馬懿，并收三國，一統稱尊，以申才高久鬱之氣。又以古之仁人義士如荆軻、田光、高漸離、樊於期等，轉還陽世，改名羊祜、張華、杜預、王濬，作爲佐命元臣。故事本於宋元評話，意在爲窮書生出悶氣也。卷首大題「坦庵大轉輪雜劇」，次行空四字題「邗上徐又陵編」、「同社諸子評訂」。

拈花笑雜劇一卷，一折。演妻妾爭寵事。劇前有拈花笑引一篇，謂女子善妬，自幼習之，姑姨姐妹，竟日喋喋，惟此一義，正如商賈學算法，子弟讀經史，日增益其所不能，故能探奇盡變。又謂「女子最弱，到妬時扛金鼎、擧石臼」，「女子最愚，到妬時，放大光明，無幽不察」，「女子最愛修潔，到妬時，雖汙池在前，溷厠在後，擧身投之，略無所恤」，妬婦情態，於此描寫淋漓盡致。此劇甚詼諧，出詞不免鄙俚，本游戲之作。劇尾結語云：「人都道：冒如花，貌如花。我只怕，杜得錦，妬得緊。風流事，人人要，做幾分。拈花笑，個個家，有一本。」亦有勸世諷喩之意。卷首大題「坦庵拈花笑雜劇」，次行低十二字題「坦庵戲筆」。扉葉正中刋「拈花笑」大字一行，左右各題「坦菴新雜劇內附范蠡浮西施」、「南湖草堂藏板翻刻必究」小字兩行。

浮西施雜劇一卷，一折。演范蠡與西施事，叙滅吳之後，范蠡沈西施於江，以杜後患，不取五湖同載之說。立論奇絕，亦翻案文章也。卷首大題「坦菴浮西施雜劇」，次行空四字題「邗上徐又陵編」、「同社諸子評閱」。

以上甕吟、黍香集、買花錢各訂一册，大轉輪、拈花笑、浮西施合訂一册。書中鈐有「悟昉秘藏」朱文方印、「歐陽鳳熙之印」白文方印、「董康」朱文方印。

撰者徐石麒，字又陵，一字坦庵，清江都人。精研名理，擅長度曲，其著作除此坦庵詞曲六種，尚有蝸亭雜記、青白眼諸書。揚州畫舫錄稱：又陵畫花卉，有天趣。是知坦庵詩詞以外，亦兼工繪事也。其生平事蹟詳見國朝耆獻類徵第四二三。

15133 坦庵雜劇 三卷二册

清徐石麒撰，舊鈔本。前國立北平圖書館收藏，國立中央圖書館保管。書以烏絲欄稿紙正楷鈔寫，左右雙邊，匡高 18.9 公分，寬 13.4 公分。每半葉9行，每行 20 字。

此書僅存買花錢、大轉輪、浮西施三種，共三卷二册，與清初南湖享書堂所刊不盡同。買花錢卷首大題「坦庵買花錢雜劇」一行，次行低二字題「邗上徐又陵塡詞」、「古潤譚樵隱評閱」。鈐有「身閒心靜平生足」朱文方印、「不薄今人愛古人」白文方印、「國立中央圖書館收藏」朱文小長方印、「則」白文「菴」朱文連珠印。大轉輪卷首大題「坦菴大轉輪雜劇」，次行空二字題「邗上徐又陵塡詞」、「廣陵吳薗次評閱」。浮西施卷首大題「坦菴浮西施雜劇」，次行空二字題「邗上徐又陵塡詞」、「古歙羅霞汀評閱」。卷尾存拈花笑引一篇，拈花笑雜劇則另册鈔錄，鈔本已佚。買花錢雜劇之前，又有范樹芝、施燮等詩詞代序五則，今一併過錄如下：

范樹芝：「鶯花巧笑一年年賺得恁流連心亟風韻無人見但惟寄酒傲詩顛孤悶欷歔閒情隱約好處盡相牽眞怡墨汁破鮮妍堪訴阿誰邊有懷偷入相思隊露微意偶賦樓前柔倩鸎歌憨宜蝶拍多恐不勝憐」（一叢花）

施爕：「又陵社翁不得志于時託跡湖干迺以左丘史遷著書之意寓之雜劇所傷隱矣予讀而憫其懷賦詩爲贈知不足噴飯也何必塵中定識君與君縱酒檗斜曛共傷世事歸流水各有幽懷卷白雲孤調久賡燕市筑壯心空老楚湘濆逢人休羨西山隱醒醉于今總未分」

梁枋：「廣陵散絕到于今唱嘆孤悰一往深鏤月裁雲宜本色高山流水自清音君工雅奏傳瑤笈我解怡情抱素琴賦就簡兮思倍苦美人消息共沉吟」

羅煌：「千年養丹砂萬金買俠剌不如有心人一字即堪死如磁石引針如靈犀劃水當其摸索時暗室泣神鬼一旦既相遘金石滿天地古人重文字富貴名焉已彈琴糾鐵出度曲虞草娓聲氣苟相通不必在同類所以昔時人無事酬知已誠復難何況在女子骯髒人搦筆伸萬紙甥碎俞子琴磨滅彌生字忽爾發狂言顛倒羞青史嵤矣楊粉兒咄哉宋天子我借古人乎古人借我耳」

徐元美：「千秋同抱怨風流事知否幾人經羨座上酒豪佳人意許樓前詩傲天子情傾相逢處眼波嬌欲溜眉宇韻偏生雅調唱酬償償閨閣才華灧瀲價重墀庭借于生佳話傳幽憤不覺彩筆縱橫意近叩壺王子擊筑荊卿愛清商响若九皐唳鶴新詞柔似百囀流鶯咳唾書成珠玉高調誰賡」（風流子）

15134　昇平寶筏　不分卷二十册

清張照撰，朱絲欄鈔本。前國立北平圖書館收藏，國立中央圖書館保管。書長 27.8 公分，寬 17.5 公分。每半葉 8 行，每行 24 字，正楷鈔寫。全劇分作十本，共二百四十齣。每本首行大題「昇平寶筏第几本」，次行空二字題齣數及齣目。齣目皆以七字標目，下注該齣韻目。稿紙印朱紅界格，四周雙邊，版心幷印魚尾。每葉皆鈔錄書名於魚尾之上，本數及葉碼在魚尾之下。全書首尾鈐有「朱希祖」陰陽合文小方印，「國立北平圖書館收藏」朱文方印。

劇演唐玄奘西域取經故事，據西遊記小說敷演而成，亦清宮承應傳奇鉅製之一。據嘯亭雜錄，謂此劇爲張照親製，詞藻奇麗，引用內典經卷，大爲超妙，於上元前後日奏之。嘉慶癸酉以教匪事特命罷演，上元日惟以月令承應代之。

張照字得天，江南婁縣人。清康熙四十八年進士,雍正初累遷侍講學士，歷官刑部侍郎、尙書。以苗疆事得罪，爲鄂爾泰所惡。乾隆十年卒，加封太子太保、吏部尙書，諡文敏。照敏於學，富文藻，尤工書，深受海內推崇。乾隆初，上以朝會樂章句讀不協節奏，廬庙壇樂章亦復如是，命莊親王允祿及照遵聖祖所定律呂正義，考察原委，尋合疏律呂正義，是知照亦深於音律，故有此劇作。其生平事蹟俱見於清史稿、清史列傳、國朝耆獻類徵、國朝先正事略等書。

此劇長達二百四十齣，齣目又以七字標題，如數過錄甚佔篇幅，玆錄第一本二十四齣，以見大概。

1.轉法輪題綱挈領　　2.鑿靈府見性明心
3.金蟬子化行震旦　　4.石猴兒強佔水簾
5.靈台心照三更靜　　6.混世魔消萬刼空
7.掃蕩妖氛展豹韜　　8.誅求武備翻龍窟
9.大力王邀盟結拜　　10.鐵板橋醉臥拘拏
11.鬧森羅勾除判牒　　12.詣絳闕交進彈章
13.官封弼馬沐猴冠　　14.兵統貔貅披雁甲
15.園熟蟠桃恣竊偸　　16.營開細柳專征討

17.燒仙鼎八封無靈　　18.鬧天閶九霄有事

19.降伏野猿虎奉佛　　20.廓清饞虎慶安天

21.掠人色胆包天大　　22.矢志貞名似水清

23.金山撈救血書兒　　24.寶地宏開錫福會

15135 鼎峙春秋　二十卷二十册

清周祥鈺等撰，朱絲欄鈔本。前國立北平圖書館收藏，國立中央圖書館保管。書長 29.5 公分，寬 18.5 公分。稿紙內匡高 22.6 公分，寬 15.2 公分。四周雙邊，版心有魚尾，皆朱印。每半葉 8 行，每行鈔 24 字。首卷鈐有「國立北平圖書館收藏」朱文方印，「朱希祖」朱白合文小方印。

此劇分十本，共二百四十齣，演魏蜀吳三分故事，亦清宮承應傳奇鉅製。中間收入連環記、古城記諸折，而於關公事蹟尤詳，止於單刀會，其後以曹操死後入地獄作結。由於齣目過繁，茲不過錄。

據清徐珂曲稗內廷演劇條云：「乾隆初，高宗以海內昇平，命張敏公照製諸院本進呈，以備樂部演習，各節皆相時奏演，如屈子競渡，子安題閣諸事，無不譜入，謂之月令承應。內廷諸喜慶事，奏演祥瑞者，謂之法宮雅奏，萬壽令節前後，奏演群仙神道，添壽錫禧，以及黃童白叟，含哺鼓腹者，謂之九九大慶。又演目犍連尊者救母事，折爲十本，謂之勸善金科，於歲暮奏之，鬼魅雜出，實有古人儺祓之意。演唐元奘西域取經事，謂之昇平寶筏，於上元前後日奏之，曲文皆文敏親製，詞藻富麗，引用內典經卷。後又命莊恪親王譜蜀漢三國志典故謂之鼎峙春秋。又譜宋政和間梁山諸盜，及宋金交兵，徽欽北狩諸事，謂之忠義璇圖。」清宮內廷承應諸劇，據此可知其由來矣。

15136 忠義璇圖　不分卷二十册

清周祥鈺等撰，鈔本。國立北平圖書館收藏，國立中央圖書館保管。書長 28.3 公分，寬 18 公分。每半葉8行，每行20字，正楷墨筆鈔寫。書中鈐有「國立北平圖書館收藏」朱文方印，「朱希祖」朱白合文方印。按：朱希祖收藏戲曲舊籍頗多，其事蹟可參看王宇高王宇正所撰朱希祖傳，見國史館館刊一卷二期。

此劇演梁山泊故事，全據水滸傳而成。分爲十本，共二百四十齣，每齣以七字標目，爲清宮承應傳奇鉅製。據嘯亭雜錄，謂其詞皆出自日華遊客之手，又抄襲元明水滸義俠諸院本，蓋亦莊恪親王董其成者也。曲錄題周祥鈺鄒金生等撰。

15137 倒鴛鴦傳奇　二卷二册

清朱英撰，清順治庚寅七年江寧玉嘯堂刋本。前國立北平圖書館收藏，國立中央圖書館保管。匡高 20.3公分，寬13.4 公分。單欄，白口。版心上端刻書名，中記卷次，下記葉碼及「玉嘯堂」三字。每半葉 9行，每行 20 字。每卷卷首大題「倒鴛鴦傳奇某卷」，次行三行低四字分别題「簡社主人編次」、「淡生子較定」、「了然居士參閱」、「玉嘯堂藏版」。每卷各有目錄一葉，卷前冠有撰者順治七年自序，序末題「順治歲次庚寅仲秋雲間朱英寄林氏識于江寧玉嘯堂」。缺首半葉。(按：清世祖順治元年爲明崇禎十七年，順治七年即明永曆四年。)

書中鈐有「朱希祖」朱白合文小方印，「國立北平圖書館收藏」朱文方印。

劇演花鏡花露兄弟，與水素月水素萍姐妹締結姻緣事。由於逃避戰禍，男女互換衣裳，男扮女，女扮男，各個顛倒，故名倒鴛鴦。劇云：水夫人有二女名曰素月、素萍，因避李闖之亂，母女中途失散，素月被亂兵所擄。花家有子花鏡與花露，花鏡亦被亂軍所獲。素月與花鏡相逢，雙雙脫逃，互訴身世，訂盟終身，又互易衣衫，素月易男裝，花鏡易女裝，結伴逃亡，不料又爲衆兵沖散。花鏡女裝，巧遇素月之妹素萍，素萍與之姐妹相稱，携之歸家，同侍其母。素月男裝，遇花露，同歸花家，改名花逢，與露一同攻讀。時宮中選秀女，民間女子紛紛早嫁，以避入宮。媒婆見水家有兩女，遂與說合花家兩子，以花鏡歸素月，素萍歸花露，花燭之夜，花鏡與素月由於身份顛倒，各自迴避，及天明二婿拜見岳母，始爲水夫人認出長婿卽其女素月，而花鏡實乃其婿，男女各歸其正。全劇凡三十八齣，齣目如次：

1.開宗	2.郊遊	3.流潰	4.月缺
5.花殘	6.螳拒	7.兩易	8.囚晤
9.狂奔	10.撈月	11.尋影	12.補殘
13.海嘯	14.平波	15.草夢	16.神驚
17.攀花	18.脩隙	19.補缺	20.兩誤
21.雜試	22.誤報	23.悶疑	24.街迎
25.憐難	26.猋謀	27.如夢	28.迫婚
29.鬧姻	30.月泣	31.花愁	32.雙渡
33.待旦	34.月還	35.花歸	36.餘戾

37.宦乞　　38.顛合

據曲海總目提要，倒鴛鴦一名鬧鴛鴦，演司馬清事。司馬清與莫娟、龔麗英配合，三人皆以男女易裝，互相顛倒，故名，撰者亦題朱英。但按劇情與主角姓名與此本全然不同，恐另是一種。

朱英字寄林，號樹聲。今樂考證著錄其野狐禪一種。曲海總目提要記其著作四種，曰「醉揚州、鬧烏江、倒鴛鴦、野狐禪，皆佚。」又謂英爲江蘇蘇州人，一作上海人。

15138　十錦塘　不分卷一册

清馬佶人撰，鈔本。前國立北平圖書館收藏，國立中央圖書館保管。書長24·5 公分，寬 12·8 公分。每半葉或8 行，或 10 行，或 11 行，每行鈔 25字至35 字不等，觀字體似由三人分鈔而成。首尾鈐有「國立北平圖書館收藏」朱文方印。

此劇演杭州人和鼎事。十錦塘係杭州西湖地名，因和鼎爲杭人，又與水孽遇於十錦塘，即以名劇。和鼎字調孟，與妻卓氏居於孤山，鄰有梅花莊，係豪紳水孽之別業。水孽見卓氏美艷，托莊媪潘氏謀之，遂用計陷和鼎下獄，遣綠林豪傑搶刼卓氏入家，無奈卓性貞烈，誓死不從，又得水母庇護，留居於梅花書屋，幸免於難。鼎得良友褚國士相救，赴京應試，大魁天下，乞假榮歸，除奸報仇，夫婦又復團聚。故事大抵本於野乘，無實據也。全劇三十三齣，此本缺第十六、十七兩齣，且每齣不鈔齣目。

撰者馬佶人，字更生，一作亘生，清江蘇吳縣人。所撰傳奇有十錦塘、荷花蕩、梅花樓三種，今梅花樓已佚，荷花蕩則收在玉夏齋傳奇中，國立中央圖書館有清初刋本。

15139 瓔珞會 二卷二册

清朱佐朝撰，鈔本。前國立北平圖書館收藏，國立中央圖書館保管。書長 23.5 公分，寬 12.8公分。每半葉9行，每行鈔 22 字至 27 字不等。所鈔字體不工，行間有朱筆點讀，偶有訂正字。首尾鈐有「國立北平圖書館收藏」朱文方印。

劇演韋玨事，係憑空結撰。謂韋玨遇瓔絡夫人，授鐧成功，故名瓔珞會。惟耿再成係大將，而用隋朝人姓名扭合。全劇三十二齣，未鈔錄齣目。

據姚燮今樂考證，謂朱良卿，吳縣人。所撰傳奇共 28 種，除此劇外，尚有太極奏、玉素珠、軒轅鏡、蓮花筏、吉慶圖、飛龍鳳、錦雲裘、瑞霓羅、御雪豹、石麟鏡、九蓮燈、贅神龍、萬花樓、建黃圖、乾坤嘯、艷雲亭、奪秋魁、萬壽冠、雙和合、壽榮華、五代榮、寶曇月、漁家樂、牡丹圖、四奇觀、血影石，以及一棒花。高奕新傳奇品僅載 25 種，缺四奇觀、血影石、一棒花三種。

此劇台灣公藏僅此一部，而良卿所撰傳奇，在台公藏亦僅此劇與艷雲亭、漁家樂三種而已。

15140 艷雲亭 二卷二册

清朱佐朝撰，精鈔本。前國立北平圖書館收藏，國立中央圖書館保管。書長 27.9 公分，寬 19.2 公分。每半葉 10 行，每行鈔 22 字。字體工楷，行間有朱色圈點，書中鈐有「朱希祖」朱白合文小方印，「國立北平圖書館收藏」朱文方印。

劇演宋人洪繪與蕭鳳韶女惜芬姻緣事，中間以艷雲亭作關目，故名。艷雲亭爲王欽若等所建，在郊壇之鈞天谷，選繡女以悅眞宗，欽若并矯旨取蕭惜芬入艷雲亭，洪繪云惜芬爲己妻，眞宗乃命欽若放還。全劇三十四齣，由洪繪春遊開始，至團圓結束，齣目如下：

1.家門	2.春遊	3.醉和	4.逑武
5.演武	6.勝報	7.計害	8.赴任
9.別妻	10.採選	11.課算	12.亭諫
13.放秀	14.殺廟	15.義刎	16.待援
17.破城	18.遇夫	19.舟計	20.修齋
21.痴訴	22.點香	23.獻妓	24.揭榜
25.點將	26.做親	27.報信	28.相罵
29.誤捉	30.民助	31.敗賊	32.辯明
33.報喜	34.團圓		

15141 漁家樂 存一卷一册

清朱佐朝撰，精鈔本。前國立北平圖書館收藏，國立中央圖書館保管。書長27.5公分，寬19.2公分。每半葉10行，每行鈔22字。字體工整圓潤，行間并有朱色圈點。此書不全，僅存上卷一册，首尾鈐有「國立北平圖書館收藏」朱文方印。

劇演後漢書馬融梁冀事，雖有因而不甚的，中間以相士萬家春及鄔漁翁女爲關目。謂萬家春相清河王，以漁家樂三字爲讖，其後清河王被梁冀遣校尉追急，避入漁舟，校尉射殺漁翁，因此得脫。漁翁女鄔飛霞代馬融女入梁冀宅，用神針刺殺冀，竟爲清河王妃。梁冀、馬融後漢書各有傳，分別見卷六十四及九十，此劇情節多有杜撰。

此本殘存一至十五齣，齣目作：

1.家門	2.遇相	3.賣書	4.賜針
5.議本	6.矯旨	7.諫父	8.藥酒
9.做親	10.出奔	11.索帳	12.端陽
13.別妻	14.舟遇	15.起義	

據綴白裘、集成曲譜又收「藏舟」、「相梁」、「刺梁」、「羞父」、「納姻」、「逃宮」、「俠代」、「營會」各齣，想係下卷所演情節。

15142 黨人碑 不分卷存一册

清邱園撰，鈔本。前國立北平圖書館收藏，國立中央圖書館保管。書長 26·2 公分，寬 17·3 公分。稿紙雙欄，欄高20·6 公分，寬 14·6 公分。每半葉 10行，每行大小皆鈔 20 字。此書不全，殘存三至二十八齣，共一册,據推想前後各佚失二齣。書紙微黃，質脆，不宜多翻閱，書中無任何藏書印鑑。

劇演謝瓊仙與劉麗娟、劉喚琴兩女姻緣事，因女父劉逵與蔡京、童貫不和，故以元祐黨人碑事作背景。按宋史，宋徽宗崇寧中，蔡京因童貫以進，貶抑忠賢，遍布戚黨，指元祐朝臣司馬光等三百九人爲奸黨，立黨人碑於端禮門，請御書刻石。京又自書奸黨爲大碑，頒於郡縣，令監司長吏廳皆刻石。侍郎劉逵請碎元祐黨人碑，寬上書邪籍之禁，帝從之，尋以太白晝見，赦除黨人一切之禁。蔡京事蹟，見宋史 472，新唐書 222，劉逵事見宋史351 。此劇作者以劉逵有請碎黨人碑事，遂奉爲正人之魁首，生出許多情節，又以劉婿謝瓊仙酒後打碑，俠客傳人龍仗義相救，并以兩女同歸於謝緣飾關目。綴白裘收「打碑」、「酒樓」、「計賺」、「閉城」、「殺廟」、「賺師」、「拜師」七齣，此鈔本不錄齣目。

撰者邱園，字嶼雪，清常熟人。山水得潑墨法，自成一家，雪景尤妙。善度曲，其歲寒松、蜀鵑啼有元人風。其事蹟見李桓國朝耆獻類徵初編，李濬之清畫家詩史，吳晉等國朝畫識。姚燮今樂考證載其傳奇八種，計有：虎囊彈、黨人碑、百福帶、幻緣箱、歲寒松、御袍恩、鬧勾欄、蜀鵑啼等。台灣公藏邱氏傳奇，僅黨人碑、幻緣箱兩種，鈔本，皆前國立北平圖書館舊藏，現由國立中央圖書館保管。

15143 幻緣箱傳奇　二卷一册

清邱園撰，鈔本。前國立北平圖書館收藏，國立中央圖書館保管。書長 25·3 公分，寬 13 公分。每半葉7行，每行鈔24字至 31 字。卷首大題「幻緣箱傳奇上卷」，書中鈐有「國立北平圖書館收藏」朱文方印，「明善堂珍藏書畫印記」朱文長方印。

劇演方翯與陳月娥劉婉容婚姻事。劉婉容詣虞山進香，誤墮釵於地，爲方翯拾得，尋至劉府，面還婉容，適婉母入女閨房，方生乃匿入空箱中，適此箱又被匪人所竊，藏至月娥房中，月娥啓箱見生，遂訂婚姻，後方生以軍功賜翰林修撰，又以婉容賜婚焉。以一箱爲線索，牽合二女之姻緣，故名幻緣箱。故事憑空結撰，無所證據。全劇三十三齣，以兩字標齣目：

1.家門	2.（未鈔錄）	3.起啓	4.起兵
5.□宴	6.談佞	7.酬愿	8.約窃

9.神示	10.覓釵	11.還釵	12.盜箱
13.私遁	14.兇斃	15.（未鈔錄）	16.報拘
17.拆鸞	18.倘得	19.（未鈔錄）	20.（未鈔錄）
21.友誼	22.遣說	23.賺擒	24.犴論
25.受囑	26.驛叙	27.枉鞠	28.錯打
29.憤許	30.白配	31.御勘	32.赦宥
33.就緣			

15144　新編龍鳳錢　二卷一册

清朱素臣撰，鈔本，前國立中央圖書館收藏，國立中央圖書館保管。書長 25.3 公分，寬 13 公分。每半葉 10 行，每行鈔 22 至 25 字。全書首尾鈐有「國立北平圖書館收藏」朱文方印。

此劇一名雙跨鸞，演崔白、周琴心、呂書心三人姻緣事。因唐明皇遊月宮，擲龍鳳金錢，爲崔周二人拾得，以成姻緣，故以龍鳳錢爲名。劇云：唐明皇時，有葉法善等擅法術，八月十五夜，以所執笏擲空中，化成金橋，請駕遊廣寒宮。駕回過洛陽城上，明皇以所携龍鳳金錢二枚擲城中，祝曰：「有人拾得者，男爲翰苑，女爲次妃。」是夕，龍錢爲崔白拾得，鳳錢爲周琴心拾得。崔白字曲木，觀光不第，流寓于呂氏園，園主呂伯達，有妹曰書心，伯達見崔拾得此錢，料崔必富貴，遂以妹許崔。周琴心者，乃青州別駕周彥回之女。兩家皆報官上聞，遣高力士召見，崔白與琴心相遇於宮門，彼此各有情。崔白吟句云：「車馬聯翩逐暗塵，相看半晌卽君恩，」琴心應聲答曰：「明朝需買長門賦，珍重蕭郎是路人。」琴心本國色，明皇令入宮，將册爲妃。崔白思念琴心，知不可得，聞葉法善通神術，潛往相求。葉知其有宿緣，設計爲之撮合。中間以易尸還魂作爲穿挿，終以明皇降旨，令二女皆歸崔白，由法善設壇作法，互攝兩女之魂，各還其身作結。全劇二十七齣，用兩字標目，齣目如下：

1. 家門	2. 遊宮	3. 拾錢	4. 錢憂
5.（未鈔錄）	6. 迎鳳	7. 詩逗	8. 面鶵
9. 乞法	10. 宴覩	11. 綎賺	12. 離魂
13. 鵜遁	14. 誤殛	15. 威形	16. 奪艷
17. 盜艷	18. 回生	19. 買姖	20. 驚變
21. 索婦	22. 姻誤	23. 爭女	24. 拷婿
25.（未鈔錄）	26. 廷鬧	27. 合錢	

撰者朱素臣，名㿥，清江蘇吳縣人，與李元玉同時。元玉著廣正譜，素臣同校。據姚燮今樂考證，錄素臣所撰傳奇十五種曰：振三綱、一著先、萬年觴、錦衣歸、未央天、狻猊璧、忠孝圖、四聖手、聚寶盆、十五貫、文星現、瑤池宴、朝陽鳳、全五福及此劇。新傳奇品著錄十四種，缺萬年觴一種。曲海總目提要朝陽鳳條注曰：所作傳奇今知有十九種。與今樂考證所錄比較，則又溢出四種也。

15145　翡翠園　二卷二册

清朱素臣撰，精鈔本。前國立北平圖書館收藏，國立中央圖書館保管。書長 28.5 公分，寬18.6 公分。每半葉 10 行，每行鈔 22 字。字體工楷，鈔在黑匡雙邊稿紙內，稿紙匡高 22.7 公分，寬 14.8 公分。每卷首行大題「翡翠園上卷下卷」，書中鈐有「朱希祖」朱白合文小方印，「國立北平圖書館收藏」朱文方印。

劇演明正德間舒芬事。又用小說湊合，以新耳目。劇內因麻長史謀佔舒宅，構翡翠園，故以是名。又舒芬娶翡英、翠兒兩女，又名翡翠緣。曲海總目提要引庸行編，謂舒芬之父以館穀救人，而自食苦菜度歲，夜半聞窗外呼曰，今宵食苦菜，明年產狀元，明年生子芬，果中狀元。按：舒芬字國裳，進賢人，明正德十二年丁丑科狀元，事見明史卷一七九。

全劇二十六齣，鈔本不錄齣目。綴白裘收入預報、拜年、謀房、諫父、切脚、恩放、自首、逼審、封房、盜牌、殺舟、脫逃十二齣，六也曲譜所收尚有吊監、遊街二齣，由此可見齣目大概。

15146　夢香堂新錄竹葉舟　二卷一册

清畢魏撰，鈔本。前國立北平圖書館收藏，國立中央圖書館保管。書長25.3公分，寬13公分。每半葉11行，每行鈔40字左右。書中鈐有「久大」朱文方印，「□恒之印」白文方印，「國立北平圖書館收藏」朱文方印。

元范康有竹葉舟雜劇，演陳季卿乘竹葉歸家事，此劇演石崇與綠珠事。以竹葉舟爲僧家妙用，譬之邯鄲之枕，入夢出夢，將石崇實跡皆作幻境，借舟爲喻，示宦海風波之意。石崇事詳見晉書石崇傳，此劇情節與正史大同小異。綠珠爲石崇愛妾，本姓梁，唐白州博白縣人，孫秀求之，崇不許，秀矯詔收崇，綠珠自墜樓而死，關漢卿有金谷園綠珠墜樓雜劇，即演此事。此劇二十八齣，用兩字標目：

1.漁樵	2.寫波	3.入溟	4.酬釋
5.珠會	6.謁權	7.出使	8.后慫
9.窺艷	10.諸馹	11.演師	12.寇敗
13.挑豪	14.圓晏	15.救琨	16.聞寶
17.勸休	18.絲嗟	19.奸離	20.徵姬
21.暗纂	23.漏機	23.墮樓	24.義諫
25.誘飲	26.權監	27.脫難	28.正果

撰者畢魏，字萬侯，又字晉卿，淸江蘇吳縣人。所作傳奇有六種，計有竹葉舟、三報恩、紅芍藥、呼盧報、萬人敵、杜鵑聲。後四種已佚。續修四庫提要謂畢魏字「萬後」，不作萬侯，曰：「考刊本精忠譜署李玉撰，其同校人署名有畢魏萬後，馮夢龍序三報恩亦稱萬後氏，不作萬侯。考左傳賜畢萬魏，又稱萬盈數。魏大名，畢萬之後將大，則其人名魏字萬後，自取義於左傳。至晉卿當是別字，諸書率稱其字又作萬侯，不免小誤，今幸得刊本正之」云云。今曲海總目提要，今樂考證、新傳奇品等皆作萬侯，姑從之。

15147 醉菩提 存一卷一册

清張大復撰，鈔本。前國立北平圖書館收藏，國立中央圖書館保管。書長 27 公分，寬 19 公分。每半葉 10 行，每行鈔 22 字。字體工楷，行間有朱色圈點，據云係乾隆內府鈔本。書不全，僅上卷一册，殘存第一至十九齣，書中未鈐藏書印記。

此劇記濟顚和尙事。濟顚爲僧嗜酒，故曰醉菩提也。武林人有敷演杭州故事者，其名曰西湖佳話，臚列頗詳。又小說有濟顚傳，蓋流傳旣久，眞贋錯雜，惟西湖志餘所載，足以徵信。

西湖志餘謂濟顛本名道濟，瘋狂不飭細行，飲酒食肉，與市井浮沈，人以爲顛，故稱濟顛。始出家靈隱寺，寺僧厭之，逐居淨慈寺，爲人誦經下火，累有果證，年七十三歲,端坐而 逝。劇稱濟顛爲台州李贊善之子，原名修元，與表兄毛太尉，同詣靈隱寺，偶應禪師偈語，遂出家。劇存十九齣，其殘目如下：

1. 憫世	2. 開宗	3. 叙親	4. 神鬧
5. 遇妓	6. 說法	7. 披剃	8. 認僧
9. 付篦	10. 參禪	11. 解懷	12. 悟道
13. 述剃	14. 假癲	15. 病嘆	16. 遊冥
17. 幻化	18. 覓蟲	19. 觀鬪	

據綴白裘、納書楹、集成曲譜收入「打坐」，「石洞」、「醒妓」、「天打」、「伏虎」、「換酒」、「佛圓」、「當酒」、「嗔救」等齣，可補殘目之不足。

撰者張心其，名大復，吳郡人。居閶闕外寒山寺，自號寒山子，粗知書，好填詞。所撰傳奇有如是觀、醉菩提、海潮音、釣魚船、天下樂、井中天、快活三、金剛鳳、獺鏡緣、芭蕉井、喜重重、龍華會、雙節孝、雙福壽、讀書聲、娘子軍等十六種，其他尙有聞雁齋筆談一卷，梅花草堂集十四卷，以及梅花草堂筆談十四卷。

15148　雙冠誥　一卷一册

清陳二白撰，鈔本。前國立北平圖書館收藏，國立中央圖書館保管。書長 24 公分，寬 12.7 公分。每半葉 10 行，每行鈔 31 字至 33 字不等。第十五齣以前不鈔齣目，行間有朱筆點讀及删定記號。卷前卷尾鈐有「國立北平圖書館收藏」朱文方印。

此劇一作雙官誥，演馮琳如父子俱以官誥歸碧蓮事，故名。劇云：馮琳如有友面貌與之相似，相士預言琳如日後大貴而友人命數不長。琳如爲避仇家，行醫遠遊他方，適友人爲人所殺，馮僕據誤傳以報於家，妻妾皆不能守，先後改適他人，唯通房婢碧蓮日夜紡織，以育馮妾所生之子。碧蓮督子甚嚴，子年幼小，怨其非己母，蓮乃使老僕携子往見二母，俱不收容，子乃泣歸，自此悉聽碧蓮教誨。及長成名，琳如又顯宦歸來，問妻妾何在？老奴爲述往事。時京中又報其子登甲科，琳如乃立碧蓮爲夫人，父子俱以封誥贈蓮。皮黃亦有此劇，但姓名不同。馮琳如未必眞有其人，或云此劇爲楊善而作，或云爲馬昂而作，未及詳考，蓋小說早有妻妾抱琵琶，梅香守節一事矣。

此本鈔於清康熙二十九年，鈔者自稱六十九歲頑皮老兒。卷末其自題云：「康熙二十九年歲次庚午，桂秋二十四日，於京都四川營圓通禪林緊對旅，六十九歲頑皮老兒謹改較刪錄成也。」又云：「原名蓮芳節，又名碧蓮香，後改千秋節，較定雙冠誥。」是知書經鈔者比較各本而錄成此卷。劇中馮琳如鈔作「馬麟如」，老僕馮瑞作「馬仁」，妻作「羅慧娘」，妾作「莫貞娘」，唯侍婢仍作碧蓮不改。自第十五齣始鈔齣目，玆鈔錄於後：

15.訛報	16.比狩	17.嫁守	18.龍飛
19.護駕	20.迎駕	21.教子	22.淫忍
23.忠神	24.遺試	25.囑逃	26.恩封
27.榮歸	28.重誥	29.寵辱	30.暢圓

撰者陳二白，字于令，淸江蘇長洲人。所撰傳奇有稱人心、彩衣歡及此劇，共計三種。

15149 非非想 二卷二册

清王香裔撰，精鈔本。前國立北平圖書館收藏，國立中央圖書館保管。書長 27·5 公分，寬 19·3 公分。每半葉 10 行，每行鈔 22 字。正楷，行間有朱色圈點。書爲朱希祖舊藏，鈐有「朱希祖」朱白合文小方印，「國立北平圖書館收藏」朱文方印。

劇中以佘重、佘千里姓名面貌相似作爲關紐，中間情節及所點綴，皆極怪誕，爲人意想不到者，故名非非想。而佘千里冒名佘重，與項瑤枝和詩成婚，佘重又素與柳蓉娘有舊約，四人相會，陰錯陽差，眞假難辨，誤解重重，終以佘千里中狀元，佘重亦入第，聖上以瑤枝判與千里，蓉娘仍歸佘重，有情人各自團圓。據曲海總目提要稱，劇中張幼于事雖未確，而實有其人，且生平怪誕事最多，門人甚衆。幼于名獻翌，又名敉，長洲人，萬曆中太學生，刻意爲歌詩，名聲籍甚。家居石湖，狎聲妓，以通隱自擬，晚年與王穉登爭名，不能勝，頹然自放，與所厚善者張生孝資，相與檢點書傳，采取古人越禮任誕之事，排日分類，倣而行之，或紫衣挾妓，或徒跣行乞，遨遊於通都大邑，兩人自爲儔侶。劇中狂怪之態，頗得其實。劇分三十三齣，齣目如下：

1. 家門	2. 謁相	3. 覬艷	4. 泛海
5. 雙贅	6. 喬允	7. 郊迎	8. 嫁謔
9. 拜托	10. 錯認	11. 一冒	12. 一搜
13. 二搜	14. 一計	15. 三搜	16. 餙謗
17. 假辨	18. 徵聘	19. 幽怨	20. 文謔

21.回話　22.越窗　23.誤拿　24.路遇
25.舟急　26.巧釋　27.報錄　28.明誤
29.辨白　30.強婚　31.判姻　32.恩配
33.團圓

撰者王香裔，清初人，里籍待考，所撰有非非想、黃金台二劇。此劇或云查繼佐撰，誤。

15150 磨難曲 四卷四册

清蒲松齡撰，舊鈔本。前國立北平圖書館收藏，國立中央圖書館保管。書長 23 公分，寬 16.3 公分。每半葉 10 行，每行鈔 22 字，字體工整圓潤，清麗可喜。卷前鈔錄四卷目次，共三十六回，每回以四字標目。書尾有「戊戌冬月吳門客次啓堂抄錄」一行，下鈐橢圓形朱文方印。

叙演儒生張逵一生遭遇種種磨難，晚年一家圓聚，安享太平事。書中對於貪官受賄，多有諷刺，并穿插孤仙搭救等情節。其回目如下：

1.百姓逃亡　2.貪官比較　3.鬧學公憤
4.軍門枉法　5.大王打圍　6.方氏罵官
7.旅村臥病　8.曠野逢仙　9.牢中報喜
10.仲起報仇　11.貪官拿問　12.聞唱思家
13.憤殺惡少　14.按台公斷　15.潑婦罵門
16.閨中教子　17.鈍刀斬佞　18.仙人救難
19.再會重逃　20.張逵納監　21.嬌子秋捷
22.凶信訛傳　23.二瞽作笑　24.二姬歌舞
25.春闈認父　26.宮花連報　27.父子錦歸

28.張春報仇　　29.初討三山　　30.鴻漸廷爭

31.再征三山　　32.招按三山　　33.大王破敵

34.大王抗禮　　35.御封三伯　　36.八仙慶壽

此書不常見，屬於鼓子詞一類，一般書目不見著錄，台灣公藏僅見於此。書中所用曲牌計有：耍孩兒、倒扳槳、桂枝香、西調、憨頭郎、皀羅袍、銀扭絲、金扭絲、哭笑山坡羊、清江引、平西歌、房四娘、乾荷葉、雁兒落、僥僥令、香柳娘、收江南、園林好、疊斷橋、跌落金錢、黃鶯兒、玉娥郎、劈破玉、楚江秋、呀呀油，還鄉韵、羅江怨、西江月、邊關調等等，亦多罕用曲調。此書每卷卷首大題「志異外書磨難曲卷之几」，次行題「淄川蒲松齡留仙編著」（卷三卷四作古般陽蒲留仙編著）。書中鈐有「路」朱文小印，「大荒燼餘」朱文長印，「國立中央圖書館收藏」朱文小長方印，以及另一朱文橢圓形小印，其上并刻圖文，僅辨識「五車」二字。

撰者蒲松齡，字留仙，號柳泉，山東淄川人。清康熙辛卯歲貢，以文章風節著於一時。弱冠應童子試，受知於提督施閏章先生。因屢試不利，遂肆力於古文，以餘閒搜抉奇怪，著爲聊齋志異一書，小說家談狐鬼之書，以聊齋爲第一，王漁洋有聊齋志異書後一絕云：「姑妄言之妄聽之，豆棚瓜架雨如絲，料應厭作人間語，愛聽秋墳鬼唱時。」其著作多以鬼狐怪異爲主。柳泉性樸厚，篤交遊，重名義，嘗與同邑李希梅（堯臣）、張歷友（篤慶）諸名士結社，著作除聊齋志異尚有省身錄、壞刑錄、歷字文、日用俗字、農桑經等書。生平事蹟參見國朝耆獻類徵初編卷四三一，及清詩人徵略卷十四。

15151 潄玉堂三種傳奇 六卷六册

清孫郁撰，清稿本。前國立北平圖書館收藏，國立中央圖書館保管。書長 27.2 公分，寬 17.5 公分。每半葉8行，每行寫 20 字。此係稿本，而經繕寫謄清者。書中藏印甚多，計有：「汪森私印」白文方印，「永峯」朱文方印，「會稽李氏困學樓藏書印」朱文方印，「粉華聖解盦」朱文方印，「霞川華隱老人」朱文小長方印，「白華絳附閣清課」朱文方印，「蘿菴黃葉院客」朱文方印，以及「國立北平圖書館收藏」朱文方印。

此書包括繡幃燈、雙魚佩、天寶曲史三種，總稱潄玉堂三種傳奇。

繡幃燈二卷，演浙人費隱公醫治妬婦淳于氏事。淳于氏，孝廉穆弘之妻，性奇妬。弘有小妾雅娘，貌美而性溫順，入門三日，即遭隔絕，并設如意棒、相思枷、連環鎖三件刑具，防止丈夫越分。弘友費隱公，素有治家之法，設計令弘上京應試，途中僞死，時小妾雅娘正有身孕，不爲妬婦所容，轉賣與人爲妾，弘暗使人迎之。不及半載，妬婦有另嫁之意，費隱公又暗中爲妬婦說媒，謂某公擬娶繼室，但已有美妾，并生二子，不得嫉妬，方可入門，婦允之，然不知某公即其夫穆弘也。及嫁之日，既不親迎，亦無鼓樂之喧，至夜半，新郎入室，手持刀劍，婦見是弘，以爲先夫鬼魂出現，及知眞相，羞愧不能自容，經弘及雅娘相勸，妬疾遂愈。李漁無聲戲小說有其事。全劇二十齣，卷前有康熙十四年汪森所撰潄玉堂傳奇序，每卷之前又有目次。卷首大題「繡幃燈傳奇上（下）卷」，次行署「魏傳博孫郁厓父手著（下卷作天雄孫郁雪厓父著）」。齣目題二字，作：

1.談概	2.治妬	3.醋狀	4.傳道
5.公討	6.合巹	7.喬哭	8.雙囚
9.潑糞	10.泣別	11.執贄	12.賣妾
13.歡聚	14.說法	15.雙喜	16.謀嫁
17.再醮	18.羞縊	19.冥捉	20.沐化

雙魚佩二卷，演蘇州人柳應龍與花想容姻緣故事。應龍與想容偶然相遇，遂生情根。應龍有表親奚必文奚必學兄弟，深忌其艷遇，屢設計陷害，而反助其成就，例如戲擬試題，而應龍竟以其題中式，僞寫情書，欲阻婚事，而女父反嘉應龍之拒不赴約，以女許之，後以柳應龍會試及第，娶花想容與妓女喬衣雲作結束。曰雙魚佩者，因柳與花夢中相逢，各出所佩玉魚爲贈也。此劇卷前有康熙十年袁佑序，署「東明臥雪弟佑頓首拜題」，又有康熙九年所撰凡例九則，以及卷目等，每卷卷首大題「新編雙魚佩傳奇上（下）卷」，次行三行幷題「魏博雪厓嘯侶手著（下卷作編次）」、「沙麓芹溪居士評較」。此劇凡二十四齣，用兩字標目，齣目如下：

1.標旨	2.醉除	3.巧佑	4.剪勝
5.樓遇	6.戲扎	7.舟遇	8.矢志
9.痴病	10.解珮	11.買棹	12.秋試
13.締緣	14.掄元	15.雙報	16.綵宴
17.受聘	18.餞別	19.泛雪	20.閨晤
21.訪舊	22.合巹	23.喬賺	24.欽召

天寶曲史二卷，演唐明皇與楊貴妃事。取太眞外傳、梅妃傳

以及雜書小說所記當時遺聞，彙集成編，如李白承制作樂章，虢國夫人入宮，道士晤貴妃，明皇贈江妃明珠等等，皆譜入曲中。劇分二十八齣，齣目作：

1.提綱	2.逃宴	3.試歌	4.移宮
5.寵封	6.暗締	7.交妬	8.祝聖
9.承恩	10.旗亭	11.醉草	12.私媾
13.遭譴	14.逆謀	15.重歡	16.卻珠
17.密誓	18.宸遊	19.入關	20.出奔
21.投環	22.罵賊	23.幸蜀	24.收京
25.朝天	26.泣夢	27.尋眞	28.昇仙

此劇卷前有袁佑、趙澐等人序文三篇，沈珩等題詞二篇，以及孫氏自撰凡例九則。卷首大題「天寶曲史某卷」，次行三行并題「蘊門嘯侶塡詞」、「芹溪居士較訂」。

撰者孫郁，字右漢，號雪崖，淸元城人。康熙三年進士，官浙江桐鄉知縣，與袁佑、劉六德、劉元徵、黃莀若、黃伸等相往來，俱以詩名。所著有孫雪崖詩一卷，傳奇三種。其事見大淸畿輔先哲傳第二十。

15152　軟羊脂　二卷二册

淸「闕里補閒齋蝶庵」撰，鈔本。前國立北平圖書館收藏，國立中央圖書館保管。書長 26.6 公分，寬 17.8 公分。每半葉9行，每行鈔 24 字，字體工楷。每卷卷首題「軟羊脂卷几」，次行三行并題「闕里補閒齋蝶庵塡詞」、「梁漢辟疆園湘槎參評」。卷前鈔篇目二葉，錄全劇之齣目。書中鈐有「□□知於衿景」朱文圓印，「造河船以濟人渡」白文方印，「國立北平圖書館收藏」朱文方印，「昌平山人」白文方印，「正直和平」朱文方印，「尼防洙泗」朱文圓印（有雙龍花紋），以及太極圖形小圓印。

劇演李兆騫以家傳玉椀軟羊脂聘娶完顏蓝瓊事，故以軟羊脂爲劇名。劇云：李湣、李兆騫父子，元山右絳州人，以業古董爲生。李家有祖傳玉椀名曰軟羊脂，此椀白如截肪，膩若羊脂，玉質溫潤，雕琢精工，多盛酒自暖，夏注水生涼，再以熱湯濯之，柔軟如綿，稍停又堅瑩如故，是以價値連城。時河東防禦使完顏蓋有女蓝瓊，性愛玉器，完顏寵女，爲此廣搜美玉，供其嗜玩。小人阮思顯得悉李家有此玉椀，與完顏定計，邀李父到府中對奕，對兆騫謊稱父已將玉椀輸與防禦使，令其獻出玉椀，兆騫不信，阮誘其至完顏府後花園中，鎖於涼亭之上，脅李父以玉椀交換人質。當晚蓝瓊至後園，與兆騫巧遇於亭上，於是命乳娘開後門助其逃脫，幷資以金銀，勸速求取功名。兆騫感其情意，臨行許以家傳玉椀爲聘，約定京師相會。稍後，蓝瓊隨母同往京師歸寧，兆騫亦中文榜，幷助妥歡太子登基有功，封樞密學士，兆騫携玉椀求親，兩家遂結秦晉，而完顏與李湣亦盡棄前嫌，不計賺取玉椀之事，而玉椀終歸於蓝瓊。全劇分三十四齣，以兩字標目，齣目如下：

1. 大概	2. 授寶	3. 家慶	4. 養盜
5. 獻媚	6. 錢母	7. 市誘	8. 邸聚
9. 局始	10. 幾諫	11. 搜主	12. 誑紲
13. 局賺	14. 情釋	15. 悟囮	16. 謀刼
17. 盜奱	18. 泣玉	19. 遇主	20. 覬艷
21. 義觫	22. 迷訊	23. 褫印	24. 夥逸

25.鬧讞　26.吐情　27.黷賄　28.殲逆
29.讐媒　30.眞聘　31.寃勘　32.釋讐
33.靖盜　34.會玉

此劇不見著於一般書目，傳本極少，台灣公藏亦僅此鈔本一部，洵爲珍寶。

撰者舊題「闕里補閒齋蝶庵」，姓氏生卒不詳。據書中所夾紙籤稱：「案闕里孔氏詩鈔，孔傳鋕字振文，號西銘，別號蝶庵，襲五經博士，著有補閒集二卷，清濤詞二卷。孔憲彝云：高叔祖博士公，學贍才敏，工書畫，精篆刻，康熙雍正間屢膺大典，罔愆儀度，世宗臨雍，入京陪祀，召見內殿，上注目良久曰，孔博士風神酷類其父。欲用之，辭以職在奉祀，未果。據此則傳奇爲孔傳鋕所撰也。」錄之以備參考。

15153　定天山　二卷二册

清鐵笛道人撰，鈔本。前國立北平圖書館收藏，國立中央圖書館保管。書長 26.6 公分，寬 17.8 公分。每半葉 9 行，每行鈔 24 字。字體工楷。每卷卷首題「定天山卷某」，次行署「古吳鐵笛道人塡詞」。版心依次鈔錄卷次、齣目及葉數，書前幷鈔有篇目二葉，錄全劇之齣目。書中鈐有「國立北平圖書館收藏」朱文方印，「造河船以濟人渡」白文方印，「□□知於衿景」朱文圓印，「昌平山人」白文方印，「尼防洙泗」朱文圓印（有雙龍花紋），太極圖形小圓印，「傳鉦之印」白文小方印，「孔傳鉦印」白文小方印，「鉦」朱文小方印，「酒後閒吟」白文小方印，以及「□素」朱文小長印。卷末有丁體和、丁濟川、丁魁光、丁景元、丁景魁、丁文光、丁三元仝頓首拜字樣，筆跡與鈔書者不同。

此劇演薛仁貴三箭定天山事。按唐書，薛仁貴，絳州龍門人，少貧賤，以田爲業。貞觀中，隨帝征遼東，敵兵二十萬拒戰，仁貴著白衣持戟，腰兩弓，呼而馳，所向披靡，敵遂奔潰，帝召見，遷右領軍中郎將。顯慶中，屢破高麗及契丹，拜左武衞將軍，擊突厥於天山，時九姓衆十餘萬，先令驍騎來挑戰，仁貴發三矢，輒殺三人，於是虜氣攝服，遂降定以歸。軍中歌曰：將軍三箭定天山，壯士長歌入漢關。劇卽演此事，然劇中薛子丁山被虎馱入深山，黃禪老祖授以兵法，後救父殺賊，與高麗國寶珠公主爲配，皆是增飾。全劇二十六齣，用四字標目，齣目如次：

1.仙師遣虎	2.遇梟失子	3.得甲別妻
4.蘇文截貢	5.諸蠻進寶	6.點將思雄
7.奸計困賢	8.麗宮聞警	9.渡海報捷
10.鳳城解圍	11.聞信泣夫	12.改裝借兵
13.鄂公奏險	14.箭定天山	15.賞功鬧宴
16.叩闕訴寃	17.月下嘆功	18.道宗血拷
19.淤河救主	20.遣子救父	21.父子相會
22.代父訴寃	23.虎子擒鳳	24.回軍遇妻
25.廷勘二奸	26.兩沐恩榮	

撰者鐵笛道人，姓字籍貫待考。

15154 新編金一定 不分卷一册

清不著撰人，鈔本。前國立北平圖書館收藏，國立中央圖書館保管。書長23.5公分，寬12.8公分。每半葉9行，每行鈔 21 至 33 字不等。卷前鈔目錄，題曰「新編金一定總綱」。全書首尾鈐「國立北平圖書館收藏」朱文方印。

此劇演金一定與程瑞芝、尤姣花兩女姻緣始末。程女之父以黃金一錠贈予金生，以爲婚約憑信，尤女之父因一錠黃金被吳恩殺害，皆以黃金一錠構結關目，故劇名「金一定」。而主角亦以劇名爲名，可謂雙關。劇云：程勵家道殷實，貿易爲生，膝下僅有一女，名喚瑞芝，尚未許字。勵外出經營，携帶黃金一錠，擬遇佳婿，便以此金相贈，以爲憑信。有南豐人金南珍名一定，與友人秦鑑同赴上京，旅店之中金生染病，秦不得已先行，適程勵住店，遇金生，遂以女許之，并贈一錠金爲憑。同時尤里油有女姣花，品德賢淑，尤父嗜賭，又兼貪杯，收吳恩黃金一錠，以女許劣紳魏公子。姣花不從，星夜逃奔姑母處，中途見枯井，欲自沈，以了殘生，適金生病癒，上京往尋秦鑑，見女投井，救之。吳恩見財起意，殺尤女之父，奪尤女聘金入寺爲僧。案發之後，官府以爲尤女弒父，又見金生與女同行，金生身懷黃金一錠，斷爲與女同謀，遂入官府下獄。程勵貿易歸來，居於旅店，仗義資助店主，適巧店主之妻遭吳恩奸害，嫁禍於勵，勵遂亦入獄。秦鑑入京之後，名登高選，適來主審此案，見係故友，乃明查暗訪，翁婿冤情方得大白。後金亦中探花，遂於瑞芝、姣花二女完姻。

全劇三十二齣，以二字標齣目，齣目如下：

1.標目	2.別家	3.勸試	4.勾賭
5.勸和	6.苦別	7.見義	8.贈金
9.求艷	10.刼殺	11.落髮	12.誤捉
13.戡問	14.勅巡	15.巧替	16.寄書

17.山害	18.助本	19.僧毒	20.隱禍
21.審問	22.私訪	23.報信	24.寫狀
25.接狀	26.暗察	27.面試	28.分提
29.露骨	30.明斷	31.考試	32.團圓

15155 新編醉太平　二卷一册

清不著撰人，鈔本。前國立北平圖書館收藏，國立中央圖書館保管。書長24·1公分，寬12·9公分。每半葉10行，每行鈔35字左右。行間有朱筆點讀記號，卷首大題「新編醉太平」一行，小字旁註「又名醉宜春」。首尾鈐有「國立北平圖書館收藏」朱文方印。

此劇演黃封在酒樓毀示，得與竹翠濤、甘且清二女締結姻緣故事。劇中人名、地理、封爵皆用酒之典故結撰關目，故名醉太平。全劇三十齣，上卷十六齣，下卷十四齣，齣目標兩字，或鈔或漏，錄之如下：

1.述繇	2.醉釁	3.詐警	4.避兄
5.毀示	6.分兵	7.途訴	8.荐賢
9.允聘	10.漁美	11.戲捷	12.援嬌
13.運甕	14.遣媒	15.喬激	16.僞投
17.（缺齣目）	18.巧遇	19.誘擒	20.遺計
21.情援	22.僞就	23.恩授	24.奸逮
25.餞計	26.中計	27.議拯	28.收功
29.功罪	30.巹圓		

此劇一名合巹杯。

15156　錦蒲團　二卷二册

不著撰人，鈔本。前國立北平圖書館收藏，國立中央圖書館保管。書長27.5公分，寬19.3公分。每半葉鈔10行，每行22字，字體工楷，行間有朱筆圈點。書中鈐有「國立北平圖書館收藏」朱文方印，「朱希祖」朱白合文小方印。

劇演姚英改過向善事。諺云：敗子回頭金不換。故此劇又名金不換，據小說張孝基事改編而成。曲海總目提要引厚德錄云：張孝基，許昌士人，娶同里富人女，富人只一字，不肖，斥逐去。富人病且死，盡以家財付孝基，孝基與治後事如禮。久之，其子丐於塗，孝基見之惻然，謂曰：汝能灌園否？答曰：若得灌園就食，亦幸矣。其灌園稍自力，孝基復謂曰：汝能管庫乎？曰：得管庫又何幸也。孝基使管庫，覺馴謹無他過，知其能自新，遂以其父所委財產悉歸之，其子自此勵操。小說主角名過遷，劇中主角名姚英，小說係郎舅，劇中作翁婿。劇云：富家子姚英，有才品，能射騎，聘娶同里上官氏女，女甚賢德。然英性豪侈，放縱不羈，日與無賴子爲伍，父恚而成疾，臨終，以英託姻家。英從此益加放肆，千金一擲，習以爲常，妻日勸諫，仍執迷不悟，上官乃接女歸，任英自由。英揮霍無度，大售祖房田產，家業蕩盡，妻父一一爲之買回，而不使英知。英不能餬口，故宅皆鬻，屢欲自盡，值歲暮，上官以計誘英至故宅，以其父像置壁間，設蒲團竹篦於地，英見父像，不禁大哭，悔己不肖，落魄至此，坐蒲團上而以竹篦自責，於是改過自新，與妻共偕伉儷，而感上官之德終其身。全劇二十五齣，以兩字標目，齣目如下：

1.家門	2.訓子	3.貧雁	4.商誘
5.揮金	6.艷局	7.遺囑	8.倭泛
9.賭劄	10.忠諫	11.任逖	12.棄妻
13.砲控	14.守貞	15.閨締	16.落魄
17.傭恚	18.丐辱	19.團悟	20.召英
21.心悼	22.驚遁	23.標功	24.疑釋
25.錦圓			

此劇曲海總目提要注曰「清吳龐撰」。

15157　勸善金科 存一卷一册

不著撰人，清乾隆間內府刊朱墨黃綠藍五色套印本。前國立北平圖書館收藏，國立中央圖書館保管。匡高 20.3 公分，寬 15 公分。每半葉8行，每行22 字。白口，雙欄，黑魚尾。版心上端刻「勸善金科」，魚尾下刻本數、卷次，再下記葉碼。書中曲文單行大字，黑色套印，襯字則以小黑字旁寫之。科文、服色、句讀旁寫，紅色套印，書名、曲牌單行大字，黃色套印，宮調雙行小字，綠色套印，韻目、韻脚則套以藍色。書不全，僅存第一本卷上一册。卷前有無名氏序，其次題詞、凡例、總目。總目載一至十本全二百四十齣之齣目，齣目七字，上下齣標目對句。書中鈐有「朱希祖」陰陽合文小方印，「无竟先生獨志堂物」朱文扁方印。

此劇演目連救母故事，爲清宮承應傳奇鉅製。嘯亭雜錄謂出於張照（文敏）手筆，奏於歲暮，以其鬼魅雜出，以代古人儺祓之意。卷首凡例云：勸善金科，其源出于目連記，目連記則本之大藏盂蘭盆經，蓋西域大目犍連事跡，而假借爲唐季事。

又謂舊本宮調舛訛，曲白鄙猥，今爲斟酌官商，去非歸是，數易稿而成，舊本所存者不過十之二三耳，仍名勸善金科云云。明鄭之珍撰有目連救母勸善戲文，館藏有明萬曆壬午新安鄭氏高石山房刋本、明金陵唐氏富春堂刋本，即演此事。目連救母敷演傅門一家良善，此本尙另有勸化之意，故名曰勸善金科。開場白中闡揚甚明：「當今萬歲，憫赤子之痴迷，借傀儡爲刑賞。……使天下的愚夫愚婦，看了這本傳奇，人人曉得忠君王、孝父母、敬尊長、去貪淫，戒之在心，守之在志，上臨之以天鑑，下察之以地祇，明有刑法相繫，暗有鬼神相隨，出語默然，天地皆知。天不可欺，惟正可守，日中則昃，月盈則虧，善報惡報，不昧毫釐，可見世有不明之事，天無不報之條，借此引人，獻出良心，把那奸邪淫貪的念頭，一場冰冷，如雪入洪爐，不點自化，沛茲甘澤，覆以慈雲，人能驚醒，自獲嘉祥。」全劇長達二百四十齣，分作十本，由於書已不全，故筆錄其齣目，以見情節大概。

第一本：

1.樂春台開宗明義　　2.勅天使問俗觀風
3.宴佳辰善門集慶　　4.會良友別室談心
5.李希烈背恩叛國　　6.傅長者垂訓傳家
7.赴齋筵衆尼說法　　8.抬米價大戶欺貧
9.憐貧困鬻子養母　　10.恃富豪陷夫謀妾
11.賄獄卒孱儒殞命　　12.遣媒婆病母亡身
13.傅相施恩濟貧窘　　14.盧杞用計害忠良
15.問吉凶飛籤儆賊　　16.考善惡駐節昭靈
17.慮綱繆賢臣爲國　　18.歎淪落義士言懷

19.先避賊老尼報信　　20.暗極危大帝遣神

21.彰報應白馬能言　　22.感神明綠林向善

23.義韓旻還金傳室　　24.忠李晟奮勇王家

第二本：

1.靈霄殿群星奏事　　2.香茗筵大舅貸金

3.姚令言乘機刼庫　　4.段秀實奮志誅奸

5.查壽算嶽神迎使　　6.遇災荒傳相蠲租

7.金童玉女接昇天　　8.月榭花亭逢祝聖

9.苦叮嚀傳相囑妻　　10.悲哽噎羅卜哭父

11.孝子修齋建道場　　12.高僧施法度焰口

13.證善果仙辭濁世　　14.進巧言姊厭清齋

15.饕餮母遣子經商　　16.採訪使勅龍拏賊

17.朱泚落齒跌御座　　18.渾瑊奮身戰渭橋

19.濟窮途壯士知恩　　20.逞長技奸人設騙

21.一奴隨主喜同心　　22.二拐賺金誇得計

23.滅天理逆子咆哮　　24.快人心雷公霹靂

第三本：

1.遊戲神何曾遊戲　　2.經營客不爲經營

3.奮軍威令言受縛　　4.逢劍俠朱泚遭誅

5.傅羅卜月夜思親　　6.鄭賡夫春朝侍宴

7.施毒計掇蜂殺子　　8.遇良辰對燕思兒

9.李挈閒害命謀財　　10.臧通判因事納賄

11.饞嫗垂涎動殺機　　12.讐人結果消寃念

13.退善心先抛佛像　　14.調美味大鬧厨人

15.青松墳上列珍饈　　16.白日堂中呈怪異

17.姑強媳淫圖塞口　　18.鬼爭人替待超生

19.陳氏女守節投環　　20.傅相妻開葷背誓

21.為勸修持尼受辱　　22.欲欺僧道犬遭烹

23.念金蘭李公進諫　　24.證慈祥大士談因

第四本：

1.慧眼一雙分善惡　　2.孝心再四却婚姻

3.眞金銀早資佛力　　4.僞將相同耀軍威

5.姊弟同謀甘作孽　　6.莊佃奉命肆行凶

7.老忠臣損軀賊境　　8.衆仙侶把臂天庭

9.幸乘機朝紳出走　　10.遭慘刼愛女分離

11.全節操烈女含悲　　12.假姻緣痴僧被誑

13.萍水交慇懃話別　　14.烟花隊慷慨償金

15.濟難婦心切慈悲　　16.遇義士身離危險

17.侍門閭心誠問卜　　18.深懺悔步禱還家

19.現普門列仙引道　　20.爭坐位衆匠回心

21.傅羅卜行善周貧　　22.朱紫貴鬻身遇舊

23.二怨鬼痛抱沉冤　　24.四正神明開覺路

第五本：

1.顯威靈十殿親巡　　2.奉慈幃一堂稱祝

3.留故友望門投止　　4.拜老師借逕貪緣

5.忘大德密締鸞交　　6.獻名姝陡驚獅吼

7.悞殺傷歡喜冤家　　8.錯判斷糊塗官府

9.動凡心空門水月　　10.墮職行禪楊風流

11.僧尼山下戲調情　　12.婢僕園中謀瘞骨

13.註死生難逃岱嶽　　14.奏善惡不遠庖厨

15.冥司已發勾人票　　16.愚婦猶慳供佛燈
17.好善奴掃地焚香　　18.作孽母指天誓日
19.五瘟使咄咄齊來　　20.一魂兒悠悠欲去
21.孝心切哀懇神明　　22.惡貫盈悲含祖考
23.黑黑冥途從此始　　24.昭昭天報自今明

第六本：

1.呈法寶海藏騰光　　2.覩亡靈酆都受譴
3.傳慈諭西天求救　　4.顯威靈東嶽施行
5.盼慈幃陰陽阻隔　　6.修法事誠敬感通
7.愛賭傾囊逢怨鬼　　8.貪權密計想安身
9.證果因同時入獄　　10.逢接引結伴昇天
11.衆犯供招承罪業　　12.一靈託夢返家庭
13.進讒言三賢折佞　　14.遵法諭二聖臨凡
15.胸間韜略謁忠籌　　16.筆底慈容和淚寫
17.題詩句着意指迷　　18.催租糧欽心感應
19.破鐵山路判險夷　　20.接引幢途分善惡
21.滑嶺難教寸步移　　22.寃魂不放絲毫假
23.堆戲骨衆鬼哀號　　24.鼓天兵崇朝決勝

第七本：

1.極東國心堅可到　　2.望鄉台業重難登
3.擎幡導仙與仙群　　4.倒戈迎賊應賊殺
5.踏青郊奸謀發覺　　6.拘黑獄怨鬼追尋
7.消衆忿盡誅群盜　　8.抱孤懷堅却一官
9.遊子赤繩空繫足　　10.家人綠酒正開懷
11.奉旌功匆匆就道　　12.臨絕命草草託孤

13.搜空篋弱息飄零　　14.飽老拳賢甥窘辱
15.度危橋惡鬼驅行　　16.臨遠道義奴洒泣
17.三炁神慧炬揚飈　　18.萬里程孝心問路
19.響銀鐺鬼門點解　　20.明指引顯語說因
21.陰司索債急投詞　　22.惡孽纏身催對簿
23.消火焰地近清涼　　24.結香雲峰開蒸菪

第八本：

1.扶佛法巨靈奉勅　　2.顯神通猛獸潛踪
3.談經佛鳥悟因緣　　4.截路妖魔現本相
5.梅蕊摘來將遠念　　6.淨衣穿罷認前身
7.舍衞城拜受新名　　8.孤栖埂相逢舊主
9.恩遺愛貧兒知報　　10.涉重泉力士護行
11.界陰陽地官申送　　12.嚴旌別案主分明
13.重勘問業鏡高懸　　14.乍遭逢春心頓起
15.森羅殿積案推情　　16.鐵石腸空幃失節
17.守堅貞剪髮投庵　　18.巡邊徼鳴鐃振旅
19.枉安排段壻心顛　　20.喬粧扮張媒拳鬨
21.歸地府眼前報應　　22.聚禪林意外淒涼
23.愛河沉溺浩無邊　　24.劍樹崚嶒森有象

第九本：

1.賞奇勳金階卸甲　　2.成善果玉闕開筵
3.定律法諸犯悔心　　4.對神明巨奸俯首
5.採訪使號簿詳查　　6.幽冥主善緣普濟
7.守清規啞判行文　　8.歷苦刦聖僧見母
9.不恕饒綑城法重　　10.多方便贈尺情深

11.被嚴刑周曾斷體	12.忘舊惡劉保霑恩
13.釋迦佛動念垂慈	14.夜魔城訴情免罪
15.照徹神燈分般若	16.收回鬼魅仗鍾馗
17.黑獄十重將徧歷	18.赤心一片乍知非
19.翻公案鐵面無情	20.赴輪迴驢頭有字
21.紫竹林妙闡宗風	22.清溪口哀尋變相
23.度衆生形聲幻化	24.祝無量仙佛同參

第十本：

1.沐天恩六道騰歡	2.聆帝旨一門寵賜
3.彈血淚重經故壠	4.拔泥犂好覓新魂
5.浮大海法侶追隨	6.會中元鍊師訂約
7.法筵笑解無窮結	8.幽壙驚看不壞身
9.迎天詔善氣盈門	10.遊月宮祥光溢宇
11.入棘闈才量玉尺	12.定蕊榜案立朱衣
13.舊遊十地化天宮	14.新中孤兒成父志
15.刀山劍樹現金蓮	16.苦海迷津登寶筏
17.遊杏苑初會同年	18.拜萱堂重題昔日
19.帽簪花筵開東閣	20.盤獻菓會赴西池
21.遊海島恰遇獻琛	22.過田家尙思焚券
23.觀法會齊登寶地	24.勸善類永奉金科

15158 昭代簫韶 二十卷二十册

清王廷章撰，朱墨舊鈔本，國立中央圖書館收藏。書用雙欄稿紙鈔寫，欄高20·3公分，寬 14·9 公分。曲調、牌名、作科、韻脚、句讀等朱筆，其他用墨筆正楷鈔寫。每半葉8行，每行22 字。版心寫書名、本數、卷次及葉碼。每齣首行皆大題「昭代簫韶第某本卷某」。全書凡十本，每本二卷二册二十四齣，共計二十卷二十册二百四十齣。齣目以七字標題，例如「萬國春台同兆庶」、「三霄帝座拱星辰」等（長達二百餘齣，茲不一一過錄），齣目下并注該齣所用之韻。

此劇演宋遼交兵故事。源出於北宋演義，記楊業一門盡忠報國之事，亦清宮內廷承應大戲。相傳成書最晚，嘉慶年間有朱墨套印本，此本或據套印本而鈔也。書中鈐有「肅親王」白文方印，「偶遂亭主」朱文方印，「國立中央圖書館收藏」朱文小長印。

案：清宗室善耆，別號偶遂亭主人，光緒二十四年襲肅親王，此書經其收藏。或謂此劇爲無名氏所撰，丁丙八千卷樓書目題王廷章撰，必有所據。廷章生平事蹟待考。

15159 喬影 一卷一册

清吳藻女士撰，鈔本，國立中央圖書館收藏。書長 26 公分，寬 15.6 公分。用「鉏雲山館隨筆」烏絲欄稿紙鈔寫，每半葉9行，每行大小皆 18 字。前有丙戌六月六日越峴山人鍾續辰撰「題泉唐女士吳蘋香飲酒讀騷圖小影」一文，後附葛慶曾、吳載功跋，各家題辭，以及金啃小傳。題辭包括許乃穀、齊彥槐、陳文述、葛慶曾、郭麐、許乃濟、李筠嘉、胡敬、沈希轍、余新傳、魏謙升、張祥河、俞鴻漸、梁紹壬、王辰、祁嶲藻、蔡藥榜、姚伊憲、右轀玉、丁履恒、朱爲弼、陳森、田嵩年、殳春源、陸繼輅、張彌、嚴達、鄭璜、俞恭仁、汪端、張襄、嶽蓮、歸懋儀、徐玉等三十四家，所題或五言詩，或七言詩，於此劇及吳氏才情，多所推崇。

此劇幅篇甚短，僅一折，演女子謝絮才繪男裝圖像，又喬扮男裝，對像自語，飲酒高歌，以寫幽懷，故名喬影，又名飲酒讀騷圖。劇中謝絮才恨爲女兒身，實作者托名自況也。梁紹壬讚爲「南朝幕府黃崇嘏，北宋詞家李易安，」實非虛譽。按：吳藻字蘋香，自號玉岑子，仁和人。嫁同邑黃某爲婦，父夫俱業賈。有兄曰夢蕉，姐二人，長曰蘅香，次曰茝香，而藻獨呈翹秀。蘋香自幼好奇服，居家常手執一卷。初喜讀詞曲，人或謂之曰：何不自作？遂援筆賦浪淘沙「蓮漏正迢迢」一闋，輕圓柔脆，脫口如生，一時湖上名流，傳誦殆徧，自後遂致力長短句。又工繪事，精音律。道光六年春，因事至吳中，列陳文述門牆。越四年，花簾詞定稿刋行。二十四年春，自編己丑以後之作，訂定香南雪北詞一卷（其室曰香南雪北廬），從此潛心奉道，不復文字。其自記云：「十年來憂患餘生，人事有不可言者，引商刻羽，吟事遂廢，此後恐不更作。因檢叢殘舊稿，恕而存焉。即以居室之名名之。自念以往，掃除文字，潛心奉道。香山南，雪山北，皈依淨土，幾生修得到梅花乎？」同治元年左右卒，享年在六十四歲以上。喬影一劇，約成于道光五年以前，刋行則在五、六年之間。葛慶曾云：「余與其兄夢蕉遊，得讀此本。」吳載功跋云：「乙酉秋，余客滬上，友人出此册，讀之，覺靈均香草之思，猶在人間，而得之閨閣，尤爲千古絕調。適有吳門顧郎蘭洲，善奏纏綿激楚之曲，爰以是齣授之廣場演劇，曼聲徐引，或歌或泣，靡不曲盡意態，見者擊節，聞者傳鈔，一時紙貴。爰付梓人，播諸樂府，以代鈔胥云爾。」是知此時正待刋行也。民國以來，有長樂鄭氏清人雜劇二集本。目前台灣公藏劇曲，喬影一劇，僅此一册，得自吳興張鈞衡、張乃熊父子，是以彌足珍貴。書中鈐有「適園藏本」朱文長印，「菦圃收藏」朱文長印，及「國立中央圖書館收藏」朱文長方印。至於吳氏生平資料，散見於梁紹壬「兩般秋雨盦筆」、馮沅君「記女曲家吳藻」、魏謙升「花簾詞序」等處，陸萼庭撰有「女曲家吳藻傳考略」一文，刊在文史雜誌第六卷第二期，考辨詳實，可參考。

15160 靈山會傳奇　二卷一册

淸幻園居士撰，淸咸豐五年淸稿本，國立中央圖書館收藏。書長25.5公分，寬16.3公分。每半葉10行，每行28字。書前有淸咸豐五年幻園居士自序及懺癡道人所塡滿江紅一闋。其自序云：「甲寅暮冬，客居南塘，荒村風雪，觸目無聊。俯仰身世，忽忽不樂，漫塡詞爲傳奇，率日一齣。」是知始作於咸豐四年暮冬，而著成於咸豐五年初秋也。此劇不見著於各書目，似未刊行。稿本在台僅此一部，洵爲珍寶。稿用正楷謄寫，鈐有「樂琴書」朱文橢圓印，「金石□」白文方印，「國立中央圖書館收藏」朱文小長方印。

劇演余言、余云、余華孫三兄弟，與姬心香、紀永淸、平德馨共六人，交誼深厚，以文章結社。因兵戈之亂，各各失散，歷經種種磨難，終於再聚。原來余言前生爲靈山會上藥珠宮仙子，與五位侍者言語戲謔，一同被謫下界，故余母生言時，夢見張仙送子而來，後隨五位侍者，謂日後與此五人俱是好友，因取字夢仙云云。事雖出於虛構，然作者亦有寓意在焉。劇前開場漁家傲一曲云：「妄聽妄言君莫惱，神仙謫世原非少，借爲才人來寫照，抒懷抱，知音遇我應傾倒。」身世之感，於此可見。

全劇三十六齣，以兩字標目：

1.謫凡	2.仙餞	3.催試	4.別師
5.嘯聚	6.詩緣	7.接詔	8.負笈
9.報喜	10.酬劍	11.游山	12.鬧席
13.魔勝	14.佛拯	15.盜刼	16.仙奏
17.投繯	18.聞變	19.仙引	20.差緝
21.漁渡	22.狐祟	23.設阱	24.破魔
25.投親	26.奸誘	27.臥病	28.旅拒
29.託夢	30.獲奸	31.助餉	32.班師
33.訪友	34.荐才	35.恩召	36.仙圓

撰者幻園居士，生平不可考。或爲生不遇時之人，隱姓埋名，而作此劇，以消胸中塊壘；或爲高門名士，以戲曲爲雕蟲小技，偶爾試作，不欲人知也，故以幻園居士自名。自序中所及之「借綠龕主」、「懺癡道人」亦不可考，想係作者文字之交。又案清史列傳，清高宗曾孫奕繪，號幻園居士，嘉慶二十年襲爵貝勒，道光十八年卒，與此劇撰者不是一人。此劇序於咸豐五年，當時奕繪已去世十七年矣。

15161　新編雙合圓傳奇　不分卷一册

朝鮮蔡如錫撰，鈔本。前國立北平圖書館收藏，國立中央圖書館保管。書長23·7 公分，寬 12·8 公分。第一至七齣每半葉12 行，每行鈔34 字，第八齣以後每半葉 9 行，每行鈔24字。卷首大題「新編雙合圓傳奇」，下署「三韓蔡如錫繼武氏塡詞」。開卷有提綱，塡臨江仙、漢宮春二曲，總敘劇情大意。第五齣以前在齣目下鈔錄宮調及韻目，自第六齣起省略。卷前及卷尾鈐有「國立北平圖書館收藏」朱文方印。

劇演公孫武娶陳蓮芳、扈月娟兩女事。唐西川節度使公孫文瑞有子名武，已聘定陳蓮芳爲妻，花燭之夕，未及完婚卽行赴考。及廷試，擢爲狀元，封滇池存撫。當朝司農扈明培憐愛其才，以女月娟許之，武已與陳氏結親，堅辭不允。司農以酒灌武，乘醉強拜天地，送入洞房。武酒醒，枯坐以待天明，與司農相對面聖，聖上責司農無媒強婚，貶去官職，遣返故里。司農乃携女西行，途經翠雲山，爲山塞女大王黃綉雲所刼，黃女強與司農成婚，留居山寨，月娟遂逃脫，暫以尼庵存身。時公孫武已赴滇池，命家人接眷同往任所，陳氏蓮芳與武母兩婆媳中途遇雨，避入尼庵，與月娟相遇，問及身世，相携同行，蓮芳允以日後代爲撮合。至任所，武方剿寇，斬扈司農，并訛聞扈月娟已死，甚感愧疚。蓮芳乘機設計令月娟假扮鬼魂，深夜至書房試武，且說合兩人姻緣，一家遂又團圓。劇因公孫武與陳女扈女同完花燭，故謂之雙合圓。劇凡三十二齣：

1.遣試	2.賞燈	3.蠻獵	4.廷試
5.逃婚	6.陞陳	7.貶奸	8.聞捷
9.促行	10.平蠻	11.被擄	12.諫父
13.脫網	14.赴任	15.憶女	16.雨阻
17.庵遇	18.謀遁	19.迁藩	20.思鄉
21.遂寇	22.狡計	23.祭碑	24.被圍
25.圍解	26.私商	27.巧逅	28.假魂
29.疑釋	30.得媒	31.說合	32.團圓

撰者蔡如錫，生平不詳。漢時朝鮮南部有馬韓、辰韓、弁韓，是爲三韓，據卷首所題「三韓蔡如錫繼武氏塡詞」，蔡氏恐係朝鮮人。

15162 三刻五種傳奇 十卷十册

明梁辰魚等撰，明李贄評，明末刋本，國立中央圖書館收藏。匡高22.6 公分，寬13.7 公分。每半葉 10 行，每行 22字。白口，單欄，黑魚尾。魚尾上刻書名，下刻卷次，再下記葉碼。書中鈐有「國立中央圖書館收藏」朱文小長方印。

三刻五種傳奇，包括浣紗記、金印記、香囊記、繡襦記，以及鳴鳳記五種，俱由李贄評。書前有總評，題「三刻五種傳奇總評」，又每種各有總評、目錄及插圖。玆分述如下：

(1) 浣紗記二卷二册，明梁辰魚撰。圖 14 幅，雙面，分刋在兩卷之前。全劇凡四十五齣，卷首大題「李卓吾先生批評浣紗記卷几」，齣目、內容、版式與15080「李卓吾先生批評浣紗記」相同，該本圖殘，又有缺葉，此本可對照參考。又目次該本缺第二十三齣至三十齣齣目，今補之如下：

23.迎施	24.遣求	25.演舞	26.寄子
27.別施	28.見王	29.聖別	30.採蓮

參看 15080 李卓吾先生批評浣紗記

15081 重刻吳越春秋浣紗記

(2) 金印記二卷二册，明蘇復之撰。圖 14 幅，雙面，刋在兩卷之首，目錄之後。每卷卷首大題「李卓吾先生批評金印記卷几」，全劇凡三十八齣，演蘇秦困頓之時，兄嫂不齒，後說六國合縱，佩六個相印，故名金印記，一名合縱記，又稱黑貂裘。齣目如下：

1.副末開場	2.蘇張講書	3.玩賞園亭
4.蘇張講命	5.逼賣釵梳	6.王婆當釵
7.辭親求官	8.蘇張往秦	9.當釵被誚
10.商相嫉賢	11.不第羞歸	12.唐二傳音
13.一家耻辱	14.周氏尋夫	15.蘇秦自嘆
16.蘇張投師	17.怨詈三叔	18.當絹供姑
19.周氏投水	20.蘇張往魏	21.魏相招賢
22.引進賢良	23.遊說六國	24.蘇秦爲相
25.俊說張儀	26.蘇激張儀	27.張儀往秦
28.商相荐儀	29.張儀爲官	30.馬俊囘音
31.周氏燒香	32.蘇張交鋒	33.百戶下書
34.三叔傳音	35.公姑賞雪	36.踏雪官亭
37.蘇秦榮歸	38.合家團圓	

撰者蘇復之，名號籍里均不詳，據曲海總目提要、曲錄、今樂考證等記載，蘇氏傳奇作品，僅金印記一種尚傳於世。

(3) 香囊記二卷二册，明邵璨撰。圖 14 幅，雙面，分刋在兩卷之首，目錄之後，此本卷前無總評，卷首大題「李卓吾先生批評香囊記卷几」，全劇四十二齣，演宋代張九成事，目次如下：

1.家門	2.慶壽	3.講學	4.逼試
5.起程	6.途叙	7.題詩	8.投宿
9.憶子	10.瓊林	11.看策	12.分歧
13.供姑	14.點將	15.起兵	16.榮歸
17.拾囊	18.授詔	19.聞計	20.敗兀

21.尋兄	22.覊虜	23.問卜	24.設祭
25.辭婚	26.義釋	27.赶散	28.寄書
29.郵亭	30.避難	31.潛回	32.媾媒
33.說親	34.賞雪	35.南歸	36.強婚
37.得書	38.治吏	39.祈禱	40.相會
41.酬恩	42.褒封		

前國立北平圖書館藏有香囊記二卷，明白下陳大來寫刋本，與此內容同，但無目錄，行款亦異。

參看 15085　重校五倫傳香囊記

(4)　繡襦記二卷二册，明薛近兗撰。圖 14 幅，雙面，分刋在兩卷之首目錄之後。每卷之首大題「李卓吾先生批評繡襦記卷几」（卷下缺「先生」二字），卷前有白行簡撰李娃傳，此記據之爲藍本。劇凡四十一齣，館藏有陳繼儒評繡襦記二卷，明末書林蕭騰鴻刋本，亦四十一齣，齣目與此同，唯第二十九、三十三、三十八齣字面略異而已。此記封面葉有癸未十一月十四日紉秋居士朱筆手書題記，下鈐「紉秋山館」朱文方印。據題記云：「此繡襦記二卷，爲明末蘇州刋本，友人趙斐雲爲予得之武進陶氏，而此書歸余未及二月，蘭泉即下世，閱之有人琴之痛。此書題李卓吾批評，實卽吳人葉晝所托名。予尙有金印記、合縱記、浣紗記、香囊記等，亦卽葉氏僞評者。」若題記之言屬實，則此三刻五種傳奇，或卽葉氏托名李卓吾者也。紉秋居士，姓名籍里待考，據歷代人物別署居處名通檢，謂紉秋爲清胡佩芳之別號。

參看 15084　鼎鐫陳眉公先生批評繡襦記

(5)　鳳鳴記二卷二册，明王世貞撰。圖 14 幅，雙面，刋在兩卷之前目錄之後。每卷卷首大題「李卓吾先生批評鳴鳳記卷几」，全劇四十一齣，演楊繼盛等事，多與史實合，唯寫本一齣，係借蔣欽事。時嚴嵩專權，楊繼盛等剖心廷諫，戮力激濁揚清，此劇第一齣下場詩云：「前後同心八諫臣，朝陽丹鳳一齊鳴，除奸反正扶明主，留得功勳耀古今。」所謂八諫臣，蓋指楊繼盛、鄒應龍、林潤、吳時來、張翀、董傳策、郭希顏及夏言八人也。全劇之齣目如下：

1.家門大意	2.鄒林遊學	3.夏公命將
4.嚴嵩慶壽	5.忠佞異議	6.二相爭朝
7.嚴通宦宮	8.仙遊祈夢	9.二臣哭夏
10.流徙分途	11.驛裡相逢	12.桑林奇遇
13.花樓春宴	14.燈前修本	15.楊公劾奸
16.夫婦死節	17.島夷作寇	18.林公避兵
19.鄒慰夏孤	20.端陽遊賞	21.文華祭海
22.鄒林會試	23.拜謁忠靈	24.世番奸計
25.南北分別	26.二臣思望	27.幼海議本
28.吳公辭新	29.鶴樓忠義	30.三臣謫戍
31.陸姑救易	32.易生避難	33.鄢趙爭寵
34.忠良會邊	35.秋夜女工	36.鄒孫准奏
37.雪裡歸途	38.林遇夏舟	39.嚴家抄沒
40.獻首祭告	41.封贈忠臣	

撰者王世貞，字元美，號鳳洲，別署弇州山人，明江蘇太倉人。嘉靖廿六年進士，授刑部主事，遷青州兵備副使。楊繼盛下獄，時進湯藥，又代其妻草疏，楊既死，復棺殮之，嚴嵩大恨。會王父忬以灤河失事，嵩乃構禍於忬，下獄論死刑，世貞

與弟世懋伏闕訟父寃乃得雪。世貞初與李攀龍狎，主文壇，幷稱嘉靖七子，攀龍歿，獨操柄二十年。著述甚豐，有弇州山人四部稿，鳳州筆記，弇山堂別集，嘉靖以來首輔傳，藝苑卮言等。王氏生於嘉靖八年，卒於萬曆廿一年，得年六十五歲。鳴鳳記傳奇，多題爲王氏所作，清焦循劇說謂相傳鳴鳳記爲弇州門人作，唯法場一折，是弇州自塡詞。

15163 雜劇選 存二十五卷八册

明息機子編，明萬曆戊戌（26 年）原刋本。前國立北平圖書館收藏，國立中央圖書館保管。匡高 19 公分，寬 13.5 公分。每半葉9行，每行18字。科白小字雙行，每行亦 18 字。白口，左右雙欄，黑魚尾。魚尾上刻「古今雜劇」四字，下刻每種劇名，再下刻葉數，葉數每劇各成單元。葉數下小字旁記該葉字數。書前有明萬曆 26 年息機子序，版心有「陳行甫刻」字樣。書中鈐有「董康」朱文方印，「國立北平圖書館收藏」朱文方印，「得志當爲天下雨」朱文長方印。

此書爲雜劇選集，所選雜劇存25 種，玆分述如下：

(1) 孟浩然踏雪尋梅一卷，元馬致遠撰。全劇四折，題目「李太白携花會友」，正名「孟浩然踏雪尋梅」。劇演李白、賈島、羅隱、孟浩然四人，時常酒家相會，以詩文相往來。李孟二人各以牡丹梅花詩對詠，李白深羨孟浩然學問淵博，上荐於朝廷，授翰林院學士之職。以孟浩然愛梅，故以踏雪尋梅爲名。

(2) 西華山陳摶高臥一卷，元馬致遠撰。全劇四折，演陳摶事。據宋史隱逸傳，陳摶字圖南，亳州眞源人，後唐長興中擧進士不第，遂不求祿仕，以山水爲樂，服氣辟穀二十餘年，但自飲酒數杯。居華山雲台觀，又止少華石室，每寢處多百餘日不起。太平興國中來朝，太宗待之甚厚，九年復來朝，上益加禮重，下詔賜號希夷先生。劇演陳摶於竹橋邊開設卦肆，趙玄朗與鄭恩前往卜卦，摶云二人日後必爲君臣，以趙有天子之命也。後趙果登基，遣人往接陳摶，并賜美女侍奉左右，摶謝曰：上林無興看花開，春色何人送的來，處士不生巫峽夢，空煩雲雨下陽台。終不爲名利所縛。馬致遠，號東籬，元大都人，所作雜劇，除以上踏雪尋梅、陳摶高臥二種外，尚有誤入桃源、青衫淚、酒德頌、戚夫人、岳陽樓、馬丹陽、歲寒亭、飯後鐘、漢宮秋、黃粱夢、薦福碑等共計十三種。

(3) 死生交范張鷄黍一卷，元宮天挺撰。全劇四折，另加楔子。題目「義烈傳子母榮華」，正名「死生交范張鷄黍」。劇演范式與張劭事。范式與張劭爲友，范與張相約兩年後某日當再相見。屆時，劭請母殺鷄炊黍設饌以候之，母曰：二年之別，千里結言，爾何相信之審耶？劭曰：巨卿信士，必不乖違。范果至，升堂拜飲，盡歡而別。其後張劭卒，范忽夢張告曰：吾以某日死，當以爾時葬，永歸黃泉，子未我忘，豈能相及。范馳往奔喪，未及到而喪已發，既至壙，將窆而柩不肯進，及范至，執紼而引柩，於是乃前。二人情誼，生死皆不相忘，故劇名冠以「死生交」三字。范張爲友事見後漢書獨行傳。撰者宮天挺，字大用，元大名開州人，歷學官，除釣台書院山長，爲權豪所中，事獲辨明，亦不見用，卒於常州。所撰雜劇，據太和正音譜、今樂考證記載，有嚴子陵釣魚台、會稽山越王嘗胆、濟飢民汲黯開倉、宋仁宗御覽托公書、宋上皇御賞鳳凰樓以及本劇共六種。

(4) 望江亭中秋切鱠旦一卷，元關漢卿撰。全劇四折，題目「洞庭湖半夜賺金牌」，正名「望江亭中秋切鱠旦」。劇演譚記兒給楊衙內事。潭州理官白士中之任，路過淸安觀，往探觀主，觀主卽其姑也。姑爲士中撮合潭記兒，令與其諧伉儷。黠弁楊衙內者，初欲佔譚爲妾，聞譚歸白士中，甚銜之，奏白戀花酒曠職，請勢劍金牌文書，自往潭州殺白。白母知其事，修書往報。時屆中秋夜，楊衙內泊舟望江亭，譚記兒巧扮漁家婦，提金色鯉魚，登舟獻新切鱠，楊戀美色，遂大醉，記兒乘隙誘去勢劍金牌。及旦，楊大駭，欲縛白則無所據，楊知中計，大愧，朝廷知此事，奪其職，而士中仍理潭州。撰者關漢卿，號已齋叟，元大都人，曾任太醫院尹，所撰雜劇，據今樂考證記載，有西蜀夢等 64 種，太和正音譜記錄 61 種，曲海總目提要謂今存金線池、切鱠旦、救風塵、蝴蝶夢、調風月、哭存孝、單刀會、拜月亭、雙赴夢、玉鏡台、緋衣夢、竇娥寃、謝天香、陳母教子等十四種。

(5) 玉簫女兩世姻緣一卷，元喬吉撰。全劇四折，題目「梓橦君謫降金仙，張延賞大鬧西川。」正名「韋元帥百年風月玉簫女兩世姻緣。」劇演韋皐與玉簫事。成都韋皐，與妓韓玉簫有白頭之約，時朝廷黃榜招賢，假母迫皐行。臨別，與玉簫相約，得官來娶，閱數年，音信全無，玉簫因而病歿。又數年，韋已歷官至鎭西大元帥，遣人取玉簫母女，始知玉簫已亡故，與其母亦不相値。赴任經荊州，與節使張延賞有舊，邀韋飮，出其義女侑酒，貌與韓玉簫無異，兩人皆有情，微呼玉簫名，其女輒應，乃知亦名玉簫。韋向延賞乞此女，延賞以年紀相殊，怒而不允，韋告以此女酷似亡妻，是以生情，又以事聞於上，遂奉旨成婚。撰者喬吉，字夢符，號笙鶴翁，又號惺惺道人，元太原人。著有惺惺道人樂府及雜劇，據太和正音譜記載，計有雜劇金錢記、揚州夢、玉簫女(兩世姻緣)、黃金台、認玉釵、勘風情、節婦牌、荊公遣妾等八種，今僅存前三種而已。

(6) 須賈誶范睢一卷，元高文秀撰。全劇四折，外帶楔子。題目「須大夫輕誶范睢」，正名「張相君大報寃仇」。其中情節與綈袍記大略相同，劇云：魏公子申在齊，丞相魏齊使中大夫須賈貢齊，求放申歸，須賈偕館客范睢字叔者同往。齊王令鄒衍於驛亭宴睢，賜以金帛，睢辭不受。鄒衍重睢才，甚恭謹，於賈則輕謾，賈疑睢以魏陰事告齊，然知其不受金，又疑睢避嫌也。賈以事告丞相魏齊，令拷打睢，幾至於死，幸得蒼頭贈衣及銀兩，乃得遠遁，易名張祿，入秦爲相。須賈入秦，詣相府，見張祿即范睢，乃負荊請罪，睢亦笞賈，欲誅之，衆爲懇恕，乃釋之。撰者高文秀，元東平人，所作雜劇，據今樂考證記載有麗春園等33種，太和正音譜錄有謁魯肅等32種，今存雙獻功、誶范叔、襄陽會、遇上皇四種，曲海總目提要收前兩種。

(7) 孝義士趙禮讓肥一卷，元秦簡夫撰。全劇四折，題目「宜秋山馬武施恩」，正名「孝義士趙禮讓肥」。劇演東漢趙孝、趙禮故事。趙孝以弟趙禮爲餓賊所擄，自縛詣賊曰；禮久餓羸瘦，不如孝肥飽。賊大驚，并放之。事見後漢書趙孝傳，唯餓賊即馬武，又孝母求代死事，俱是撰作者憑空揑造。秦簡夫里籍不詳，其雜劇今樂考證收有東堂老、邢台記、玉漢館、趙禮讓肥、剪髮待賓五種，太和正音譜所收四種，缺邢台記。

⑻　東堂老勸破家子弟一卷，元秦簡夫撰。四折，前有楔子。題目「西隣友生不肖兒男」，正名「東堂老勸破家子弟」。劇云：趙國器、李實皆東平人，同爲揚州賈。國器子揚州奴不肖，國器憂悶成疾，念李實有古君子風，人稱東堂老，乃陰以托孤事委之。國器歿後，揚州奴益放肆，東堂老設計誘使其改邪歸正。

⑼　布袋和尚忍字記一卷，元鄭廷玉撰。四折，前有楔子。題目「乞兒點化看錢奴」，正名「布袋和尚忍字記」。此劇演靈山會上第十三尊羅漢，聽佛講經，凡心忽動，罰往下方，投胎於汴梁劉氏，曰劉均佐，佛恐其迷却正道，囑彌勒尊佛，化爲布袋和尚，點化正果。劇中布袋和尚以忍字點化劉均佐，故劇名忍字記。鄭廷玉一作庭玉，彰德人，所作雜劇太和正音譜收雙教化等21 種，今樂考證收漁父辭劍等 23 種，今流傳有楚昭公、後庭花、忍字記、看錢奴、金鳳釵等五種。

⑽　看財奴買寃家債主一卷，元鄭廷玉撰。四折，前有楔子。題目「窮秀才賣嫡親兒男」，正名「看錢奴買寃家債主」。劇演周榮祖家藏金以東嶽庙神旨，借與打牆人賈仁，越二十年復歸本主。賈仁性慳吝異常，無異爲人看錢也。此劇卷首大題「看財奴買寃家債主雜劇」，各自皆作看錢奴，蓋據正名而題，也是園目則據卷首所題作看財奴。清薛旣揚有狀元旗傳奇，其中關目大略本此。

⑾宋太祖龍虎風雲會一卷，元羅貫中撰。四折，前帶楔子。（ 別本楔子幷入第一折）叙宋太祖趙匡胤遇苗訓算卦，及陳橋兵變、雪夜訪趙普諸故事。撰者羅貫中，名本，元杭州人，著有三國演義等書。

⑿ 劉晨阮肇悞入天台一卷，明王子一撰。劇分四折，第四折殘缺一葉。題目「太白金星降臨凡世，紫霄玉女夙有塵緣」，正名「青衣童子報知仙境，劉晨阮肇悞入桃源」。記漢永平時（或謂晉時）劉晨、阮肇與紫霄玉女有宿緣，採藥入天台山，爲太白金星引入桃源洞，遇二女居半年，還家，則鄉邑零落已十世矣。後復往迷路，得星官引回仙境，行滿功成，同赴蓬萊。清人張勻作長生樂傳奇卽本於此。此劇一作劉阮天台，一作悞入桃源。元馬致遠亦有悞入桃源雜劇。撰者王子一，名號不詳，生於元末，其生平事蹟俱無可考。太和正音譜古今群英樂府格勢，評論明初戲曲作家十六人，列王子一於首，評其作品風格「如長鯨飲海」，又曰：「風神蒼古，才思奇瑰，如漢庭老吏判辭，不容一字增減，老作老作，其高處如披琅玕而叫閶闔者也。」所作雜劇，據云有劉晨阮肇悞入天台、鶯燕蜂蝶、楚台雲、海棠風四種，但傳世者僅此劇。

⒀ 呂洞賓三度城南柳一卷，明谷子敬撰。四折，題目「岳陽樓自造仙家酒，截頭渡得遇垂綸叟」，正名「西天母重湌天上桃，呂洞賓三度城南柳」。劇演呂洞賓事。呂洞賓度桃柳三精，以柳精托生酒家楊氏，桃精托生爲柳婦，先度桃後度柳。以呂詩有「唯有城南老樹精，分明知道神仙過」句，遂點染成編。明賈仲名有呂洞賓桃柳昇仙夢雜劇，亦記此事。谷子敬，江蘇金陵人，據羅錦堂明代劇作家考略稱：「（子敬）通醫道，口才捷利，所製詞曲隱語，盛行於世。嘗下堂而傷一足，終身有憂色，乃作耍孩兒樂府十四煞，以寓其意，極爲工巧。」所作雜劇，傳云有邯鄲道盧生枕中記、昌孔目雪恨鬧陰司、卞將軍一門忠孝等五種，今僅存此劇，其他皆不傳。

⒁　翠紅鄉兒女兩團圓一卷，明楊文奎撰。全劇四折，前加楔子。記韓宏道中年無子，婢女李春梅有孕，爲寡嫂所逐，乞食自活，產兒於林間，爲王獸醫抱歸而與其姐，其姐亦無子，產一女，王獸醫以兒易女，携歸視爲己出。越十三年，兒女各歸其家，互爲婚配，是爲兒女團圓。撰者楊文奎，生平不可考，所作雜劇除此劇外，據云尙有王魁不負心，封陟遇上元、玉盒記三種，現已散佚。或謂此劇爲高茂卿所作。

⒂　錦雲堂美女連環記一卷，元不著撰人。劇分四折，題目「銀台門呂布刺董卓」，正名「錦雲堂美女連環記」。劇演王允及蔡邕，設美女連環計，以貂蟬先許呂布，後送董卓，令布怒而殺卓。其事虛實各半，後來撰連環記者，以此爲本。此劇又名「錦雲堂暗定連環記」，明王濟撰有連環記傳奇，亦演此事。

⒃　張公藝九世同居一卷，元不著撰人。四折，題目「忠孝門三朝旌表」，正名「張公藝九世同居」。劇演張氏一門九世同居，朝廷問有何治家之道？張公藝書「忍」字百個以答之。事出唐書孝友傳序而略加增飾。

⒄　趙匡義智娶符金錠一卷，元不著撰人。劇分三折，有雙楔子，一在第一折之前，一在第三折之後。題目「強風情韓松搶綉毬」，正名「趙匡義智娶符金錠」。劇演趙匡義與符金錠姻緣事。符彥卿之女金錠與匡義相遇於聚錦園，兩情相投，遂托人提親，韓松亦仰慕小姐才貌，從中阻隔，迎娶之日，韓家有搶親之意，鄭恩藏於符小姐花轎之中，將之擊退，趙符二家遂成姻眷。

⒅　包待制智賺生金閣一卷，元武漢臣撰。四折，前加楔子，

此本第四折末缺一葉。演郭成被害，包拯斷寃之事。郭成有家傳寶物，曰生金閣，閣以生金造成，置風中則有聲如仙樂，無風處以扇搧之亦然。郭父告成曰：持此獻要路可得官。郭成以之獻與龐衙內，以求得官，龐許之，然陰使人殺成，并奪其妻。成死之後，其妻逃逸，以此事訴之包拯，拯爲之斷明寃情，此劇一名提頭鬼。武漢臣，元濟南府人，所撰雜劇，據今樂考證記載，有老生兒等十一種。

⒆ 包待制智賺合同文字一卷，元不著撰人。四折，前加楔子。題目「狠伯娘打傷孝順姪男」，正名「包待制智賺合同文字」。記汴梁西關劉天祥、劉天瑞兄弟，產業未分，作合同文字二份，兄弟各執一紙。天瑞夫婦外出而歿，子安住歸家爲天祥妻賺出合同文字，而拒之不納，申寃於包拯，拯用計又賺出合同文字，并罰天祥夫婦，擇日與安住成婚。

⒇ 王月英元夜留鞋記一卷，元不著撰人。四折，前加楔子。記宋人郭華應試落第，於開封相國寺西胭脂鋪中遇王月英，深慕其色，以買胭脂爲名，得通情意，月英使婢女邀郭華於元夜在寺中觀音殿相會，及期，華醉臥殿上，月英見狀，留鞋一隻羅帕一方而去。華醒追悔不及，吞羅帕自殺，寺僧受累，投訴於官府，包拯因繡鞋而拘月英，又於郭華口中扯出羅帕，華遂復活，於是斷郭華、王月英二人爲夫婦。此劇一名才子佳人誤元宵。今樂考證收此劇，謂「元曾瑞撰」。瑞字瑞卿，大興人，自號褐夫，善丹青，能隱語小曲，有詩酒餘音行於世。也是園目入此劇爲無名氏。

㉑ 薩眞人夜斷碧桃花一卷，元不著撰人。四折，前加楔子。題目「張斗南斷絃應再續」，正名「薩眞人夜斷碧桃花」。

劇演張文奎（字斗南）與徐碧桃有婚約，未娶而碧桃先歿。文奎憶碧桃不置，自此每夜見一女子往來甚密，因得危疾，其父請薩眞人前來禳解，眞人檢姻緣簿知碧桃陽壽未盡，當與文奎復合。適碧桃之妹玉蘭當終，乃借玉蘭之身使碧桃附之還魂，遂再合姻緣，成爲夫婦。一種情與洒雪堂記劇情與此相仿。

(22) 月明和尚度柳翠一卷，元李壽卿撰。四折，前有楔子。題目「風光獨占出牆花」，正名「月明和尚度柳翠」。劇演南海觀世音菩薩，淨瓶內楊枝葉上，偶汙微塵，罰往人世，轉入輪迴，在杭州抱劍營街。積妓牆下爲妓女，名曰柳翠，三十年後塡滿宿債，命第十六尊羅漢月明尊者點化還元，同登佛會事。此劇一名「月明三度臨歧柳」。明徐渭所作玉禪師翠鄉夢一劇，本於此，臨川吳龐（士科）作紅蓮案，則又本之翠鄉夢插入徐渭事。李壽卿，元太原人，所作雜劇有斬韓信、嘆骷髏、鑑湖亭、祭滻水、復奪受禪台、伍員吹簫、遠波亭、辜負無雙、紅子和尚秋蓮夢以及此劇共 十 種。

(23) 玉清菴錯送鴛鴦被一卷，元不著撰人。四折，前加楔子。題目「張瑞卿寓宿會佳期」，正名「玉清庵錯送鴛鴦被」。記李彥實女玉英以父債爲劉彥明所逼，不從，因玉清菴尼姑錯送鴛鴦被而得配張瑞卿。

(24) 李素蘭風月玉壺春一卷，元武漢臣撰。四折，第一折之後加楔子。題目「甚黑子花柳鳴珂巷」，正名「李素蘭風月玉壺春」。劇演李斌遇妓李素蘭事。斌字唐斌，自號玉壺生，廣陵人，與妓李素蘭各相愛慕，素蘭畫素蘭一枝，插於玉壺之中，并塡春詞一闋以見其志。斌有密友陶綱，官杭州郡佐，助斌與素蘭完成婚事。名曰玉壺春者，素蘭所畫蘭與所作春詞也。

⑵⑸ 王鼎臣風雪漁樵記一卷，元不著撰人。四折，第二折之後加楔子。題目「王安道水陸會賓朋」，正名「王鼎臣風雪漁樵記」。叙王鼎臣妻玉天仙與夫離異，并非本意，乃欲激勵夫君上進，鼎臣取得功名又復團圓。故事與朱買臣相類。

以上共計 25 種，爲明息機子所編。

15164 陽春奏 存三卷二册

明黃正位編，明萬曆己酉(三十七年)黃氏尊生館刋本。前國立北平圖書館收藏，國立中央圖書館保管。匡高 20·8 公分，寬 14·5 公分。每半葉 9 行，每行 18 字。白口，單欄，無魚尾。版心上端刻劇名，下刻葉數。書前有萬曆己酉東海于若瀛序，其次尊生館主人所撰凡例數則。名以陽春奏者，取陽春白雪和者寡之意。此集現存龍虎風雲會、陳摶高臥、風光好三種雜劇。書中鈐有「國立北平圖書館收藏」朱文方印。

⑴ 陶學士醉寫風光好一卷，元戴善夫撰，明尊生館校。四折，題目：「韓熙載暗算文章老，宋丞相明宣閑花草」，正名：「秦弱蘭錯寄斷腸詩，陶學士醉寫風光好」。劇演陶穀（字秀實）與秦弱蘭故事。陶學士與歌妓秦弱蘭相遇於花園，秦對月吟詩云：「隔窗疏雨送秋聲，夜夜愁人睡不穩，遇此良宵多感慨，清風明月又關情。」陶聞之甚心儀，爲秦寫風光好一闋，詞云：「好姻緣，惡姻緣，奈何天。只得郵亭一夜眠，別神仙。琵琶撥盡相思調，知音少。得得鸞膠續斷絃，是何年?」後二人卒得婚配。明人沈采有郵亭記傳奇，亦敷演此事。此劇撰者戴善夫，一作善甫，眞定人，江浙行省務官。所提雜劇今樂考證錄有五種，曰：伯兪泣杖、宮調風月紫雲亭、關大王三捉

紅衣怪、柳耆卿詩酒玩江樓以及此劇。

⑵ 宋太祖龍虎風雲會一卷，元羅本（貫中）撰，明脅生館校。四折，題目：「伏降四國吝謀議，雪夜親臨趙普第」，正名：「君相當時一夢中，今朝龍虎風雲會」。劇演宋太祖趙匡胤事，參見 15163 明息機子編雜劇選第 ⑾ 種。

⑶ 西華山陳摶高臥一卷，元馬致遠撰，明脅生館校。四折，題目：「識眞主買卦汴梁，辭故知徵賢勅佐」，正名：「寅賓館勅使遮留，西華山陳摶高臥」。演陳摶事，參見 15163 明息機子編雜劇選第⑵種。

黃正位，明新都人，輯陽春奏三種，并刻有巾箱本琵琶記。

15165 元人雜劇選 存十六卷六册

明王驥德編，明萬曆間顧曲齋刊配補影鈔本。前國立北平圖書館收藏，國立中央圖書館保管。匡高 20.5 公分，寬 14 公分。每半葉9行，每行 20 字。科白小字雙行，每行亦 20 字。左右雙欄，白口，白魚尾。版心魚尾之上刻每劇劇名，下記葉數，再下刻「顧曲齋藏版」五字。此選共收存元明雜劇十六種，其中三分之一係影鈔配補，鈔工極精緻。每劇首行大題劇名全稱，次行低十二字題撰者，三行題正目，共四句，小字分刻兩行。書中鈐有「國立北平圖書館收藏」朱文方印。茲將十六種雜劇劇情分述如次：

⑴ 江州司馬春衫淚一卷，元馬致遠撰。正目：「一曲撥成鶯燕約，四絃續上鴛鴦會。潯陽商婦琵琶行，江州司馬青衫淚。」全劇四折（前三折作齣），共 25 葉，均影鈔配補。有圖，殘存一幅，單面，上有「端甫」字樣。空白二半葉，恐爲補

圖所預留。劇演白居易與裴興奴事，因白詩琵琶行有「座中泣下誰最多？泣州司馬青衫濕！」句，故名青衫淚。白居易與元稹、賈島、孟浩然相契厚，識長安名妓裴興奴，興奴擅琵琶，嫁茶商劉一，與居易於江舟中相遇，遂載而歸，其事全不實。明顧大典撰有青衫記，即本此而作。

(2) 杜蘂娘智賞金線池一卷，元關漢卿撰。正目：「韓解元輕負花月約，老虔婆間阻燕鶯期。石好問復任濟南府，杜蘂娘智賞金線池。」全劇四折（第一、二、四作齣），共十五葉，均影鈔配補。有圖，存一幅，單面，圖上刋「鳴岐」字樣，另空白三半葉，未補圖。劇演石敏爲好友韓輔臣與濟南妓杜蘂娘撮合事。輔臣填南鄉子一闋，贈與蘂娘，遂賦定情。詞云：「嫋嫋復盈盈，都是宜描上翠屏，語若流鶯聲似燕，丹青，燕語鶯聲怎畫成？難道不關情，欲語還羞便似曾，占斷楚城歌舞地，娉婷，天上人間第一名。」曲海總目提要評此劇云：備極花柳場中翻雲覆雨情形，可爲冶遊之戒。事之有無，不必論也。

(3) 錢大尹智勘緋衣夢一卷，元關漢卿撰。正目：「王閏香夜鬧四春園，錢大尹智勘緋衣夢。李慶安絕處幸逢生，獄神庙暗中彰顯報。」四折，共十四葉，均影鈔配補，其中四半葉空白，此劇一名錢大尹鬼報緋衣夢，演李慶安、王閏香自幼指腹爲婚，然李家貧困，王家悔婚，小姐花園贈金，梅香爲歹人所殺，誣慶安爲兇手，開封府尹爲之勘斷伸寃，卒使夫婦團圓。以劇中慶安睡夢中云「非衣兩把火，殺人賊是我」斷出兇手爲裴炎，故以緋衣夢爲名。

(4) 唐明皇秋夜梧桐雨一卷，元白樸撰。正目：「高力士離合鸞鳳侶，安祿山反叛兵戈舉。楊貴妃曉日荔枝香，唐明皇秋夜梧桐雨。」四折，有圖，單面四幅，上有「端甫」、「黃一鳳」、「原明」等字樣，皆影繪配補。劇演唐明皇與楊貴妃事，採取白居易長恨歌「秋雨梧桐葉落時」句，以爲標目，劇中又有明皇與貴妃夢裡相會，爲梧桐雨驚醒事，故名。白樸字仁甫，一字太素，號蘭谷先生，元眞定人，所作雜劇今存牆頭馬上、東牆記及此劇三種。

⑸ 洞庭湖柳毅傳書一卷，元尙仲堅撰。四折（齣），前加楔子。全劇共十八葉，皆影鈔配補，其中空白四半葉，係挿圖未補者。劇演儒生柳毅遇洞庭君小女龍女三娘子，不容於夫，牧羊於涇河岸，龍女託毅傳書與父，卒得返歸洞庭。洞庭君以女許毅，毅托辭於高堂母，拒之。後龍女爲圖報答，改作范陽盧氏，卒成婚配。尙仲賢，元眞定人，江浙行省務官。所作雜劇今樂考證錄有張生煑海等十種，曲海總目謂今存三奪槊、氣英布及此種三種。

⑹ 李亞仙花酒曲江池一卷，元石君寶撰。正目：「老虔婆烟月鳴珂巷,小姨夫雲雨綠楊堤。鄭元和風雪悲天院，李亞仙花酒曲江池。」四折，圖四幅，單面，缺。劇演李亞仙與鄭元和相戀始末，事出於唐白行簡李娃備，明薛近兗撰繡　記又本於此曲江池而作。石君寶，元平陽人。今樂考證記其雜劇有秋香怨等 10 種，今所傳者僅三四種而已。

參見 15084 鼎鐫陳眉公先生批評繡襦記。

⑺ 臨江驛瀟湘夜雨一卷，元楊顯之撰。正目：「賞中秋人月團圓，臨江驛瀟湘夜雨。」全劇四折，共二十葉，皆影鈔配補。有圖，應單面四幅，殘存三幅，圖上有「端甫」，「德修」字樣。劇演張翠鸞與崔通事。諫議大夫張商英謫官江州，携

女翠鸞渡淮河，覆舟，父女相失。翠鸞爲漁父崔文遠所救，嫁其侄崔通。通得第另娶趙氏女，翠鸞來尋，誣爲逃婢，發配沙門島，途中與父相遇於臨江驛，父爲伸寃曲，去婦團圓，并以趙氏女爲婢妾焉。劇中以翠鸞驛中遇雨，正臨湘江，故曰瀟湘雨。後人仿此作江天雪。楊顯之，元大都人，時號楊補丁，與關漢卿爲莫逆交，所作雜劇有酷寒亭等八種。

(8) 秦修然竹塢聽琴一卷，元石子章撰。四折，正目：「惜花人引轉眞心，知音人還遇知音。鄭彩鸞芳庵慕道，秦修然竹塢聽琴。」有圖，四幅，單面，影鈔配補。劇演秦修然月下聽琴遇鄭彩鸞事。鄭禮部女彩鸞與工部尙書秦思道之子修然，指腹訂婚，皆失怙恃，不通音問。彩鸞寄身尼庵，以避強梁，秦則投身父執梁公弼。一日，秦踏青野外，暮不及歸，詣竹塢草庵借宿，聞琴聲甚淒惋，叩之，則彩鸞也，各詢姓名，知卽幼時訂婚者，自此常往來竹塢。梁公弼慮其廢業，誑稱庵有女祟，迷惑少年，已斃數人矣，秦懼甚，遂往應試，公弼迎彩鸞歸家，問明身世，俟秦中第，令偕伉儷。尼庵相偶事，爲玉簪記所本，誑稱女魅事，又與紅梨花相似也。石子章，元大都人，所作雜劇有黃貴孃秋夜竹窗雨及此劇二種。

(9) 謝金蓮詩酒紅梨花一卷，元張壽卿撰。正目：「趙汝州風月白紈扇，謝金蓮詩酒紅梨花。」劇分四折，此本第四折誤刋成第「一」折。有圖四幅，單面，缺未補，第四折影抄配一葉半。演趙汝舟與謝金蓮事。洛陽太守劉輔有友趙汝舟，聞洛陽謝金蓮，欲求一見，劉密令金蓮僞裴王同知女，夜至花園與汝舟相遇，女携酒一尊，紅梨花一瓶相贈，又相與作詩唱和，情甚篤好。劉恐汝舟戀女不赴試，誑汝舟謂花園中有女魅，卽王同知女死後鬼魂，汝舟懼甚，不辭而別。届及第歸洛陽，劉設宴款之，召金蓮持扇挿花侍酒，汝舟見之驚懼，劉以實情相告，卽席結爲夫婦。張壽卿，元東平人，浙江省掾吏，所作僅紅梨花一種。

(10) 白敏中㑳梅香一卷，元鄭光祖撰。正目：「挺學士傲晉國婚姻，㑳梅香騙翰林風月。」五折，全劇共 38 葉，均影鈔配補。圖四幅，單面，缺。劇中以小蠻爲裴晉公女，初許字白敏中而復悔婚。小蠻敏中乃托樊素通詞而約夜會，與王實甫西廂記關目大略相似，其文筆亦不相上下。按白居易有妓小蠻、樊素，樊素善歌，小蠻善舞，嘗爲詩曰：「櫻桃樊素口，楊柳小蠻腰。」白敏中乃居易從弟，劇中以兄之妓妾，妄作妻婢，甚不相宜。撰者鄭光祖，字德輝，元平陽襄陵人，以儒補杭州路吏。爲人方直，不妄與人交，故諸公多鄙之，久則見其情厚，而他人莫之及也。病卒，火葬於西湖之靈芝寺。所撰雜劇，今樂考證載有十七種，曲海總目提要稱今存王粲登樓、周公攝政、三戰呂布、倩女離魂及此劇五種。

(11) 迷靑瑣倩女離魂一卷，元鄭光祖撰。正目：「鳳闕詔催徵舉子，陽關曲慘送行人。調素琴書生寫恨，迷靑瑣倩女離魂。」四折，前加楔子。圖四幅，單面，缺。全劇 22 葉，均影鈔配補。演張倩女與王文舉指腹爲婚，文舉於赴京應試前與倩女相晤，兩兩相慕，別後女病於家，女魂則隨文舉上京，三年後相偕返家，魂與體始復合爲一。

(12) 玉簫女兩世姻緣一卷，元喬吉撰。四折，正目：「梓童君謫降金仙，張筵賞大鬧西川。韋元帥重諧配偶，玉簫女兩世姻緣。」圖四幅，單面，缺。全劇 22 葉，均影鈔配補。演韋皐與韓玉簫事，劇情參見 15163 明息機子編雜劇選第五種。

⒀ 李太白匹配金錢記一卷，元喬吉撰。正目：「老相公不許招良婿，俏書生強要成佳配。韓飛卿醉趕柳眉兒，李太白匹配金錢記。」記韓飛卿三月三日遊九龍池，與京兆尹王輔女（小字柳眉兒）目成，柳眉兒以所佩御賜開元通寶錢遺韓，後得旨命賀知章、李太白爲媒，加賜成婚。曲海總目提要云：「緣唐人許堯佐章台柳傳，柳歸韓翃。翃字君平，此曰飛卿，唐溫飛卿亦才子，合以寓意也。王輔之女，小字柳眉，亦借韓妾章台柳之意。」此劇一名唐明皇御斷金錢記。全劇四折（第一折作齣），共 24 葉，均影鈔配補。有圖，四幅，單面，今殘存一幅，上有「翔甫」字樣。

⒁ 宋太祖龍虎風雲會一卷，明羅本（貫中）撰。四折，圖四幅，單面，今殘存一幅，上有「鳴歧」字樣。
參見 15163 明息機子編雜劇選第 ⑾ 種。

⒂ 荊楚臣重對玉梳一卷，明賈仲名撰。正目·「顧玉香雙美錦堂歡，荊楚臣重對玉梳記。」四折，全劇二十葉，均影鈔配補。圖四幅，單面，缺。演揚州秀才荊楚臣與松江妓顧玉香相厚，玉香贈其金釵，送之赴選，臨別斷玉梳爲二，各執其半，時東平賈柳茂英欲強娶玉香，不從而逃，柳欲殺之於途，適逢楚臣中舉歸來，擒柳治罪，携玉香歸署成婚，各出玉梳之半，令巧匠以金對嵌，復合爲一。撰者賈仲名，一作仲明，號雲水散人，山東淄川人，後徙居蘭陵，因而家焉。生於元至正年間，卒於明永樂年間，是以或謂元人，或謂明人。仲明性聰敏，善吟詩，尤精樂章、隱語。所撰雜劇有鐵拐李度金童玉女、呂洞賓桃柳昇仙夢、紫竹瓊梅雙坐化、上林苑梅杏爭春、癩曹

司七世寃家、丘長三度碧桃花、李素蘭風月玉壺春、正性佳人雙獻頭、楊汝梅秋夜燕山怨、順時秀月夜英山夢、志烈夫人節婦牌、屈死鬼雙告狀、花柳仙姑調風月、意馬心猿、蕭淑蘭情寄菩薩蠻以及此劇等十餘種，惜多不傳。

⒃　蕭淑蘭情寄菩薩蠻一卷，明賈仲名撰。正目：「賢嫂嫂成合金貫鎖，親哥哥配上玉連環。張世英飽存君子志，蕭淑蘭情寄菩薩蠻。」四折，圖四幅，單面，缺。劇演張世英拒蕭淑蘭事。蕭公讓有友張世英，博通經史，蕭雅重其人，延爲館賓。公讓妹淑蘭，美貌能詩，及笄未字，悅世英豐姿。淸明節，公讓携妻子祭祖，淑蘭托病不行，潛至書館見世英，世英拒之。淑蘭使老媼寄菩薩蠻一闋與世英，詞云：「君心情遠迷蓬島，妾心命薄連芳草，芳草正淒淒，君心知不知。妾身輕似葉，君意堅如鐵，妾意爲君多，君心棄妾何。」世英終以禮自持，幷托故往西興。臨行題詩於壁云：「感公淸盼寄餘生，三載交游兩月情，別去難言心下事，月明酒醒在西興。」公讓見詩不解其故，修書遣使相懇，淑蘭病中聞之，復作一詞，欲幷入兄書寄去，詞云：「無情水滿西興渡，多情人往西興去，西興去路遙，叫奴魂夢勞。今將心內苦，聯作相思句，君若見情詞，同諧連理枝。」公讓見詞，始知原故，益重世英人品，於是托媒招世英爲妹婿焉。

以上十六種，爲王驥德所編。驥德字伯良，一字伯驥，號方諸生，別署秦樓外史，明浙江會稽人。精研詞曲，以散曲負盛名於當時。始事同里徐渭，繼與戲曲家沈璟論律，又與呂天成、孫鑛、孫如法幷爲詞友，一時戲曲家相善者，尚有顧大典、史槃、王澹翁、葉憲祖等。所撰有方諸館集、方諸館集樂府、曲律、南詞正韻及雜劇男皇后等，又校注西廂記、琵琶記二種。

15166 元曲選 一〇〇卷一〇四册

明臧懋循編，明萬曆四十三年吳興臧氏雕蟲館刋本，國立中央圖書館收藏。匡高 20.8 公分，寬 13.5 公分。每半葉 9 行，每行 20 字。左右雙欄，白口，黑魚尾。魚尾上刻每劇劇名，魚尾下刻雜劇兩字，再下刻葉數。此選集收元人雜劇 100 種，每種卷首大題劇名全稱，次行三行題撰者及明吳興臧晉叔校字樣。每折之後刻音釋，劇末刻題目、正名。第一册卷首有萬曆四十三年臧晉叔序，其次目錄，分甲乙丙丁戊己庚辛壬癸十集，每集列目十種，序及目錄均影鈔配補，共計一百種一百册。書中鈐有「岑淦號秋舲字□伯印」白文方印，「秋舲珍藏」白文方印，「雨後栽松風中聽竹雪裡尋梅霜前賞菊」白文方印，「秋舲讀過」朱文方印，「惜華人」白文圓印，「讀我書樓」白文方印，「國立中央圖書館收藏」朱文小長方印。第一册卷尾有墨書小字一行：「咸豐辛亥四月二十三日午後讀」，下鈐「秋」「舲」朱文連珠印。另單獨四册，刋有序、論、圖及目錄。書根寫「元曲選」「一凡四」，疑似分次購來，與此部配補成一〇四册。此四册刋行次序如下：

㈠ 扉葉：刻「雕蟲館校定」「元人雜劇百種」「本衙（此二殘）藏版）三行。此葉鈐有方形朱色木記二枚，右下角「如有翻刻千里必究」，左上角「是書向屬精工久矣膾炙人口不幸共燹播遷遂多遺缺今特鳩工鐫補全備隻字無訛識者自能鑒之」。

㈡ 萬曆丙辰（四十四年）臧晉叔序。

㈢ 目錄（亦分十集，與卷一目錄相同）。

㈣ 元曲論：包括天台陶九成論曲、燕南芝庵論曲、高安周挺齋論曲、吳興趙子昂論曲、丹丘先生論曲、涵虛子論曲、音律宮調、元群英所撰雜劇目、元知音善歌者三十六人名氏等九種。

㈤ 圖二二三幅（應二二四幅，缺最後一幅），圖上右方有目，約每劇刻圖二幅。

書中鈐有「國立中央圖書館收藏」朱文小長方印。

茲將此選集一百種雜劇名稱及劇情內容簡敘如次：

⑴ 破幽夢孤雁漢宮秋雜劇一卷，元馬致遠撰。四折，前加楔子。題目：「沉黑江明妃青塚恨」，正名：「破幽夢孤雁漢宮秋」。記王昭君事。昭君出塞和番，行至黑水，投水而亡，元帝於宮中憶之，故云漢宮秋。後人作和戎記卽本於此。

⑵ 李太白匹配金錢記雜劇一卷，元喬吉撰。四折。劇情詳見 15165 元人雜劇選第 13 種。

⑶ 包待制陳州糶米雜劇一卷，元不著撰人。四折，前加楔子。劇末缺一葉。記宋代陳州大旱，劉衙內擧其子少衙內與婿楊金吾至陳州開倉糶米，劉、楊到陳州與官吏朋比爲奸，民受其害，包拯前往勘斷，按罪斬之。元陸登善亦有此劇。

⑷ 玉清菴錯送鴛鴦被雜劇一卷，元不著撰人。四折，前加楔子。題目：「金閶客解品鳳凰簫」，正名：「玉清菴錯送鴛鴦被」。詳見 15163 雜劇選第 23 種。

⑸ 隨何賺風魔蒯通雜劇一卷，元不著撰人。四折，題目：「蕭何害功臣韓信」，正名：「隨何賺風魔蒯通」。演蒯徹勸韓信反，信不從，蒯徹恐禍及己，佯狂於市，隨何識其假而賺

破之。

(6) 溫太眞玉鏡台雜劇一卷，元關漢卿撰。四折，題目：「王府尹水墨宴」，「溫太眞玉鏡台」。演溫嶠（字太眞）以玉鏡台聘娶表妹劉倩英事，明人朱鼎有玉鏡台記傳奇，卽本此而作。參見 15109 玉鏡台記。

(7) 楊氏女殺狗勸夫雜劇一卷，元蕭德祥撰。四折，前加楔子。題目：「孫虫兒挺身認罪」，正名：「楊氏女殺狗勸夫」。劇演孫榮妻楊氏，乘夫醉殺狗于門，勸戒其夫與弟和睦相處，榮亦覺悟，以家財付予其弟。明徐畛有殺狗記，本於此，唯弟名作孫華而已。撰者蕭德祥，元杭州人，號復叁，以醫爲業。所撰雜劇有四春園、小孫屠、四大王歌舞麗春園、包待制三勘胡蝶夢及此劇共五種。

(8) 相國寺公孫合汗衫雜劇一卷，元張國賓撰。不全，存一至三折。演張孝友與妻玉娥渡黃河，孝友被陳虎刼去，時玉娥正有孕，生子，陳虎霸爲己子，取名陳豹。孝友母趙氏本以汗衫一件，對分作二，一自存一付與媳玉娥。及豹長成，玉娥出汗衫使應舉，卒與祖父母相遇，以汗衫合而相識，殺陳虎，又於廟中遇孝友，於是一家祖孫夫婦皆團圓。白羅衫傳奇與此劇關目略同。撰者張國賓，或作張國寶，太和正音譜、今樂考證皆作張酷貧，所撰有漢高祖衣錦還鄉、薛仁貴衣錦還鄉、羅李郎大鬧相國寺以及此劇共四種。

(9) 錢大尹智寵謝天香雜劇一卷，元關漢卿撰。四折，前加楔子。題目：「柳耆卿錯怨開封主」，正名：「錢大尹智寵謝天香」。記柳永眷愛妓女謝天香，將入京應試，以天香托於故友錢可，時錢爲開封府尹。錢訶永激其憤取功名，而接謝天香入其宅中，俟永得第爲之撮合。

⑽ 爭報恩三虎下山雜劇一卷，元不著撰人。四折，前加楔子。題目：「屈受罪千嬌赴法」，正名：「爭報恩三虎下山」。記宋江遣關勝、徐寧、花榮至東平府探事，三人先後被難，皆被趙通判之妻李千嬌救脫。千嬌爲妾王臘梅控告，將受戳，三人刼歸山寨，殺臘梅而使千嬌復歸趙爲夫婦。

⑾ 張天師斷風花雪月雜劇一卷，元吳昌齡撰。四折，第二折後加楔子。第一折缺首二葉。題目：「長眉仙遣梅菊荷桃」，正名：「張天師斷風花雪月」。劇演月中桂花仙子與世間陳世英有宿緣，於八月十五日下降凡間，有封十八姨與桃花仙陪同，後爲張天師所斷，各歸本位。撰者王昌齡，西京人。梁廷枏云：「昌齡風花雪月一劇，雅馴中饒有韵致，吐屬亦清穌婉約。帶白能使上下串連，一無滲漏，布局排場，更能濃淡疏密相間而出。在元人雜劇中，最爲全璧，洵不多覯也。」據今樂考證著錄，王氏所撰雜劇，有辰勾月等 11 種。

⑿ 趙盼兒風月救風塵雜劇一卷，元關漢卿撰。四折。題目：「安秀才花柳成花燭」，正名：「趙盼兒風月救風塵」。記趙盼兒救宋引章於風塵之中，故名救風塵。趙盼兒與宋引章皆汴梁歌妓，引章嫁鄭州人周舍，不堪其虐待，盼兒以計使引章脫離周舍而嫁秀才安秀實。

⒀ 東堂老勸破家子弟雜劇一卷，元秦簡夫撰。四折，前加楔子。題目：「西隣友立托孤文書」，正名：「東堂老勸破家子弟」。詳見 15163 明息機子編雜劇選第 8 種。

⒁ 同樂院燕靑博魚雜劇一卷，元李文蔚撰。四折，記梁山泊燕靑事。燕靑以目盲爲楊衙內乘騎所撞，汴梁人燕順以針灸

治之使復明。燕順有嫂王臘梅與楊衙內有染，燕青擒楊及臘梅殺之。故事係憑空杜撰，水滸無此事，以三月三日會於同樂院，燕青與燕和博魚，故名。四折，前加楔子。題目：「梁山泊宋江將令」，正名：「同樂院燕青博魚」。劇名一作報冤台燕青博魚。撰者李文蔚，元眞定人，江州路瑞昌縣尹。所撰雜劇依今樂考證記載，有張子房圯橋進履、漢武帝哭死李夫人等十二種。

⒂ 臨江驛瀟湘秋夜雨雜劇一卷，元楊顯之撰。四折，前加楔子。題目：「淮河渡波浪石龍風」，正名：「臨江驛瀟湘秋夜雨」。詳見 15165 元人雜劇選第 7 種。

⒃ 李亞仙花酒曲江池雜劇一卷，元石君寶撰。四折，前加楔子。題目：「鄭元和風雪卑田院」，正名：「李亞仙花酒曲江池」。詳見 15165 元人雜劇選第 6 種。

⒄ 楚昭公疎者下船雜劇一卷，元鄭廷玉撰。四折，第四折影鈔配五葉。題目：「伍子胥一戰入郢」，正名：「楚昭公疎者下船」。劇中吳楚事互見李壽卿伍員吹簫及梁辰魚浣紗記，此劇重在申包胥乞師復楚，所演關目有實有虛。劇中楚昭公與弟芈旋及夫人公子出奔，渡江遇大風，舟人以舟小不能盡載，請棄一人，弟欲下，昭公曰：疎者下。謂妻之親不敵弟也，夫人投於江。風愈大，舟人復請棄一人，弟又欲下，昭公曰：疎者下。攬弟袂曰，子之親亦不敵弟也。公子復投於江，乃得濟岸，兄弟各投他國，故劇名曰楚昭公疎者下船。梁廷枏評此劇云：「鄭廷玉作楚昭公劇，第一二折曲詞平易，尚無大出色處，第三折以下則字字珠璣，言言玉屑，自尾倒嘗，漸入佳境。論者謂元人雜劇至第四折爲強弩之末，未盡然也。」鄭廷玉，

元彰德人，廷玉或作庭玉。

(18) 龐居士誤放來生債雜劇一卷，元不著撰人。四折，前加楔子。題目：「靈兆女點化丹霞師」，正名：「龐居士誤放來生債」。演唐襄陽龐蘊事。以居士貸人銀皆焚其券不索還，而欠債者皆變作驢馬以償之，居士聞驢馬作人語問答而大驚，遂盡沈其家財鉅萬於海，而挈家人入山清修，全家同升兜率天宮。

(19) 薛仁貴榮歸故里雜劉一卷，元張國賓撰。四折，前加楔子。題目：「徐茂公比射轅門」，正名：「薛仁貴榮歸故里」。因三箭定天山，而點綴成篇，清鐵笛道人撰定天山，亦記薛仁貴事。

(20) 裴少俊墻頭馬上雜劇一卷，元白樸撰。四折。題目：「李千金月下花前」，正名：「裴少俊墻頭馬上」。演裴少俊與李千金事。裴行儉有子少俊，奉高宗命往洛陽買花栽子，路過洛陽總管李世傑園，馬上見李女千金，作詩投入云：「只疑身在武陵遊，流水桃花隔岸羞，咫尺劉郎腸已斷，爲誰含笑倚牆頭？」女答詩云：「深閨拘束暫閑遊，手撚青梅半掩羞，莫負後園今夜約，月移初上柳梢頭。」少俊遂跳牆而入，爲千金乳母所知，密令二人逃去。至長安，匿女于後花園七年，不告父母，生子女各一。清明節，裴父偶至花園，見少俊一雙子女，詢得其由，以千金爲淫奔之女，逐其歸家，而留其子女。後少俊擧進士，裴父乃知千金爲世傑之女，迎其歸來。案此劇因白居易有牆頭馬上句而作，以裴行儉子當之，亦非眞也。

(21) 唐明皇秋夜梧桐雨雜劇一卷，元白樸撰。四折，題目：「安祿山反叛兵戈擧，陳玄禮拆散鸞凰侶」，正名：「楊貴妃曉日荔枝香，唐明皇秋夜梧桐雨」。詳見 15165 元人雜劇選第4種。

(22) 散家財天賜老生兒雜劇一卷，元武漢臣撰。四折，前加楔子。題目：「指絕地苦勸糟糠婦」，正名：「散家財天賜老生兒」。記張從善事。從善老年無子，與女及贅婿同住，侄引孫，爲女及贅婿所不容，別有小婢小梅，有孕而待產，亦移置別屋。清明日，從善命女及婿備祭品掃墓，至則僅見其侄引孫荷鋤增土，不見女婿，始悟贅婿不可爲後也，時小梅亦產一子，於是以家財分而爲三，一與其女，一與其侄，一與小梅所生之子，以從善老年得子，故名老生兒。

(23) 硃砂擔滴水浮漚記雜劇一卷，元不著撰人。四折，前加楔子。題目：「鐵旛竿圖財致命賊」，正名：「硃砂擔滴水浮漚記」。演兇徒白正，號爲鐵旛竿，打刼王文用擔中硃砂，後遭冥誅事。

(24) 便宜行事虎頭牌雜劇一卷，元李直夫撰。四折，題目：「樞院相公大斷案」，正名：「便宜行事虎頭牌」。記金源時事，以山壽馬罰不避親，以見當時軍法之嚴也。按漢制郡國兵必有虎符而後發，金制軍中符驗，有金牌、銀牌、木牌、金牌以授萬戶，銀牌以授猛安（千人長），木牌則謀克蒲輦所佩，元因之，萬戶金虎符，千戶金符，百戶銀符，皆軍中傳遞取信之用，謂之曰信牌。撰者李直夫，一名蒲察李五，女直人，所作雜劇今樂考證著錄有十二種，今僅存此劇一種。

(25) 包龍圖智賺合同文字雜劇一卷，元不著撰人。四折，前加楔子。第四折末尾有缺葉，劇情詳見 15163 明息機子編雜劇選第 19 種。

(26) 凍蘇秦衣錦還鄉雜劇一卷，元不著撰人。四折，前加楔子。題目：「冰雪堂張儀用智」，正名：「凍蘇秦衣錦還鄉」。全劇 37 葉，皆影鈔配補。劇演蘇秦張儀事，本係蘇秦激張儀，劇中張儀已先相秦，蘇秦往謁，儀故薄待以激怒之，暗令陳用資其路費，後取六國相印，皆儀之力，蓋改頭換面以作戲劇。

(27) 翠紅鄉兒女兩團圓雜劇一卷，元楊文奎撰。四折，前加楔子。題目：「白鷺村夫妻雙折散」，正名：「翠紅鄉兒女兩團圓」。卷首影鈔配一葉。劇情詳見 15163 明息機子編雜劇選第14 種。

(28) 李素蘭風月玉壺春雜劇一卷，元武漢臣撰。四折，第一折之後加楔子。題目，正名及劇情詳見 15163 明息機子編雜劇選第 24 種。

(29) 呂洞賓度鐵拐李岳雜劇一卷，元岳伯川撰。四折，第二折後加楔子。題目：「韓魏公斷借屍還魂」，正名：「呂洞賓度鐵拐李岳」。鄭州奉寧人岳壽，宿具仙緣，呂洞賓化作瘋道人度之。岳壽以道人語驚悸而死，遊地獄，復遇呂，求其度化，呂爲語冥官使借屍還陽，粗陋瘸跛，於是雙名李岳，道號鐵拐，後呂俱相偕而去，成爲上仙。撰者岳伯川，元濟南人，或云鎭江人，所撰雜劇有羅光遠夢斷楊貴妃及呂洞賓度鐵拐李岳兩種，今僅存後者。

(30) 小尉遲將鬪將認父歸朝雜劇一卷，元不著撰人。四折，卷尾有缺葉。記尉遲敬德事。尉遲敬德降唐時，留一子保林在番中，甫三歲，劉秀眞養爲己子，改名劉無敵，使與敬德戰，敬德僕宇文慶在番中撫保成立，以眞相告保林，於是父子相認，縛劉季眞歸降。

⑶ 陶學士醉寫風光好雜劇一卷，元戴善夫撰。四折，題目，正名及劇情詳見 15164 陽春奏第 1 種。

⑶ 魯大夫秋胡戲妻雜劇一卷，元石君寶撰。四折，題目：「貞烈婦梅英守志」，正名：「魯大夫秋胡戲妻」。魯人秋胡，娶羅梅英爲妻，新婚三日，別妻及母從軍。李大戶欲謀梅英爲室，謊報秋胡已歿軍中，梅英仍守節自矢。秋胡仕魯日久，有軍功，歸家省母。將及故里，見一女採桑林中，貌甚美艷，試挑之，女正色力拒。及歸家，始知女卽其妻，愧赧無地，梅英薄其夫無行，欲自盡，姑與胡父同勸慰，始復諧伉儷。據列女傳諸書，秋胡之妻本自盡，此劇則以團圓作結局。

⑶ 神奴兒大鬧開封府雜劇一卷，元不著撰人。四折，第一折之後加楔子。題目：「包龍圖單見黑旋風」，正名：「神奴兒大鬧開封府」。劇演李德仁、德義兄弟同居，德義妻王氏力爭與兄嫂分家，又逼兄棄嫂，謀殺兄子神奴，時包拯知開封府，審得眞情，誅王氏而杖義。

⑶ 半夜雷轟薦福碑雜劇一卷，元馬致遠撰。四折，第一折後加楔子。題目：「三封書謁揚州牧」，正名：「半夜雷轟薦福碑」。范仲淹欲打薦福碑千本，售於京師，以濟某書生貧困，紙墨已具，半夜雷轟碎其碑。寓言窮通得失，皆有定數，不可強求，事見堯山堂外紀。碑本歐陽詢所書，劇稱顏眞卿，打碑事改作寺僧。

⑶ 謝金吾詐拆清風府雜劇一卷，元不著撰人。四折，前加楔子。題目：「楊六使私下瓦橋關」，正名：「謝金吾詐拆清風府」。劇演蕭太后心腹王欽若，原名賀驢兒，至宋作奸細，使謝金吾拆毀楊令公宅中清風無佞樓，謝爲楊家部將焦贊所殺。

元王仲元有謝金吾私下三關雜劇。

(36) 呂洞賓三醉岳陽樓雜劇一卷，元馬致遠撰。四折，第二折後加楔子。題目：「郭上竈雙赴靈虛殿」，正名：「呂洞賓三醉岳陽樓」。劇演呂洞賓見岳陽樓下有老柳一株，千年成精，又杜康庙前白梅一株亦成精，呂度之使其投胎，三十年後成爲郭馬與賀臘梅夫婦，在岳陽樓下開茶坊，呂又度之，使二人同入道。按純陽子呂巖集有詩云：「朝遊碧海暮蒼梧，袖裡青蛇胆氣粗，三醉岳陽人不識，朗吟飛過洞庭湖」，蓋爲此劇之張本。

(37) 包待制三勘蝴蝶夢雜劇一卷，元關漢卿撰。四折，前加楔子。題目：「葛皇親挾勢行兇橫，趙頑驢偷馬殘生送」，正名：「王婆婆賢德撫前兒，包待制三勘蝴蝶夢」。記包拯爲開封府尹，夢見一蝴蝶墜在蛛網中，一大蝴蝶飛來救生，次者亦然，後來一小蝴蝶亦墜入網中，大蝴蝶雖見之而不救，拯夢醒驚訝，適有葛彪打死王姓老人案，王子金和、鐵和、石和亦打葛彪，并來認罪，拯依夢境勘斷之。

(38) 說鱄諸伍員吹簫雜劇一卷，元李壽卿撰。四折，第三折後加楔子。卷尾有缺葉。劇情本於春秋、左傳、國語、史記及吳越春秋等書，記楚殺伍奢及尙而伍員逃吳遇漂女漁父得入吳，又遇專諸以吳師伐楚至郢，楚王命費無極以兵拒，爲子胥所擒殺等事。

(39) 河南府張鼎勘頭巾雜劇一卷，元孫仲章撰。四折，第一折後加楔子。題目：「趙令史爲吏見錢親，王小二好鬪禍臨身」，正名：「望京店莊家索冷債，河南府張鼎勘頭巾」。記張鼎以頭巾勘斷王小二寃獄事。元曲中河南府孔目張鼎事凡兩見，一爲此劇，一爲魔合羅雜劇。撰者孫仲章，元大都人，所撰雜劇今樂考證著錄三種，卽卓文君白頭吟、金章宗斷留遺文書，以及此劇。

⑷⓪ 黑旋風雙獻功雜劇一卷，元高文秀撰。四折，第一折後加楔子。題目：「及時雨單責狀」，正名：「黑旋風雙獻功」。演李逵殺奸夫白衙內及孫榮妻郭念兒事，皆水滸所無。水滸七十二回目云，梁山泊雙獻頭，則爲李逵負荆事，與此全不符。

⑷① 迷青瑣倩女離魂雜劇一卷，元鄭光祖撰。四折，前加楔子。劇情詳見 15165 元人雜劇選第11 種。

⑷② 西華山陳摶高臥雜劇一卷，元馬致遠撰。四折，卷尾有缺葉。劇情詳見 15163 明息機子編雜劇選第2種。

⑷③ 龐涓夜走馬陵道雜劇一卷，元不著撰人。四折，前加楔子。楔子缺首二葉，第一折缺二葉半。題目：「孫臏晚下雲夢山」，正名：「龐涓夜走馬陵道」。演孫臏殺龐涓於馬陵道事。

⑷④ 救孝子賢母不認屍雜劇一卷，元王仲文撰。四折，第一折後加楔子。卷尾有缺葉。記賢母李氏救其庶出子楊謝祖出寃獄事。謝祖事李氏盡孝，故曰孝子。撰者王仲文，元大都人，所著雜劇依今樂考證有王祥臥冰、韓信乞食等 十 種，今傳存救孝子一種。

⑷⑤ 邯鄲道省悟黃粱夢雜劇一卷，元馬致遠撰。四折，第一折後加楔子。題目：「漢鍾離度脫唐呂公」，正名：「邯鄲道省悟黃粱夢」。演呂洞賓應擧，與鍾離遇於邯鄲旅店，店主方炊黃粱作飯，洞賓倦極而睡，夢中歷盡富貴，又斷酒色財氣，醒而黃粱未熟，遂醒悟而入道。此劇爲馬致遠、李時中、花李郎、紅字李二合撰，馬撰第一折。

(46) 杜牧之詩酒揚州夢雜劇一卷，元喬吉撰。四折，前加楔子，題目：「張好好花月洞房春」，正名：「杜牧之詩酒揚州夢」。杜牧有遺懷詩云：「落拓江湖載酒行，楚腰纖細掌中輕，十年一覺揚州夢，贏得青樓薄倖名。」劇名因此而來。劇演杜牧佐牛僧孺幕，居揚州，唯以宴遊爲事，又穿插歌妓張好好事。

(47) 醉思鄉王粲登樓雜劇一卷，元鄭光祖撰。四折，前加楔子。此劇因王粲有登樓賦而作，但改賦爲詩，又以粲爲蔡邕女婿。按王粲字仲宣，山陽高平人，曾祖父、祖父皆爲漢三公，漢帝西遷，粲徙長安，左中郎將見而奇之，聞粲在門，倒屣相迎，粲年少短小，一座皆驚，後避亂荊州，依劉表，仕魏，累官侍中，爲建安七子之一。

(48) 昊天塔孟良盜骨雜劇一卷，元朱凱撰。四折，題目：「瓦橋關令公顯神」，正名：「昊天塔孟良盜骨」。此劇一名孟良盜骨，演楊業撞死李陵碑下，屍首流落邊方，孟良於昊天塔中盜回，雖皆史傳所無，然爲後世演義所本。撰者朱凱字士凱，自幼孑立不俗，與人寡合，小曲極多。所撰雜劇有昊天塔，黃鶴樓二種。

(49) 包待制智斬魯齋郎雜劇一卷，元關漢卿撰。四折，前加楔子。題目：「三不知同會雲台觀」，正名：「包待制智斬魯齋郎」。演魯齋郎佔李四、張珪二人妻，而爲包拯所戮事。

(50) 朱太守風雪漁樵記雜劇一卷，元不著撰人。四折，第二折後加楔子。題目：「嚴司徒薦達萬言書」，正名：「朱太守風雪漁樵記」。此劇不作王鼎臣風雪漁樵記，以朱買臣易王鼎臣而已。詳見 15163 明息機子編雜劇選第 25 種。

⑸1 江州司馬青衫淚雜劇一卷，元馬致遠撰。四折，第一折後加楔子。題目：「潯陽商婦琵琶行」，正名：「江州司馬青衫淚」。劇情詳見 15165 元人雜劇選第 1 種。

⑸2 四丞相高會麗春堂雜劇一卷，元王實甫撰。四折，題目：「李監軍大鬧香山會」，正名：「四丞相高宴麗春堂」。演宰相樂善與統軍李圭，釋怨會飲麗春堂事。

⑸3 孟德耀舉案齊眉雜劇一卷，元不著撰人。四折，題目：「梁伯鸞甘貧守志」，正名：「孟德耀舉案齊眉」。演梁鴻孟光事，與後漢書梁鴻本傳甚不合，劇云孟家以女許鴻，後嫌貧欲改字，女不從，已而贅鴻，尋復逐之。鴻乃棲皐伯通家，每食，孟光舉案齊眉，女父知鴻非凡人，暗使乳媪贈以資斧，勸鴻應試，以鴻擢大魁作收場。

⑸4 包龍圖智勘後庭花雜劇一卷，元鄭庭玉撰。四折，題目：「老廉訪恩賜翠鸞女」，正名：「包待制智勘後庭花」。劇以劉天義與王翠鸞唱和後庭花詞，故名。明沈璟改作桃符記傳奇，劇情全同，唯劇中人姓名略易而已。

⑸5 死生交范張雞黍雜劇一卷，元宮天挺撰。四折，前加楔子，劇末缺半葉。演范式與張劭事，劇情詳見 15163 明息機子編雜劇第 3 種。

⑸6 玉簫女兩世姻緣雜劇一卷，元喬吉撰。四折，題目：「韋元帥重諧配偶」，正名：「玉簫女兩世姻緣」。演韋皐與玉簫事，劇情詳見 15163 明息機子編雜劇選第 5 種。

⑸7 宜秋山趙禮讓肥雜劇一卷，元秦簡夫撰。四折，題目：「虎頭寨馬武仗義」，正名：「宜秋山趙禮讓肥」。演趙孝、趙禮兄弟事，劇情詳見 15163 明息機子編雜劇選第 7 種。

⒅ 鄭孔目風雪酷寒亭雜劇一卷，元楊顯之撰。四折，前加楔子。題目：「後堯婆淫亂辱門庭，潑奸夫狙詐占風情」，正名：「護橋龍邂逅荒山道，鄭孔目風雪酷寒亭」。演鄭嵩事，嵩娶妓蕭娥，娥與高成有私，嵩殺娥而自首，發配時兒女送飯至酷寒亭，爲宋彬所救，彬當日亦曾爲嵩所救也。撰者楊顯之，時號楊補丁，元大都人，所作雜劇，今存瀟湘雨、酷寒亭等二種。

(59) 桃花女破法嫁周公雜劇一卷，元王曄撰。四折，前加楔子。演洛陽村中彭大公之主人周公善卜算，又有任二公之女桃花女善解禳神煞之法，凡周公所卜算者，皆爲桃花女所破，周公因設計使桃花女嫁其子，成婚選凶日，又爲桃女花破解，周公因此大慚服，不復言陰陽卜算矣。撰者王曄字日新，一作日華，元杭州人。

(60) 陳季卿誤上竹葉舟雜劇一卷，元范康撰。四折，前加楔子。題目：「呂洞賓顯化滄浪夢」，正名：「陳季卿誤上竹葉舟」。演陳季卿乘竹葉歸家事，見異聞實錄。撰者范康，字子安，元杭州人，所作今存竹葉舟一種。又清畢魏亦有竹葉舟劇，演石崇事。

(61) 布袋和尙忍字記雜劇一卷，元鄭廷玉撰。四折，前加楔子。題目、正名以及劇情詳見15163明息機子編雜劇選第9種。

(62) 謝金蓮詩酒紅梨花雜劇一卷，元張壽卿撰。四折，題目、正名及劇情詳見 15165 元人雜劇選第九種。

(63) 鐵拐李度金童玉女雜劇一卷，明賈仲名撰。四折，題目：「金安壽收意馬心猿」，正名：「鐵拐李度金童玉女」。劇演金安壽與嬌蘭事，云王母蟠桃會上，金童玉女，一念思凡，謫下人間，男曰金安壽，女曰嬌蘭，配爲夫婦，機緣已到，王母命鐵拐李度脫歸眞。

(64) 包待制智賺灰闌記雜劇一卷，元李行道撰。四折，前加楔子。題目：「張海棠屈下開封府」，正名：「包待制智勘灰闌記」。演張海棠事，海棠出身青樓，嫁與馬均卿爲妾，得一子。馬妻與趙令吏有奸，殺親夫嫁禍於海棠，幷欲占其子以爲己子。包拯以石灰畫欄而驗獄，置兒於闌中，使妻妾互拽，妻以兒非己出，屢拽屢出，妾不忍重拽，故屢拽不能出，於是得其情而鞫妻，盡得其因，海棠因而無罪。劇因包拯以石灰畫欄測驗馬氏妻妾，故名灰闌記。撰者李行道，元絳州人，或作李行甫，名潛夫，所作僅灰闌記一種。

(65) 崔府君斷寃家債主雜劇一卷，元不著撰人。四折，前加楔子。題目：「張善友告土地閻神」，正名：「崔府君斷寃家債主」。此卷缺第 26 葉。此劇本無事實，或據小說而作，以善惡因果勸人。記張善友、崔玨事。崔玨能斷陰府，善友懇其剖示因果。玨因攝其魂魄見閻羅，皆具宿因，張乃大覺悟。

(66) 㑳梅香騙翰林風月雜劇一卷，元鄭光祖撰。四折，前加楔子。題目：「挺學士傲晉國婚姻」，正名：「㑳梅香騙翰林風月」。演白敏中與裴小蠻事，劇情詳見 15165 元人雜劇選第10種。

(67) 尉遲恭單鞭奪槊雜劇一卷，元尚仲賢撰。四折。前加楔子。演尉遲恭降唐後戰單雄信事。

(68) 呂洞賓三度城南柳雜劇一卷，明谷子敬撰。四折，此卷缺第一、二葉。題目、正名及劇情詳見 15163 明息機子編雜劇選第13種。

(69) 須賈大夫誶范叔雜劇一卷，元高文秀撰。四折，前加楔子。題目：「須賈大夫誶范叔」，正名：「張祿丞相報魏齊」。劇情詳見 15163 明息機子編雜劇選第6種。

(70) 李雲英風送梧桐葉雜劇一卷，元不著撰人。四折，前加楔子。題目：「任繼圖天配鳳鸞交」，正名：「李雲英風送梧桐葉」。演任繼圖與李雲英事。任繼圖妻李雲英，係李林甫孫女，安祿山之亂，雲英被軍中所擄，得牛僧孺收留，與牛女金哥於寺中見繼圖所題詩，識其字體，因以梧桐葉題詩，乘風飛去，恰為繼圖拾得。詩云：「拭翠斂蛾眉，為鬱心中事，搦管下庭除，書作相思字。此字不書名，此字不書紙，書在秋葉上，願逐秋風起。天下有情人，為我相思死，天下薄情人，不解相思意。有情與薄情，知他落何地？」時繼圖與花仲清已得第為文武狀元，牛僧孺欲為女擇配，結綵樓於市，繼圖思念雲英，不接綵球，仲清接球遂與牛女結親，成婚之日繼圖夫妻亦相認團圓。

(71) 花間四友東坡夢雜劇一卷，元吳昌齡撰。四折，題目：「雲門一派老婆禪」，正名：「花間四友東坡夢」。演蘇軾與佛印禪師相問答事，用歌妓白牡丹點綴，蓋借用琴操事也。

(72) 杜蘂娘智賞金線池雜劇一卷，元關漢卿撰。四折，前加楔子。劇情詳見 15165 元人雜劇選第2種。

(73) 王月英元夜留鞋記雜劇一卷，元曾瑞撰。四折，前加楔子。題目：「郭秀才沉醉誤佳期」，正名：「王月英元夜留鞋記」。劇情詳見 15163 明息機子編雜劇選第20種。

(74) 漢高祖濯足氣英布雜劇一卷，元尙仲賢撰。四折，題目：「隨大夫銜命使九江」，正名：「漢高皇濯足氣英布」。記漢高祖欲挫英布銳氣，濯足媟慢以激之，布甚氣憤，故名。劇情與正史雖不甚合，亦以表揚漢高祖用人智略也。

(75) 兩軍師隔江鬬智雜劇一卷，元不著撰人。四折，題目：「兩軍師隔江鬬智」，正名：「劉玄德巧合良緣」。劇演孫劉鬬智事，所謂三氣周瑜也。周瑜用美人計，使孫劉兩家結親，欲加害劉備，諸葛亮授備錦囊妙計，三次破解周瑜之計，瑜竟氣憤而死。世稱周郎妙計高天下，賠了夫了又折兵，即指此事。

(76) 馬丹陽度脫劉行首雜劇一卷，元楊景賢撰。四折。題目：「北邙山倡和柳梢青」，正名：「馬丹陽度脫劉行首」。演馬眞人度劉倩嬌事，關目在柳梢青詞，故名。唐明皇時管玉骨夫人，五世童身，惡世間生死，求仙人王嚞度脫，王謂須托生人間爲女子，償完宿債方可度脫。乃導往汴梁劉家爲女，即汴梁行首劉倩嬌。二十年後馬丹陽奉王仙人之命來度，倩嬌初不覺悟，夢中憶及柳梢春詞半闋，而馬丹陽爲續誦其半，乃大悟，隨丹陽朝東華帝君，得道證果。柳梢青一名隴頭月，詞云：「天淡曉風明滅，白露點蒼苔敗葉，斷址頹垣，荒烟衰草，漢家陵闕。咸陽陌上，行人依舊，名親利切。改換容顏，消磨今古，隴頭殘月。」。

(77) 月明和尙度柳翠雜劇一卷，元李壽卿撰。四折，前楔子。題目：「顯孝寺主誦金經」，正名：「月明和尙度柳翠」。劇情詳見 15163 明息機子編雜劇選第22種。

(78) 劉晨阮肇悞入桃源雜劇一卷，元王子一撰。四折，題目、正名及劇情詳見 15163 明息機子編雜劇選第 12 種。

(79) 張孔目智勘魔合羅雜劇一卷，元孟漢卿撰。四折，前加楔子。題目：「李文道毒藥擺哥哥，蕭令吏□□□□□」，正名：「高老兒□□□□□」，張平叔智勘魔合羅」。記孔目張鼎以賣魔合羅者勘斷寃獄，故名。魔合羅卽蠟人土偶之謂，本名摩㬋羅。據夢華錄記載，七月七夕，京師賣小塑土偶，悉以雕木彩裝欄座，或用紅碧紗籠，或飾金珠牙翠，有一對値數千者，禁中及貴家與士庶爲時物，按此皆摩㬋羅之踵事增華者。撰者孟漢卿，元亳州人，所撰雜劇今存此劇一種。

(80)玎玎璫璫　盆兒鬼雜劇一卷，元不著撰人。四折，前加楔子。題目：「咿咿啞啞喬搗碓」，正名：「玎玎璫璫盆兒鬼」。記張𢤱古代烏盆申寃，包拯爲之斷明，將趙氏夫婦處以極刑。此劇爲龍圖公案最著稱者，小說傳奇皆記此事，姓名雖不同．其事則一也。

(81)　荊楚臣重對玉梳記雜劇一卷，明賈仲名撰。四折，題目、正名及劇情詳見 15165 元人雜劇選第 15 種。

(82)　逞風流王煥百花亭雜劇一卷，元不著撰人。四折，第一折後加楔子。題目：「賞名園賀氏千金笑」，正名：「逞風流王煥百花亭」。演王煥與賀憐憐事，王賀二人相識於百花亭，故名。妓賀憐憐春日踏靑，遊陳家園百花亭，與王煥相遇，兩心相許，居半載，賀爲西廷邊將高邈強娶，煥因戰功授西涼節度使，卒歸賀與煥。

(83)　秦修然竹塢聽琴雜劇一卷，元石子章撰。四折，前加楔子。題目：「鄭彩鸞草菴學道」，正名：「秦修然竹塢聽琴」。劇情詳見 15165 元人雜劇選第 8 種。

(84)　金水橋陳琳抱粧盒雜劇一卷，元不著撰人。四折，第一、三折，前加楔子。題目：「李美人御園拾彈丸」，正名：「金水橋陳琳抱粧盒」。演陳琳、寇承御救太子事。宋眞宗劉皇后嫉李美人有子，密使宮人寇承御誆出小皇子，棄於金水橋河內，寇宮人欲救之，適內監陳琳抱粧盒至，寇告以實情，琳藏小皇子盒中，送往南清宮楚王趙德芳撫養，後即位是爲仁宗。劉后疑仁宗係李妃之子，痛拷寇承御，寇觸階死，終無一言。仁宗密詢陳琳，查明眞相，封寇宮人墓，賜陳琳田宅，念劉后有恩，奉養如舊，而尊生母李氏爲太后。故事與正史不相合，但流傳已久，今皮黃有狸貓換太子、金水橋等劇，即演此事。

(85) 趙氏孤兒大報仇雜劇一卷，元紀君祥撰。五折，前加楔子。題目：「公孫杵臼恥勘問」，正名：「趙氏孤兒大報仇」。演程嬰、公孫杵臼救趙氏孤兒，越二十年得殺屠岸賈而報積仇。事見於春秋、左傳、國語、史記等，明徐元八義記傳奇本於此。

(86) 感天動地竇娥寃雜劇一卷，元關漢卿撰。四折，前加楔子。題目：「秉鑑持衡廉訪法」，正名：「感天動地竇娥寃」。此卷缺第二十五葉一葉。演竇娥事，竇娥係蔡婆婆兒媳，蔡子死，婆婆改嫁張老，張子驢兒欲佔竇娥爲妻，娥不從，遂下毒羊肚湯內，欲害死蔡婆，誣害竇娥，不料湯爲張老所食，竇娥屈招受刑，行刑日六月飛雪，卒得昭雪寃情。明葉憲祖有金鎖記傳奇，清袁令昭有金鎖記傳奇，皮黃戲有六月雪，即演竇娥被斬一折。

(87) 梁山泊李逵負荊雜劇一卷，元康進之撰。四折，題目：「杏花莊王林告狀」，正名：「梁山泊李逵負荊」。此劇一名杏花莊，演李逵事。宋剛、魯智恩冒梁山宋江、魯智深名，掠杏花莊酒家王林女滿堂嬌，李逵聞之，持斧入寨，欲殺宋江及魯智深，至王林家問知非宋、魯所爲，逵慚懼負荊請罪。撰者康進之，元棣州人，所作雜劇，今存此一種。

(88) 蕭淑蘭情寄菩薩蠻雜劇一卷，明賈仲名撰。四折，題目、正名及劇情詳見 15165 元人雜劇選第 16 種。

(89) 錦雲堂暗定連環計雜劇一卷，元不著撰人。四折，題目：「銀台門詐傳授禪文」，正名：「錦雲堂暗定連環記」。劇情詳見 15163 明息機子編雜劇選第 15 種。

(90) 羅李郎大鬧相國寺雜劇一卷，元張國賓撰。四折，第一折前後均加楔子。題目：「莽湯哥險釘遠鄉牌」，正名：「羅李郎大鬧相國寺」。蘇文順、孟倉士各喪偶，欲入都應試，蘇以女定奴，孟將子湯哥，寄於友人羅李郎家，羅視爲己出，并促成兩人姻緣，使兩家父子祖孫夫婦團圓。羅李郎蓋姓李，贅羅氏，又以織羅爲業，故呼羅李郎，劇亦以人爲名。

(91) 看錢奴買寃家債主雜劇一卷，元鄭廷玉撰。四折，前加楔子。題目、正名及劇情詳見 15163 明息機子編雜劇選第10種。

(92) 都孔目風雨還牢末雜劇一卷，元李致遠撰。四折，前加楔子。題目：「李山兒生死報恩人」，正名：「都孔目風雨還牢末」。演李逵招劉唐、史進入夥，殺孔目李榮祖妾蕭娥及奸夫趙令吏事，借用水滸中姓名而無其事。撰者李致遠，或云馬致遠作，曲海總目提注稱「應是無名氏作品」。

(93) 洞庭湖柳毅傳書雜劇一卷，元尙仲賢撰。四折，前加楔子。題目：「涇河岸三娘訴恨」，正名：「洞庭湖柳毅傳書」。劇情詳見 15165 元人雜劇選第 5 種。

(94) 風雨像生貨郎旦雜劇一卷，元不著撰人。四折，題目：「抛家失業李彥和」，正名：「風雨像生貨郎旦」。記長安李彥和娶妓張玉娥，與當差人魏邦彥有私，害彥和及其子春郎，乳母張三姑爲唱貨郎兒張㦖古收作義女，以彥和事編成貨郎曲十二回教三姑唱，適與春郎相遇，遂得團圓。

(95) 望江亭中秋切鱠雜劇一卷，元關漢卿撰。四折，題目：「清安觀邂逅說親」，正名：「望江亭中秋切鱠」。劇情詳見 15163 明息機子編雜劇選第 4 種。

(96) 馬丹陽三度任風子雜劇一卷，元馬致遠撰。四折，題目：「甘河鎮一地斷葷腥」，正名：「馬丹陽三度任風子」。記任屠（號曰風子從馬眞人成道事，馬眞人道號丹陽，王眞人嚞之弟子，所謂丘、劉、潭、馬、郝、孫、王之一也。

(97) 薩眞人夜斷碧桃花雜劇一卷，元不著撰人。四折，前加楔子。題目：「張明府醉題靑玉案」，正名：「薩眞人夜斷碧桃花」。劇情詳見 15163 明息機子編雜劇選第21 種。

(98) 沙門島張生煑海雜劇一卷，元李好古撰。四折，題目：「石佛寺龍女聽琴」，正名：「沙門島張生煑海」。演張羽與瓊蓮事。張羽淸夜撫琴，有東海龍王第三女瓊蓮聞琴聲來聽，兩相愛慕，訂羽於中秋夕至海上，招爲婿。及期，羽遇道姑，贈羽銀鍋一，金錢一，鐵杓一，令舀海水，投錢於鍋煑之，鍋中水淺則海水亦淺，龍王乃招羽爲婿。羽與瓊蓮乃瑤池上金童玉女，遂相携上昇。撰者李好古，元保定人，所撰雜劇，今樂考證載錄三種，今存張生煑海一種，而尙仲賢亦有此目。

(99) 包待制智賺生金閣雜劇一卷，元武漢臣撰。四折，前加楔子。題目：「李幼奴攧傷似玉顏」，正名：「包待制智賺生金閣」。劇情詳見 15163 明息機子編雜劇選第18 種。

(100) 馮玉蘭夜月泣江舟雜劇一卷，元不著撰人。四折，劇末有缺葉。記馮鸞携妻田氏及子女赴任，爲巡江官屠世雄所害，刼田氏而去，其女玉蘭藏舵底得存，爲都御史金奎所救，卒收世雄斬之，送田氏母女歸本籍。案劇中有清江浦，乃明朝永樂十年平江伯陳瑄所開，又云都御史金奎巡撫江南，凡此皆明時地名官制，恐係明永樂、宣德以後人所作，託名爲元人者。

以上總計雜劇100卷100種，明臧懋循編。懋循字晉叔，明長興人。萬曆進士，官南國子監博士。其人博聞強記，輯有元曲選，卽此集。自著有負抱堂集。

15167 又一部 一百卷一〇〇册

此部紙質脆弱，版口裂開，已不易翻閱。版本與前部相同，所收雜劇百種內容亦同，所不同者，圖、序、論，刋在卷前，其刋刻依次如下：

㈠ 萬曆 43 年臧晉叔序（序於西湖僧舍）。

㈡ 目錄。（亦分甲乙丙丁等十集）

㈢ 圖 224幅，單面，圖右上方有目，每劇約刋圖二幅。

㈣ 萬曆丙辰（ 44 年）臧晉叔序（缺首葉）。

㈤ 元曲論，包括音律宮調、元群英所撰雜劇目、元知音善歌者三十六人名氏、天台陶九成論曲、燕南芝庵論曲、高安周挺齋論曲、吳興趙子昂論曲、丹丘先生論曲、涵虛子論曲等多種。

㈥ 目錄（與第二項目錄相同，鈔配一葉）。

㈦ 雜劇一百種。

書中鈐有「國立中央圖書館收藏」朱文方印，「希古右文」朱文方印，「山陰□□錢氏家藏」朱文方印。

15168 又一部 一〇〇卷五十二册

版本、版式俱與前同。扉葉刻「雕蟲館校定」「元人雜劇百種」「本衙藏板」三行，此葉上鈐朱文木記二枚，右下角鈐：「如有翻刻，千里必究。」左上方鈐：「是書向屬精工久矣膾炙人口不幸共燹播選遂多遺缺今特鳩工鐫補全備隻字無訛識者自能鑒之」。其次萬曆 43 年臧晉叔序，再次目錄，再次元曲論，包括音律宮調等三種，缺陶九成論曲等六篇。再次圖 224 幅，每圖單面。書中鈐有「國立中央圖書館收藏」朱文小長方印，「璧君藏書」朱文小長方印。

15169 又一部 一〇〇卷一〇〇册

此部與15166相同，無圖，前有萬曆 41 年臧晉叔序，係影抄配補，其次天台陶九成論曲等六種，影抄配，再次目錄，影抄配。書中鈐有「國立中央圖書館收藏」朱文小長方印。

15170 又一部 一〇〇卷二十六册

版本、行款等俱與前同。其刋列次第如下：

(一) 萬曆43 年臧晉叔序。

(二) 萬曆 44 年臧晉叔序。

(三) 目錄（亦分甲乙丙丁等十集）。

(四) 圖 224幅，每圖單面，圖上右方有目。

(五) 元曲論，包括陶九成論曲等九種。

(六) 雜劇一百種。

書中鈐有「國立中央圖書館收藏」朱文方印。「管理中英庚款董事會保存文獻之章」朱文長方印。

以上五部元曲選，以此部最完整無缺葉，亦無鈔配情形，序目亦不重複。

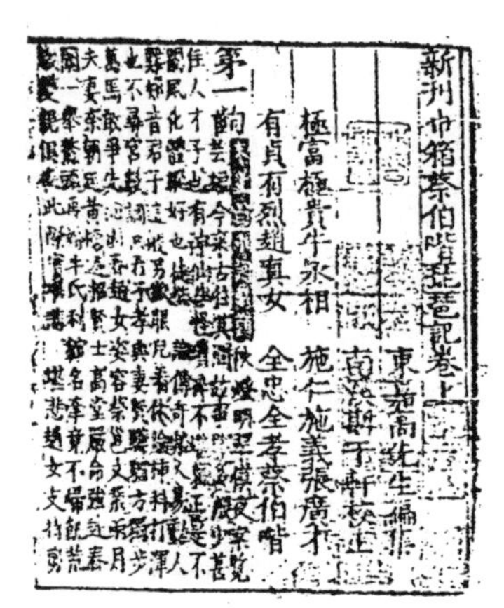

新刊巾箱蔡伯喈琵琶記卷上

極富極貴牛丞相　施仁施義張廣才

有貞有烈趙真女　全忠全孝蔡伯喈

15066　琵琶記　明初葉刊巾箱本

15115　嬌娘肖像（嬌紅記）陳洪綬繪圖
項南洲刻　明崇禎十二年刊本

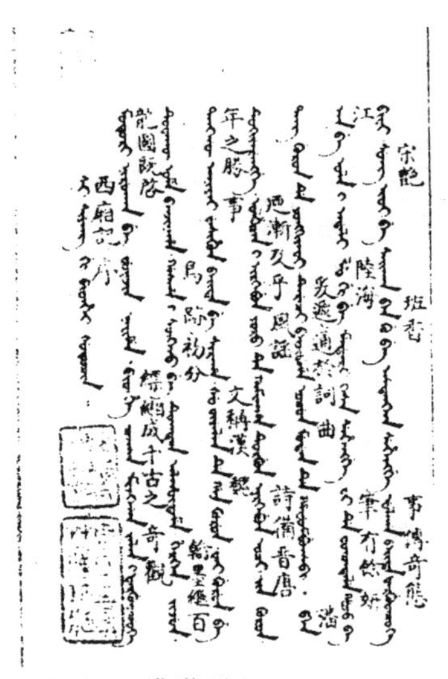

15053　滿漢西廂記　清精鈔本

15052　雙文小像（西廂記）
陳洪綬繪圖　項南洲刻　明末刊本

15171　會眞六幻記　十二卷十册

明閔齊伋編，明末致和堂刋本。前國立北平圖書館收藏，國立中央圖書館保管。匡高 21.7公分，寬 16公分。每半葉10行，每行 20字。科白小字雙行，每行亦 20字。雙欄，白口，版心上端刻劇名，下端刻卷次及葉碼，幷加小方匡以識別之。書中鈐有「北京圖書館藏」朱文方印，「閔印寓五」、「以字行」白文方印，「寓五」白文方印，「三山謏客」白文方印。

此集收有：

唐元稹撰會眞記一卷

金董□撰董解元西廂記二卷

元王實甫撰王實父西廂記四卷

元關漢卿撰關漢卿續西廂記一卷

明李日華撰李日華南西廂二卷

明陸采撰陸天池西廂記二卷

附明閔齊伋撰五劇箋款一卷

閔齊伋，明烏程人，字寓五，以字行。世傳朱墨套印本，皆其所刻，謂之「閔刻本」，或簡稱「閔本」。又與即空觀主人淩濛初合作印書，編纂之事常屬淩氏，而雕寫必屬閔家。此集係明末致和堂刋本，經閔氏收藏。茲依次述其內容如下：

一、扉葉總題「會眞六幻」朱筆篆字，下鈐「閔印寓五」、「以字行」白文方印。右題元才子會眞記，董解元西廂記，王實甫西廂記，關漢卿續西廂記，李日華南西廂記，以及陸天池南西廂記，墨書正楷六行。

按：此葉初看手平書，再看類似朱墨套印。套印爲閔家專長，此書既鈐有閔氏收藏章，刻一套印葉加之卷首，亦屬可能。

二、閔齊伋撰會眞六幻序一篇，所收六種西廂記各冠以「幻因」、「搊幻」、「劇幻」、「賡幻」、「更幻」「幻住」六幻字，是爲會眞六幻記之命名由來。下署「三山謏客閔寓五」，寓五卽閔氏之字。

三、元稹會眞記一卷，敍張生與鶯鶯相會始末。

四、元稹會眞詩。包括：古艷詩二，鶯鶯詩一，離思詩五，春曉一，古決絕詞一，雜憶詩五，贈雙文一，感事詩一，憶事詩一，夢遊春詞一。附：白居易和微之夢遊春詩百韻，杜牧題會眞詩三十韻，沈亞之春詞酬元微之，李紳鶯鶯歌。

五、會眞賦。方諸生撰千秋絕艷賦一篇。

六、會眞說。包括王銍、范攄、陶宗儀、王弇洲、胡元瑞，以及凌初成各家考述。

七、錢塘夢一卷，記司馬猷夢與美女相會事。女歌蝶戀花「妾本錢塘江上住」半闋，猷夢醒續成下半闋，末句云「夢回明月生西浦」云云。

八、閔氏題西廂一篇，下署「三山謏客閔寓五」，鈐有「寓五」、「三山謏客」白文方印。

以上與會眞記合訂一册。

九、董解元西廂記二卷，金董□撰，二册。諸宮調形式，不分齣目。參見 15049 閔刋朱墨套印本董解元西廂記。

十、王實父西廂記四卷，元王實甫撰，二册。卷前有目次，分四本，每本四折，共十六折，草橋驚夢止。

十一、關漢卿續西廂記一卷，元關漢卿撰。一册。續草橋以後事共四折，目次作：泥金報捷、尺素緘愁、詭謀求配、衣錦還鄉。

附：圍棋闖局一折，題元晚進王生（名未詳）撰。演鶯鶯紅娘月下對奕，張生踰牆事。王生不詳何人，編者按語云：「豈實父之後，又出一晚進王耶？抑其人意在左關右王而爲是也。耳食者因此便有關前王續之說。然圍棋之詞，板直淡澀，不唯遠遜實父，亦大不逮漢卿，其爲另一晚進無疑。姑附諸此，用博詞家彈射。

附：五劇箋疑一卷，閔齊伋撰。題「湖上閔遇五戲墨」，將王西廂及關續西廂共五本，逐折注疏校釋，以舊本原有注釋，諸家頗有異同，今又重新箋釋，故稱五劇箋疑。

十二、李日華南西廂二卷，明李日華撰，二册。記張生與崔鶯鶯事，據王本北曲改編。汲古閣六十種曲本收有此劇，齣目與此不全相同，此本共三十八齣，較汲古閣六十種曲本多四齣。

1.家門始末	2.河梁送別	3.停喪蕭寺
4.應擧登途	5.佛殿奇逢	6.邂逅邀紅
7.琴紅嘲謔	8.紅傳生語	9.隔牆酬和
10.鬧攘齋壇	11.彪賊起兵	12.急報賊情
13.許親救厄	14.衝圍拼命	15.投書帥府
16.白馬解圍	17.排宴喚厨	18.遣婢請生
19.畔盟府怨	20.琴心寫恨	21.錦字傳情
22.窺簡玉台	23.情詩暗許	24.臨期反約
25.書齋問病	26.兩地相思	27.重訂佳期
28.潛出閨房	29.良宵雲雨	30.堂前巧辯
31.長亭別恨	32.驚夢草橋	33.選士春闈

34.京都寄緘　　35.泥金報捷　　36.回音喜慰
37.設詭求親　　38.衣錦榮歸

十三、陸天池南西廂二卷，明陸采撰。二册。記張生與鶯鶯事，起自與杜將軍相別，止於榮歸完聚。共三十七折，卷前有陸采自序。

1.提綱	2.別杜	3.遣鄭	4.秋閨
5.旅晤	6.遇艷	7.投禪	8.賡句
9.附齋	10.嘯聚	11.閨情	12.遘難
13.請援	14.解圍	15.邀謝	16.負盟
17.衍諢	18.寫怨	19.傳書	20.省簡
21.初期	22.踰垣	23.寄方	24.饒舌
25.重訂	26.赴約	27.就歡	28.說合
29.傷離	30.入夢	31.擢第	32.報捷
33.設詭	34.緘回	35.再負	36.榮歸
37.完聚			

附園林午夢一折，李開先撰。演漁父夢崔鶯鶯與李亞仙，紅娘與亞仙侍婢對答辯事。

以上共計十二卷十册，除會眞記爲唐人傳奇，餘五種皆金元明曲，彙爲一書，極便觀覽。唯六幻之名取意不明，是爲缺憾。此書版幅較寬大，內襯宣紙，外以藍絹裱封，黃絲線包角裝訂，書紙雖微黃，然不失古雅之風。

15172 又一部 十二卷 八册

此書行款，版式內容俱與前相同，亦致和堂刋本，前國立北平圖書館收藏，國立中央圖書館保管。前書裝成十册，此部裝成八册，即王西廂與李日華南西廂，原各訂成二册，此合訂爲一册。此部書前有扉葉，刻：「三山謏客閔寓五校」、「六幻西廂記」、「附詩賦說夢，圍棋闖局，五劇箋疑，園林午夢」「致和堂藏版版」三行。又錢塘夢之後缺閔氏題西廂一篇，以上係與前部相異之處。

書中鈐有「國立北平圖書館收藏」朱文方印，「明善堂珍藏書畫印記」朱文長方印。

按：明善堂爲清宗室奕繪之齋室名，又清武陵胡統虞、清華亭徐禎稷，亦以此名其書室。

15173　元明雜劇　存五種　五卷一册

不著撰人，鈔本。前東北大學收藏，國立中央國書館保管。書長 35 公分，寬 19 公分。每半葉十行，每行鈔 31 字，字體正楷。

所收雜劇五種，元明時人撰。書中鈐有「國立中央圖書館保管」朱文方印，「二味齋主人藏曲印」。

茲將五種曲分別敍述於後：

⑴ 忠義士豫讓吞炭一卷，元楊梓撰。四折，演豫讓刺趙襄子以報智伯事。題目：「趙襄子避兵逃難，張孟談興心反間」，正名：「貪地土智伯滅身，忠義士豫讓吞炭」。

此劇今樂考證列入無名氏一百種之中。

⑵ 宋太祖龍虎風雲會一卷，明羅本撰。四折，演宋太祖趙匡胤事。題目：「伏降四國咨謀議，雪夜親臨趙普第」，正名：「君相當時一夢中，今朝龍虎風雲會」。

參見15163雜劇選第⑪種。

⑶　龍濟山野猿聽經一卷，元不著撰人。四折，加楔子。演龍濟山普光寺修公禪師講經山中，玄猿聞經多年，得悟道妙，變幻人形，改名袁遜，後修成正果，得升天界。題目：「大惠堂修公設講」，正名：「龍濟山野猿聽經」。

⑷　灌將軍使酒罵座記一卷，明葉憲祖撰。四折，演灌夫以罵座得罪武安侯田蚡，遇禍而死，後活捉田蚡以洩恨。題目：「田丞相斷心攬禍，李少君招神謝過」，正名：「魏其侯救友爭朝，灌將軍使酒罵座」。

此劇題「斛園居士」撰，斛園居士，明葉憲祖之別署。

⑸　金翠寒衣記一卷，明葉憲祖撰。四折，演金定與妻劉翠翠事。金定夫婦因亂相失，翠翠爲李將軍所得，金定訪知之，以兄妹禮相見，藉寒衣傳遞詩簡，卒爲徐達斷歸團圓。金詩云：「好花移入玉欄干，春色無緣得再看，樂處豈知愁處苦，別時雖易見時難，何年塞上重歸馬，此夜庭中獨舞鸞，霧閣雲宵深幾許，可憐辜負月團團。」翠和詩曰：「一自鄉關動戰鋒，舊愁新恨幾重重，腸雖已斷情難斷，生不相從死亦從。長使德言藏破鏡，終教子建賦游龍，綠珠碧玉心中事，今日誰知也到儂。」兩人以詩明志，卒得團圓。題目：「李將軍強諧鶯燕，徐元帥打合鸞鳳」，正名：「金秀才寒衣暗寄，劉翠翠寶鏡重光」。

以上共計五種，五卷一册。

15174　繡刻演劇　存四十五種　一百十三卷四十五册

明不著編人，明金陵書坊分刊合印本。前國立北平圖書館收藏，國立中央圖書館保管。

此劇集原有十套，每套十種，共計六十種，此部不全，僅存四十五種，由金陵書坊分刋合印。金陵書坊包括唐氏富春堂、唐氏世德堂、文林閣、文秀堂等家。所存四十五種劇中，以富春堂所刻最多，而文林閣次之。而每家書坊所刻各劇本，亦有各家共同形式：

富春堂：版匡高 19.5 公分左右，寬 13.1 公分。花欄，白口，黑魚尾。半葉10行，每行 21 字。有圖，單面。

文林閣：版匡高 21 公分左右，寬 14.5 公分。單欄，白口，無魚尾，有眉欄。每半葉 11 行，每行 20 字。有圖，多半雙面。

世德堂：版匡高 21.5 公分左右，寬 13 公分。單雙欄不拘，白口，黑魚尾，有眉欄。每半葉 8 行，每行21 字。有圖，單面。

今依次分述四十五種劇如後：

(1) 趙氏孤兒記二卷，不著撰人，陳氏尺蠖齋訂釋，明繡谷世德堂刋本。匡高 21.5 公分，寬 13 公分，左右雙欄。每半葉 8 行，每行21 字，小字雙行，每行亦 21 字。白口，黑魚尾，有眉欄，眉欄內刻注釋。有圖，殘存十三幅。每圖單面，圖目頂端橫排，缺二幅，在卷下第 15 葉下半及第 26 葉上半葉。

劇演公孫杵臼、程嬰等救趙氏孤兒，二十年後殺屠岸賈而報仇事。元紀君祥有趙氏孤兒雜劇，明徐元有八義記，皆演此事。此本不知撰人，凡四十四齣，卷前有目錄。

1. 傳末開場	2. 趙朔放燈	3. 周堅貰酒
4. 王婆追債	5. 朔收周堅	6. 堅留門下

7.賈妻勸夫	8.趙質勸農	9.翳桑救輒
10.張維諷諫	11.闈幃敍樂	12.割截人手
13.趙屠爭辨	14.折遣鉏行	15.鉏麑觸槐
16.賈計不遂	17.趙府占夢	18.嗾獒計定
19.輒負盾逃	20.彌明擊犬	21.周堅替死
22.奸雄得意	23.宮中悲嘆	24.程嬰辭臼
25.賈計害孤	26.報產孤兒	27.朔遇靈輒
28.計脫孤兒	29.榜募孤兒	30.嬰計存孤
31.嬰杵共謀	32.程嬰首孤	33.公孫死難
34.公主聞信	35.靈輒傳疑	36.山神點化
37.朔議下山	38.陰陵思憶	39.趙朔雲遊
40.北邙會獵	41.陰陵聚會	42.幽魂索命
43.指說寃枉	44.孤兒報寃	

卷首大題「新刋重訂出像附釋標注音釋趙氏孤兒記某卷」，次行三行低十一字分別題「姑孰陳氏尺蠖齋訂釋」、「繡谷唐氏世德堂校梓。」

⑵ 雙鳳記二卷，明陸華甫撰，明繡谷唐氏世德堂刋本。匡高 21.8 公分，寬 13.5 公分。雙欄，白口，黑魚尾。半葉 9 行，每行 23 字，小字雙行，每行亦 23 字。此本與世德堂 8 行 21 字規格不盡相同。有圖，殘存 24 幅，單面，圖目頂端橫排。缺五、六幅，分別在卷上第 4 葉下半葉，第 32 上半葉，第 45 上半葉；卷下第 23 上半葉，第 34 下半葉。

劇演趙范、趙葵兄弟破李全事，事見宋史，劇中亦有增飾點綴。因兄弟皆立功，故曰雙鳳齊鳴記。全劇凡四十二齣，無目錄。卷首大題「新刻出像雙鳳齊鳴記卷之幾」，次行低十四字刻「陸華甫之纂」。

撰者陸華甫，名不詳，明江蘇金陵人，生平事蹟不可考，僅雙鳳記傳奇傳世。

⑶ 珍珠記二卷，明不著撰人，明文林閣刋本。匡高21.2公分，寬14.5公分。單欄，白口，有眉欄，無魚尾。每半葉11行，每行20字，小字雙行，每行亦20字。有圖三幅，雙面，刻繪較富春堂爲精。

劇演高文擧與妻王氏女金眞事。文擧得中狀元，奸相逼爲贅婿，原配王氏因珍珠半顆，得與文擧相認，夫婦團圓。劇凡二十三齣，卷前有目錄。

1.開場	2.自嘆	3.慶壽	4.施財
5.贅婿	6.講學	7.赴試	8.登途
9.較藝	10.勒贅	11.接報	12.聞報
13.經筵	14.顯示	15.遇虎	16.被責
17.憶別	18.藏珠	19.詢奴	20.逢夫
21.訴寃	22.謝恩	23.團圓	

卷首大題「新刻全像高文擧珍珠記卷某」。

⑷ 投筆記四卷，明丘濬撰，羅懋登註釋，明文林閣刋本。匡高21.7公分，寬14.3公分。單欄，白口，無魚尾，有眉欄，眉欄中刻音釋。每半葉11行，每行20字，小字雙行，亦20字。有圖，殘存一幅，雙面。缺 十幅左右（在卷一1下2上，9下10上，17下18上，卷二1下2上，11下12上，卷三1下2上，9下10上，17下18上，卷四1下2上，21下22上）。

劇演班超投筆從戎事，與後漢書本傳多相合。元高文秀等有忠義士班超投筆雜劇。此劇凡三十九齣，卷前有目錄，目錄末尾刻「二南里人羅懋登註釋」一行。

1.家門始末	2.持觴稱壽	3.議武習射
4.命子求名	5.良朋荐友	6.投筆空回
7.采椹供姑	8.華山相問	9.辭母求官
10.談兵見用	11.遠征西域	12.母妻問卜
13.不辱君命	14.忌功揑奏	15.夷邦酹月
16.忠良受害	17.保友家眷	18.爲友辭親
19.班母患病	20.匈奴作反	21.定謀破虜
22.火破匈奴	23.鄯善納款	24.上表訟寃
25.寄書慰母	26.割股奉姑	27.出關尋友
28.姑婦脫罪	29.出獄得書	30.責友殞情
31.尋姑上表	32.奇兵服遠	33.登山涉水
34.姑嫂相會	35.姑嫂交章	36.兵權托友
37.奉詔榮歸	38.郵亭相會	39.封贈團圓

卷首大題「重校投筆記某卷」。

⑸ 錦箋記二卷，明周履靖撰，明文林閣刋本。匡高 21 公分，寬 14.5 公分。單欄，白口，有眉欄，無魚尾。半葉11行，每行 20字，小字雙行，每行亦 20字。附圖，雙面，全缺（卷上1下2上，15下16上，27下28上，卷下2下3上，13下14上）。

劇演梅玉與柳淑娘事，詳見 15175 六十種曲第⑷種。此本卷前有目錄，凡四十齣，卷首大題「重校錦箋記某卷」。

⑹ 玉玦記四卷，明鄭若庸撰，謝天祐校，明萬曆辛巳（九年）金陵富春堂刋本。匡高 19.1公分，寬13 公分。花欄，

白口，黑魚尾。所謂花欄，卽版匡四周刻有雲雷花紋，此爲富春堂所刻劇本特徵，俗稱花邊本。每半葉 10 行，行 21 字，小字雙行，每行亦 21 字。有圖 30 幅，單面，圖目頂端橫排。

劇演王商事，凡三十六齣，不刻齣目，亦無目錄。劇情等詳見 15175 六十種曲第⑷⑸種。

卷首大題「新刻出像音註釋義王商忠節癸靈廟玉玦記某卷」，次行三行低十字分別題「豫章敬所謝天祐校」、「金陵對溪富春堂梓」。書尾有「萬曆辛巳夏月金陵唐對溪梓」牌記。

⑺ 義俠記二卷，明沈璟撰，明文林閣刊本。匡高 21.1 公分，寬 14.5 公分。單欄，白口，有眉欄，無魚尾。每半葉 11 行，每行 20 字，小字雙行，每行亦 20 字。附圖，雙面，圖全缺。缺圖在卷上 1 下 2 上，11 下 12 上，22 下 2 上，卷下 3 下 4 上，16 下 17 上，32 下 33 上。

劇演武松事，凡三十六齣，卷前有目錄。詳見 15175 六十種曲第五十種。

卷首大題「重校義俠記卷某」。

⑻ 魚籃記二卷，明不著撰人，明金陵書舖唐氏刊本。匡高 21 公分，寬 14.3 公分。單欄，白口，有眉欄，無魚尾。半葉 11 行，每行 20 字。小字單行，亦 20 字。卷前有目錄，凡三十二齣。附圖，雙面，圖全缺。缺圖在卷上 1 下 2 上，11 下 12 上，卷下 1 下 2 上，9 下 10 上，19 下 20 上。

劇演張眞與金氏女事。金氏園中有金鯉作祟，化作金女形貌，誘劉眞遁逃，金家父母不能辨別二女眞假，後金鯉爲觀音大士收入魚籃之中。

1.始末開場　　2.祝金寵壽　　3.夫人登舟

4. 邀往當山	5. 當山顯應	6. 二氏求嗣
7. 張金求嗣	8. 夫婦取名	9. 賀生牡丹
10.鯉魚變化	11.張公訓子	12.公子拜門
13.隱藏眞形	14.小姐玩賞	15.牡丹慶壽
16.摘斷花心	17.父母問病	18.趕回張眞
19.二女難分	20.包公斷問	21.懇詰城隍
22.操練鱉將	23.天將敗回	24.神兵出陣
25.魚精逃遁	26.蝦鱉逃生	27.魚精自嘆
28.觀音收精	29.包公判還	30.別赴春闈
31.春闈考試	32.合巹團圓	

卷首大題「新刻全像觀音魚籃記卷幾」，次行低十一字題「金陵書舖唐氏梓行。」

(9) 袁文正還魂記一卷，明不著撰人，明金陵唐錦池刋本。匡高 21.2 公分，寬 14.5 公分。單欄，白口，有眉欄，無魚尾。每半葉 11 行，每行 20 字，小字雙行，每行亦 20 字。有圖三幅，雙面。

劇演袁文正爲曹二藥酒毒害，妻韓氏告到包拯府，拯因袁生陽壽未絕，奏請聖上開金庫以溫涼帽救之還魂。全劇二十七齣，卷前有目錄：

1. 開場始末	2. 文正自嘆	3. 玩賞新春
4. 下山打擄	5. 共賞千金	6. 夫妻玩賞
7. 金贈赴學	8. 夫妻登程	9. 晚投宿店
10.玩賞龍舟	11.夫妻感嘆	12.謀害文正
13.包府放告	14.賀建皇府	15.鬼風顯應
16.岳廟訴寃	17.奏貶曹親	18.別母登程

19.托夢救妻　　20.逃回舊店　　21.秀英訴寃
22.兄弟回京　　23.秀英告狀　　24.回見母親
25.國母見后　　26.棄職遇仙　　27.團圓受封

卷首大題「新刻全像包龍圖公案袁文正還魂記卷幾」，次行低九字題「金陵唐錦池梓行」。

⑽　忠孝記四卷，明丘濬撰，游氏興賢堂重訂，繡谷唐氏世德堂刋本。匡高 22 公分，寬 13.1 公分。白口，黑魚尾，有眉欄，邊匡或雙或單。每半葉8行，每行 21字，小字雙行，每行亦 21 字。有圖，殘存十五幅，單面，缺八幅左右，在卷二5下，卷三1下、6下，卷四1下，6上，11下，16上，17下，33下。

劇演伍倫全、伍倫備一家忠孝節義事。凡二十九齣，卷前無目錄。

1.副末開場　　2.兄弟遊玩　　3.延師教子
4.施門訓女　　5.一門爭死　　6.央媒議親
7.遣子赴科　　8.哭親喪明　　9.爲國求賢
10.兄弟同登　　11.衣錦榮歸　　12.禮行親迎
13.感天明目　　14.慶壽萱親　　15.兄弟赴任
16.欲進諫章　　17.問民疾苦　　18.荐師遭貶
19.取妾送夫　　20.倫全被虜　　21.姑媳聞音
22.兄弟急難　　23.割肝救姑　　24.誠心感虜
25.率夷歸降　　26.同歸守制　　27.備掌朝綱
28.全統邊寧　　29.會合團圓

卷首大題「新刋重訂附釋標註出相伍倫全備忠孝記某卷之幾」，次行三行四行分別低十一字題「星源游氏興賢堂重訂」，「

撫東王氏蜚英堂參閱」、「繡谷唐氏世德堂校梓」。

⑾ 還魂記四卷，明湯題祖撰，明文林閣刋本。匡高 21公分，寬 14.4 公分。單欄，白口，有眉欄，無魚尾。每半葉11行，每行20字，小字雙行，每行亦20字。附圖，雙面，圖全缺。缺圖在卷一2下3上，16下17上，26下27上，卷二2下3上，13下14上，24下25上，卷三8下9上，28下29上，卷四18下19上，26下27上，卷前有目錄，凡五十五齣，演柳夢梅與杜麗娘事。
參見15096～15100各種還魂記。
卷首大題「新刻牡丹亭還魂記卷幾」。

⑿ 玉簪記二卷，明高濂撰，明文林閣刋本。匡高 19公分，寬 14.5 公分。單欄，白口，有眉欄，無魚尾。每半葉11行，每行20字，小字雙行，每行亦 20 字。有圖，單面，殘存三幅，缺八幅左右，在卷上13下，19下，26下，卷下1下，7下，14上，20上，26上。卷前有目錄，凡三十四齣，演陳妙常潘必正事。詳見15175 六十種曲第⒁種。此本校六十種曲本多一齣，齣目亦略有出入：

1.家門正傳	2.潘公遣試	3.兀朮南侵
4.陳母遇難	5.避難投庵	6.于湖借宿
7.陳母投親	8.談經聽月	9.西湖會友
10.弈棋挑逗	11.邸郎鬧會	12.必正投姑
13.邸郎求配	14.茶敍芳心	15.于湖破賊
16.絃裡傳情	17.旅邸相思	18.媒姑議親
19.詞姤私情	20.媒姑造計	21.姑阻佳期
22.知情逼試	23.秋江哭別	24.春科會擧

25.兩母思兒	26.金門獻策	27.香閣相思
28.發書登第	29.定計迎姑	30.結告婚姻
31.接書會案	32.榮歸見姑	33.燈月迎婚
34.合家重會		

卷首大題「重校玉簪記某卷」。

⒀ 紅拂記二卷，明張鳳翼撰，明文林閣刋本。匡高 20.8 公分，寬 14.5 公分。單欄，白口，無魚尾，有眉欄。每半葉 11 行，每行 20 字，小字雙行，每行亦 20 字。有圖，殘存一幅，雙面。缺圖八幅左右，在卷上 8 下 9 上，16 下 17 上，23 下 24 上，29 下 30 上，卷下 1 下 2 上，8 下 9 上，15 下 16 上，31 下 32 上。卷前有目錄，凡三十四齣，演紅拂與李靖事。詳見 15175 六十種曲第⒂種。

卷首大題「重校註釋紅拂記」。目錄末行刻「二南里人註釋」，按：二南里人卽明人羅懋登。

⒁ 胭脂記二卷，明不著撰人，明文林閣刋本。匡高 21.2 公分，寬 14.5 公分。單欄，白口，無魚尾，有眉欄。每半葉 11 行，行 20 字，小字雙行，每行亦 20 字。附圖六幅，雙面，圖全缺。缺圖在卷上 2 下 3 上，10 下 11 上，22 下 23 上，卷下 3 下 4 上，14 下 15 上，25 下 26 上。

劇演郭華與王月英事，郭華以買胭脂得與月英成婚配，故名。元曾瑞有王月英元夜留鞋記雜劇，卽演此事。凡四十一齣，卷前無目錄。

1.開場	2.赴試	3.搆嚷	4.傷春
5.登途	6.整舖	7.寓旅	8.奇遇
9.閨訓	10.思子	11.思買	12.買脂

13.問卜	14.洗胭	15.求婚	16.戲英
17.母病	18.焚香	19.降籤	20.賞雪
21.新春	22.濟貧	23.相思	24.傳柬
25.窺柬	26.柬約	27.黃勇	28.尋子
29.酧恩	30.母嬉	31.伏虎	32.拉飲
33.張燈	34.赴約	35.華死	36.出首
37.思華	38.認鞋	39.勘問	40.判合
41.團圓			

卷首大題「新刻全像胭脂記卷幾」。

⒂ 玉合記二卷，明梅鼎祚撰，明金陵唐氏世德堂刋本。匡高 21.7 公分，寬 13 公分。單欄，白口，黑魚尾，有眉欄。每半葉 9 行，行 17 字，小字雙行，每行亦 17 字。有圖，殘存 16 幅，單面。每圖有目，頂端橫排，缺圖 16 幅左右，在上卷 1 下，5 上，16 下，20 上，26 上，47 下，52 下 ，56 下，下卷 1 下，4 上，8 上，26 上，36 上，43 上，47 下，53 上。

劇演韓翃與柳氏故事，凡四十齣。卷前有目錄，目錄附刻柳氏傳，本事詩，全唐詩話，崑崙奴傳等目，卷尾未見附錄。

此本有扉葉，題「繡刻演劇十本」，旁刻小字「第三套」及玉合記等十種劇名。每卷卷首大題「玉合記上（下）」，「金陵唐氏世德堂梓行」。目錄首行大題「新刻重訂出像附釋標註章台柳玉合記目錄」。

⒃ 雲台記二卷，明不著撰人，明文林閣刋本。匡高 21.5 公分，寬 14.5 公分。單欄，白口，無魚尾，有眉欄。半葉 11 行，每行 20 字，小字雙行，每行亦 20 字。有圖，殘存一幅，

雙面。缺二幅，在上卷11下12上，30下31上。無目錄，每齣亦不刻齣目，全劇四十四齣，演王莽更始間事，取雲台二十八將為名。此劇或云明薄俊卿撰。
卷首大題「新刻全像漢劉秀雲台記某卷」。

⑰ 驚鴻記二卷，明吳世美撰，陳氏尺蠖齋註釋，明繡谷唐氏世德堂刋本。匡高21.2公分，寬13公分。邊欄或單或雙，白口，黑魚尾，有眉欄。每半葉8行，每行21字，小字雙行，每行亦21字。有圖14幅，單面，圖目頂端橫排。劇演梅妃江采蘋事，妃吹白玉笛，作驚鴻舞，故名。據開元天寶遺事，梅妃實死於安祿山之亂，劇稱妃避跡尼庵，後復入宮，蓋傳奇家有意如此收場。凡三十九齣，卷前有目錄：

1.本傳提綱	2.梅亭私誓	3.相府稱觴
4.幽賞伏讒	5.君臣宴樂	6.壽邸恩情
7.花萼驚鴻	8.詭計陷梅	9.楊妃入宮
10.兩妃妬寵	11.權奸獻諛	12.興慶書娛
13.梅妃被貶	14.梨園演樂	15.學士醉揮
16.梅妃宮怨	17.洗兒賜錢	18.花萼霓裳
19.梅妃遺賦	20.楊妃曉粧	21.翠閣好會
22.祿山辭朝	23.七夕私盟	24.祿山叛逆
25.大駕幸蜀	26.胡宴長安	27.馬嵬殺妃
28.梅妃投觀	29.父老遮留	30.諸臣追薦
31.蜀道思妃	32.靈武破賊	33.大駕還宮
34.南內思妃	35.馬嵬移葬	36.入觀遇梅
37.香囊起悼	38.仙客蜀來	39.幽明大會

卷首大題「新鍥重訂出像附釋標註驚鴻記題評卷之幾」，次行

三行低十一字分別題「秣陵陳氏尺蠖齋註釋」、「繡谷唐氏世德堂校梓」。

撰者吳世美，字叔華，別署多口洞天人，明浙江烏程人。生平事蹟不詳，傳奇僅驚鴻記一種傳世。

⒅ 雙紅記二卷，明禹航更生編，明文林閣刋本。匡高21.2公分，寬 14.5公分。單欄，白口，有眉欄，無魚尾。半葉11行，行20字，小字雙行，每行亦20字。附圖，雙面，圖全缺，缺圖在卷上2下3上，15下16上，24下25上，卷下3下4上，14下15上，22下23上。

劇演紅綃與紅線故事，因二女俱有才智，又同以紅名，故名雙紅記。卷前有目錄，凡二十九齣：

1.家門顛末	2.贈弓答劍	3.奉詔臨凡
4.巧夕繡雲	5.千牛收僕	6.節度收妾
7.令公賞桂	8.記室草牋	9.圍棋思友
10.手語傳心	11.憶綃得俠	12.踰垣斃犬
13.月下盜綃	14.報亡驚俠	15.兩俠談心
16.承嗣打圍	17.洞房歡會	18.月下顯技
19.田營盜盒	20.薛帳回音	21.達書服暴
22.追憶仙踪	23.曲江偶遇	24.知風差捕
25.擒拏走失	26.別主仙遊	27.請友送妾
28.青門餞別	29.行滿昇天	

卷首大題「重校劍俠雙紅記卷某」。

撰者禹航更生氏，一作更生子，姓名，字號不詳，籍里及生平事蹟，皆不可考。著作僅雙紅記一種。

⒆ 四美記二卷，明不著撰人，明文林閣刋本。匡高21.3

公分，寬 14.5 公分。單欄，白口，無魚尾，有眉欄。每半葉11行，每行20字，小字雙行，每行亦20字。有圖殘存一幅，單面。缺七幅左右，在卷上12下，17下，27下，卷下1下，16下，24下，30下。

劇演蔡襄修洛陽橋事，以蔡家母子夫婦忠孝節烈，故名四美記。劇分四十三齣，卷前有目錄：

1. 究義	2. 會友	3. 祈禱	4. 降福
5. 別僧	6. 遇雨	7. 贈費	8. 赴選
9. 求賢	10.封王	11.邀回	12.報喜
13.被留	14.生子	15.被貶	16.嗟嘆
17.議親	18.不允	19.回話	20.割耳
21.從學	22.保親	23.訓女	24.赴選
25.登途	26.對策	27.封遼	28.迎親
29.訴情	30.司香	31.南還	32.訴情
33.造橋	34.回旋	35.訴情	36.畢姻
37.赴任	38.前白	39.助資	40.遞書
41.助力	42.占橋	43.團圓	

此本缺卷上首葉。目錄葉大題「重校四美記」，全書版心刻「全像音釋四美記」。

⑳ 蕉帕記二卷，明單本撰，明文林閣刋本。匡高 21.1公分，寬 14.5 公分。單欄，白口，有眉欄，無魚尾。每半葉11行，每行20字，小字雙行，行亦20字。附圖，雙面，圖全缺。缺圖在卷上4下5上，11下12上，20下21上，28下29上，38下39上，卷下2下3上，9下10上，16下17上，36下37上。

劇演龍驤與胡弱妹姻緣。詳見 15087 新刻五鬧蕉帕記。卷前有目錄，三十六齣。卷首大題「新刻五鬧蕉帕記卷幾」。

(21) 赤松記二卷，明不著撰人，明文林閣刋本。匡高 20.7 公分，寬 14.4 公分。單欄，白口，無魚尾，有眉欄。每半葉 11 行，每行 20 字，小字雙行，每行亦 20 字。附圖，雙面，圖全缺。缺圖在卷上 1 下 2 上，11 下 12 上，22 下 23 上，卷下 1 下 2 上，11 下 12 上，23 下 24 上。

劇演張良事。情節與千金記相似，千金記僅止於封齊王，此記幷敍其見誅事，又附入黃石公及商山四皓等以爲關目。按張良雖學辟穀導引輕身，未曾有仙去之事，作者艷慕神仙，因張良有欲從赤松子遊一語，遂作此記。凡四十一齣，卷前有目錄：

1.開場	2.出遊	3.訴苦	4.謀擊
5.遊幸	6.進履	7.望靜	8.失約
9.斬蛇	10.傳法	11.演武	12.投漢
13.玩月	14.問計	15.秦降	16.夜宴
17.獻讒	18.爲友	19.會宴	20.整衣
21.痛主	22.寄衣	23.追薦	24.妄報
25.起兵	26.敎歌	27.散楚	28.全節
29.追項	30.自刎	31.封贈	32.餞別
33.遇石	34.回家	35.擒信	36.訪道
37.誘信	38.殺信	39.拿何	40.途嘆
41.登仙			

卷首大題「新刻全像點板張子房赤松記卷幾」。

(22) 望雲記二卷，明金懷玉撰，明文林閣刋本。匡高20.6 公分，寬 14.4 公分。單欄，白口，有眉欄，無魚尾。每半葉

11行，每行20字，小字雙行，每行亦20字。有圖，殘存一幅，單面，缺七幅左右，缺圖在卷上1下，5上，16下，23上，卷下8上，15下，23下。

全劇三十八齣，演狄仁傑事。

1.家門始末	2.天恩存問	3.義方庭訓
4.與聖賢對	5.催赴春闈	6.他鄉遇故
7.力主蘋蘩	8.金榜題名	9.二部分顏
10.畢露肝膈	11.曲全友義	12.採蕨供親
13.陽關餞別	14.泥金捷報	15.望雲思親
16.貌似蓮花	17.與民除害	18.抗節不阿
19.力救無辜	20.南越起兵	21.奉勅招安
22.乞恩歸養	23.巡撫江南	24.輔國屠城
25.面叱奸邪	26.洞房花燭	27.刺心刎頸
28.欽取回朝	29.九月梨花	30.帝在房州
31.妖不勝德	32.賓王傳檄	33.敬業孤忠
34.桃李公門	35.夢祥鸚鵡	36.復召盧陵
37.返周爲唐	38.完名全節	

卷首大題「新刻狄梁公返周望雲忠孝記卷幾」，次行低十一字題「於越金懷玉輯」。

撰者金懷玉，字爾音，明浙江會稽人。生平事蹟今不可考。傳奇流傳有此望雲記一種，殘本有桃花記一種。存目有香毬記、寶簪記、繡被記、妙相記、完福記、摘星記、八更記、三槐記等八種。

(23) 古城記二卷，明不著撰人，明文林閣刋本。匡高 21公分，寬 14.5公分。單欄，白口，有眉欄。每半葉 11 行，每行20字，小字雙行，每行亦20字。有圖，六幅，雙面。

劇演劉先主徐州失散，曹孟德獨覇中原，關雲長秉燭達旦，古城中聚義團圓事。凡二十九齣，卷前有目錄：

1.始末	2.賞春	3.興師	4.迎敵
5.預兆	6.偸營	7.待刼	8.敗走
9.困野	10.權降	11.秉燭	12.落草
13.刼印	14.投紹	15.賜馬	16.斬將
17.遇飛	18.辭曹	19.議餞	20.受錦
21.附信	23.斬秀	23.誅福	24.救羽
25.洩計	26.服倉	27.不納	28.助鼓
29.團圓			

卷首大題「新刻全像古城記卷幾」。

⒇ 拜月亭記二卷，元施惠撰，明羅懋登註釋，明文林閣刋本。匡高22公分，寬14.5公分。單欄，白口，有眉欄。每半葉11行，每行20字，小字雙行，每行亦20字。附圖，雙面，圖全缺。缺圖在卷上1下2上，7下8上，15下16上，23下24上，31下32上，卷下1下2上，9下10上，19下20上，29下30上，39下40上。

劇演蔣世隆、蔣瑞蓮兄妹各遇良緣事。凡四十齣，每齣有釋義，卷首有目錄。

卷首大題「重校拜月亭記某卷」。

詳見15076拜月亭。

㉕ 虎符記二卷，明張鳳翼撰，明金陵唐氏富春堂刋本。匡高19.4公分，寬13.1公分。花欄，白口，黑魚尾。每半葉10行，每行21字，小字雙行，每行亦21字。有圖，20幅，

單面，圖目頂端橫排。

劇演花雲守太平事，凡四十齣，無齣目，卷前亦無目錄。
卷首大題「新刻出像音註花將軍虎符記某卷」，次行低九字題「金陵書坊富春堂梓」。
詳見15131虎符記。

(26) 白袍記二卷，明不著撰人，明金陵唐氏富春堂刋本。匡高19.3公分，寬13.1公分。花欄，白口，黑魚尾。每半葉10行，每行21字，小字雙行，每行21字。有圖15幅，單面，圖目頂端橫排。

劇演薛仁貴跨海征東故事，薛著白袍救駕，故名白袍記。凡四十六齣，無目錄及齣目。
卷首大題「新刻出像音註薛仁貴跨海征東白袍記某卷」，次行低九字題「金陵書坊富春堂梓」。

(27) 鸚鵡記二卷，明不著撰人，明金陵富春堂刋本。匡高19.5公分，寬13.1公分。花欄，白口，黑魚尾。每半葉10行，每行21字，小字雙行，每行亦21字。有圖25幅，單面，圖目頂端橫排。

劇演忠臣潘葛丞相，以妻李氏代蘇皇后死，救蘇后脫險，日後使太子與母相認，君王重迎蘇后回宮事。蘇后賜死事，因西番寶物白鸚鵡引起，故劇名鸚鵡記。凡三十二折，不刻齣目，亦無目錄。
卷首大題「新刻出像音註蘇英皇后鸚鵡記某卷」，次行低八字刻「金陵富春堂繡梓」。

(28) 紫簫記四卷，明湯顯祖撰，明金陵富春堂刋本。匡高19.5公分，寬13.3公分。花欄，白口，黑魚尾。每半葉10

行，每行21字，小字雙行，每行亦21字。有圖，存22幅，單面，缺2幅，在卷四22下，26下。

劇演李益與霍小玉事，以小玉拾得紫玉簫，故名。凡三十四齣，不刻齣目及目錄。詳見15175 六十種曲第(43)種紫簫記。

卷首大題「新刻出像點板音註李十郎紫簫記卷之幾」，次行三行四行低十二字分別題「臨川紅杲館編」、「新都綠筠軒校」、「金陵富春堂梓」。

(29) 玉環記四卷，明不著撰人，明金陵富春堂刋本。匡高19.4公分，寬13.1公分。白口，花欄，黑魚尾。每半葉10行，每行21字，小字雙行，每行亦21字。有圖，殘存4幅，單面，缺圖在卷一1下，6上，9上，21上，卷二1上，4上，6上，11上，15上，19上，卷三5下，12下，16下，20上，24上，卷四6下，9下，13上，20下。

劇演唐韋皐與玉簫姻緣，雜劇有喬吉玉簫女兩世姻緣，卽演此事。凡三十四齣，卷首有目錄，詳見15175 六十種曲第(53)種。

卷首大題「新刻出像音註唐韋皐玉環記某卷」，次行低九字題「金陵書林富春堂梓」。

(30) 灌園記二卷，明張鳳翼撰，明金陵唐氏富春堂刋本。匡高19.5公分，寬13.1公分。花欄，白口，黑魚尾。每半葉10行，每行21字，小字單雙行不拘，皆21字。有圖10幅，單面，圖目頂端排列。

劇演田法章事，三十齣，卷前有目錄。詳見15106 灌園記，與此本完全相同。

卷首大題「新刋音註出像齊世子灌園記卷之幾」，次行三行四行分別低五字題「西漢司馬子長析傳」、「大明張伯起氏彙編」、「金陵唐富春堂梓行」。

(31) 還帶記二卷，明沈采撰，明金陵唐氏富春堂刋本。匡高 19.5 公分，寬 13.1 公分。花欄，白口，黑魚尾。每半葉10行，每行 21 字，小字雙行，每行亦 21 字。有圖 18 幅，單面，圖目頂端橫排。劇演裴度香山拾帶還帶事，凡五十一齣，不刻目錄及齣目，卷尾有「金陵書坊唐氏富春堂刋」牌記。

卷首大題「新刻出像音註花欄裴度香山還帶記某卷」，次行三行低十字分別題「豫人謝氏敬所校」、「金陵唐氏對溪梓」。

(32) 白蛇記二卷，明鄭國軒撰，明金陵唐氏富春堂刋本。匡高 19.7 公分，寬 13.1 公分。花欄，白口，黑魚尾。每半葉 10 行，每行21字，小字雙行，每行亦21字。有圖，存25幅，單面，缺一幅，在卷下18上。

劇演劉漢卿救白蛇放生事。

卷首大題「新刻出像音註劉漢卿白蛇記卷之幾」，次行三行四行低六字分別題「浙郡逸士鄭國軒編集」、「書林子弟朱少齋校正」、「金陵三山富春堂梓行」。此本與15111白蛇記版本相同，且較完整，參見15111。

(33) 分金記四卷，葉良表撰，明金陵唐氏富春堂刋本。匡高 19.5 公分，寬 13.3 公分。花欄，白口，黑魚尾。每半葉10行，每行21字，小字單雙行皆21字。有圖，存21幅，單面，圖目頂端橫排，缺圖6幅左右，在卷一4下，卷二8上，卷三10下，16下，卷四11上，14下。

劇演管仲與鮑叔友義故事，大概據史記諸書，唯妻姜氏無所考，關目亦多係點綴。據云撰者因不遇知己，不見用於世，故借管鮑分金事以發之，且以勵天下之爲友者。劇分三十八齣，卷前有目錄，每齣六字標目。劇中每齣齣目則標四字，遣辭用字亦與目錄所刻不盡相同，茲依卷中齣目抄錄如次：

1.一編肯檠	2.壽筵彌慶	3.結伴商遊
4.姑媳自嘆	5.春江餞別	6.僞主肆謀
7.分金讓義	8.揆策除殘	9.青蚨落騙
10.空囊還鄉	11.閒說閹臣	12.仗劍辭家
13.雍林討逆	14.投主建謀	15.三北射鉤
16.拜月弄璋	17.爲親請求	18.檻車脫魯
19.捐軀救友	20.徐揚烽火	21.管門逃難
22.棄子負姑	23.亂離際遇	24.犬戎猾夏
25.定策攘夷	26.征衣寄遠	27.途接邊音
28.詐傳邊訃	29.攘夷拜爵	30.狂徒奪節
31.鄰憫賢貞	32.楚子圖霸	33.覇相班師
34.子母重逢	35.服楚定覇	36.郵亭奇遇
37.覇相讓功	38.管鮑班封	

撰者葉良表，字正之，明萬曆人，居里不詳。少習經生業，屢試不第。工詞賦，旁及歧黃堪輿。傳奇作品僅此一種傳世。

(34) 玉釵記四卷，明陸江樓撰，明金陵唐氏富春堂刊本。匡高 19.3 公分，寬 13.1 公分。花欄，白口，黑魚尾。每半葉 10行，每行21字，小字雙行，每行亦21字。有圖。殘存 20 幅，單面。缺圖在卷一8下，15下，27 上，卷二1上，卷三7 下，11 下，卷四16下，24 下。

劇演明嘉靖時江陰人何文秀事。文秀遇王瓊珍與妓月金二女，皆以玉釵作合，故名玉釵記。本於小說彈詞而作，凡四十四齣，不刻齣目，亦無目錄。卷首大題「新刻出像音註何文秀玉釵記卷之幾」，次行三行低九字分別題「心一山人編次」、「金陵唐氏梓行」。

撰者陸江樓，明浙江杭州人，生平不可考，傳奇僅玉釵記一種。

(35) 破窰記二卷，明不著撰人，明金陵唐氏富春堂刋本。匡高 19.9 公分，寬 13 公分。花欄。白口，黑魚尾。每半葉10行，每行 21 字，小字單行雙行皆21字。有圖，殘存 17 幅，單面，缺 1 幅，在卷下 8 下。

劇演呂蒙正接綵球配姻緣事，凡三十一齣，因劇中有綵樓選婿事，又名綵樓記。不刻齣目，無目錄。卷首大題「新刻出像音註呂蒙正破窰記某卷」，次行低九字題「金陵書坊富春堂梓」。

參見 15129 綵樓記。

(36) 草廬記四卷，明不著撰人，明金陵唐氏富春堂刋本。匡高 19.8 公分，寬 13.1 公分。花欄，白口，黑魚尾。每半葉10行，每行21字，小字雙行單行皆21字。有圖，殘存16幅，單面。缺圖在卷二1上，21上，卷三1上，卷四20上。

劇演三國孔明事，以三顧草廬爲主。原本演義居多，如博望燒屯、當陽兵敗、造箭祭風、華容釋曹，皆正史所無。全劇凡五十三齣，不刻齣目，亦無目錄，書尾有缺葉。卷首大題「新刻出像音註劉玄德三顧草廬記某卷」，次行低九字題「金陵書坊富春堂梓」。

(37) 祝髮記二卷，明張鳳翼撰，明金陵唐氏富春堂刋本。匡高 19.9公分，寬 13.3 公分。花欄，白口，黑魚尾。每半葉

10行，每行21字，小字單行雙行皆21字。有圖，殘存 15 幅，單面。缺圖在卷上5下，7下，20下，25下，卷下12下，16下，19上。

劇演徐孝克事母至孝，祝髮爲僧，以妻易米，供奉高堂事。凡二十八齣，卷前有提綱：

1.開場家門大義	2.博士稱觴壽母
3.侯景謀叛襲梁	4.官衙聞變憂貧
5.博士倩鄰易米	6.景行閉羅勒婚
7.博士問鄰許嫁	8.僧辯起兵勤王
9.夫婦議寫婚書	10.鄰母許妻易米
11.臧氏隱情別姑	12.景行親迎領差
13.博士負米夜歸	14.臧氏空歸思念
15.陳氏遣子探聽	16.景行路遇陰兵
17.臧氏分食寄姑	18.達摩點化博士
19.陳氏命子祝髮	20.僧辯顯戮景行
21.臧氏聽經施米	22.陳氏傳書寄髮
23.臧氏得書見髮	24.達摩折蘆渡江
25.僧辯凱旋遇友	26.博士報母好音
27.臧氏得報脫離	28.婦姑夫婦會合

卷首大題「新刻出像音註點板徐孝克孝義祝髮記某卷」，次行低九字題「書坊對溪富春堂」。提綱末行署「吳下張伯起編」，伯起爲張鳳翼之字。

(38) 十義記二卷，明不著撰人，明羅祐註，明金陵唐氏富春堂刊本。匡高 19.5 公分，寬 13.1 公分。花欄，白口，黑魚尾。每半葉10行，每行21字，小字雙行，每行亦21字。有

圖18幅，單面，圖目頂端橫排。

劇演韓朋夫婦爲十友所救事，凡二十八齣。卷首大題「新刋音註出像韓朋十義記卷之幾」，次行三行低五字分別題「豫章寅所羅□音註」、「金陵對溪唐富春梓行」。有目錄一葉。此本與15128十義記完全相同，參見15128十義記。

(39) 三元記二卷，明不著撰人，明金陵唐氏富春堂刋本。匡高19.5公分，寬13.3公分。花欄，白口，黑魚尾。每半葉10行，每行21字，小字雙行，每行亦21字。有圖16幅，單面，圖目橫排。

劇演秦雪梅守節，商輅連中三元事，凡三十八齣。不刻齣目，亦無目次。卷首大題「新刻出像音註商輅三元記某卷」，次行低十字刻「金陵書坊富春堂梓」。此本與15090三元記完全相同，參見15090三元記。

(40) 綈袍記四卷，明不著撰人，明金陵唐氏富春堂刋本。匡高19.3公分，寬13.1公分。花欄，白口，黑魚尾。每半葉10行，每行31字，小字雙行，每行亦21字。有圖22幅，單面，圖目頂端橫排。

劇演范睢受須賈綈袍事，睢妻蘇瓊瓊，妾蘇簡簡，史無其人。元人高文秀有誶范睢雜劇，可參看。此劇凡四十五齣，無目錄，亦不刻齣目。卷首大題「新刻出像音註范睢綈袍記某卷」，行低九字刻「金陵書坊富春堂梓」。

(41) 西廂記四卷，元王實甫、關漢卿撰，明金陵文秀堂刋本。匡高21.5公分，寬14.2公分。單欄，白口，有眉欄。每半葉10行，每行20字，小字雙行，每行亦20字。卷前有目錄，劇凡二十齣。附錢塘夢一卷，園林午夢一卷。又祝允明撰題崔鶯鶯遺眞一篇，楊伯元撰會眞記跋一篇，秋波一轉論、鬆金釧、減玉肌論各一，秦少游咏崔張詩、咏鶯鶯詩，李紳鶯鶯歌各一首，張楷蒲東珠玉詩九十五首，一幷附之於卷末。卷首大題「新刋考正全像評釋北西廂記某卷」，次行三行低六字分別題「白阜肩雲逸叟校」、「金陵文秀堂梓」。

參見15050～15062各種本西廂記。

(42) 躍鯉記四卷，明陳羆齋撰，明金陵唐氏富春堂刋本。匡高19.5公分，寬13.3公分。花欄，白口，黑魚尾。每半葉10行，每行21字，小字雙行，每行亦21字。有圖25幅，單面，圖目頂端橫排。

劇演姜詩與妻龐氏事母至孝，母病好飲江水，龐泝流而汲，値風雨，不能及時歸，母大怒，出之。母嗜魚鱠，龐寄寓鄰舍，晝夜紡織，供母饌食，因此孝行上感于天，舍側忽有涌泉，每日躍出雙鯉，於是夫婦又復重圓。詩妻躍鯉事，見後漢書。劇凡四十二齣，無目錄，亦不刻齣目。卷首大題「新刻出像音註姜詩躍鯉記卷之幾」，次行低十二字題「金陵書坊富春堂梓」。

撰者陳羆齋，名字、籍里不詳，生平亦待考。所作傳奇有躍鯉記一種流傳，另風雲記一種已佚。

(43) 青袍記二卷，明不著撰人，明文林閣刋本。匡高19.3公分，寬14.5公分。單欄，白口。每半葉11行，每行20字，小字雙行，每行亦20字。有圖10幅，單面。

劇演梁灝與薛玉梅姻緣。灝遵母命，讀書於望仙樓，夜半呂洞賓遣柳樹精起大風，吹薛女至樓上，女上體無衣，灝以青袍蓋覆，送至母室，明日送女歸，女家大喜，於是以女許之。劇凡三十一齣，卷前有目錄：

1. 開場	2. 稱觴	3. 赴任	4. 考仙
5. 論術	6. 求救	7. 留題	8. 觀詩
9. 登樓	10.阻舟	11.獻兆	12.天緣
13.詢因	14.報信	15.送回	16.允諧
17.聞報	18.會友	19.折桂	20.憶子
21.赴選	22.對策	23.喜贅	24.聯登
25.省親	26.添孫	27.獻桃	28.策士
29.不伏	30.赴宴	31.榮耀	

卷首大題「新刋校正全相音釋青袍記卷幾」。

(44) 和戎記二卷，明不著撰人，明金陵唐氏富春堂刋本。匡高 19.7 公分，寬 13.2 公分。花欄，白口，黑魚尾。每半葉 10行，每行21字，小字單行，亦21字。有圖，存 17 幅，單面。缺圖在上卷28下，下卷13下，19上，32下。

劇演王昭君出塞事。元馬致遠有漢宮秋雜劇，明陳與郊有昭君出塞雜劇，均演此事。因昭君爲和番出塞，故名和戎記。凡三十六齣，無目錄，亦不刻齣目。卷首大題「新刻出像音註王昭君出塞和戎記某卷」，次行低九字題「金陵唐氏富春堂梓」。

(45) 香山記二卷，明羅懋登撰，明金陵唐氏富春堂刋本。匡高 19.5 公分，寬 13.1 公分。花欄，白口，黑魚尾。每半葉 10 行，每行 21 字，小字雙行，每行亦21 字。有圖，存15幅，單面，圖目頂端橫排，缺圖在卷下 1 下，6 下，34 下。

劇演觀世音菩薩修道因緣，與海潮音稍有同異。觀音原爲妙莊王第三女，名妙善，在香山紫竹林得道，故名香山記。全劇凡三十齣，卷前有目錄：

1.副末開場	2.衆友遊芳	3.莊王設朝
4.羣臣祝壽	5.命結綵樓	6.花園受難
7.鬼判助力	8.貶女出宮	9.衆妮禮佛
10.到菴皈偈	11.佛殿拂塵	12.玄機援善
13.降旨扮齋	14.磨房清冷	15.砍柴受祿
16.採芹遇佛	17.修齋修駕	18.駕至菴門
19.命焚菴寺	20.韋馱護法	21.肘解上京
22.法場梟首	23.黑虎駝尸	24.遍遊地獄
25.五十三叅	26.宣經普度	27.莊王害毒
28.榜招醫士	29.捨身救父	30.正星團圓

卷首大題「新刻出像觀世音修行香山記卷幾」，次行低十字題「金陵三山富春堂梓行」。

撰者羅懋登，字登之，號二南里人，居里待考，撰有香山記，并註釋傳奇多種。

以上共計存四十五種，一百十三卷，四十五册。台灣公藏僅此一部，書中挿圖雖有殘缺，并不影響其價値，例如香山記、青袍記、玉釵記、四美記、躍鯉記等，別處亦不多見。全書首尾鈐有「國立北平圖書館收藏」朱文方印。

15175　六十種曲　一百二十卷八十二册

明毛晉編，明虞山毛氏汲古閣刋清代修補本，國立中央圖書館收藏。匡高20.3公分，寬13.1公分。每半葉9行，每行19字。白口，左右雙欄。版心上端刻每種劇劇名、卷次、葉碼，每劇之前又各有目次。此書卷前刋閱世道人演劇首套弁語，扉葉刻「汲古閣訂正」「六十種曲」「本衙藏板」。總目分子丑寅卯辰巳午未申酉戌亥十二集，每集五種，共計六十種。又每十本（十種劇）稱一套，每套之前加刻扉葉，上署「繡刻演劇十本」「第×套」，旁刻小字劇名。

六十種曲，毛晉編。晉初名鳳苞，字子晉，明常熟人。生於明萬歷二十六年，卒於清順治十六年。性嗜書，家藏極富，前後積善本八萬四千册，并於宋元刋本之精者，以「宋本」、「元本」橢圓印別之。其藏書室曰「汲古閣」、「目耕樓」、傳刻古書，流布天下。所刻津逮秘書十五集，皆宋元以前舊帙，自編者有毛詩陸疏廣要、蘇米志林、海虞古今文苑、毛詩名物考、明詩紀事等。

茲將六十種曲之內容及齣目記錄如下：

(1) 雙珠記二卷，明沈鯨撰。演王楫、郭貞娘夫妻悲歡離合故事，以雙珠爲關目，故名。全劇四十六齣。

1.家門始終	2.元宵燈宴	3.風鑑通神
4.勾補軍伍	5.母子分珠	6.從軍別意
7.軍門優䘏	8.假恩圖色	9.二友推恩
10.助惡謀奸	11.遇淫持正	12.遺珠入宮
13.劍擊淫邪	14.協謀誣訟	15.刑逼成招
16.獄中冤恨	17.避兵失侶	18.處分後事
19.賣兒繫珠	20.夫妻永訣	21.眞武靈應
22.姑婦相逢	23.京邸敍親	24.術士玄謀
25.北斗化僧	26.奏議頒赦	27.纊衣寄詩
28.遇赦調邊	29.纊衣得詩	30.師徒傳習
31.轅門遇友	32.舉途鄉誼	33.剿虜同功
34.因詩賜配	35.廷對及第	36.郵亭失珠

37.赴婚遇兄	38.吉筵敍故	39.珠傳女信
40.與珠覓珠	41.西市認母	42.幷拜榮陞
43.棄官尋父	44.僧榻傳音	45.月下相逢
46.人珠還合		

沈鯨字涅川，或作塗川，明浙江平湖人，生平事蹟不詳。傳奇有雙珠記、鮫綃記二種傳世。

(2) 尋親記二卷，明不著撰人。演周羽及妻郭氏事。羽爲土豪張敏陷害，羽子瑞隆長成棄官尋父，卒得團圓。此劇一名教子記，三十四齣：

1.開宗	2.對雪	3.修築	4.遣役
5.告借	6.催逋	7.傷生	8.移尸
9.唆訟	10.枉招	11.遣奴	12.省夫
13.發配	14.賄押	15.托夢	16.邀賞
17.遙僉	18.局騙	19.得衚	20.妄想
21.剖面	22.誑妻	23.誚夫	24.就教
25.訓子	26.勸勉	27.應試	28.還場
29.報捷	30.遇恩	31.血書	32.相逢
33.懲惡	34.完聚		

曲海總目提要注曰：此劇爲明范受益撰，王錂重訂。受益號丁庵，江蘇吳縣人，生平事蹟不詳。傳奇作品有尋親、玉魚、還璧三種。

(3) 東郭記二卷，明孫仁孺撰。劇情以孟子離婁篇「齊人有一妻一妾而處室者」章爲經，以滕文公篇陳仲子事爲緯，以淳于髡王驩爲點綴，齣目皆用孟子語。傳奇齣目多用四字，或用二字，唯此記參差不齊，蓋變例也。全劇四十四齣：

1. 離婁章句下　2. 人之所以求富貴利達者
3. 少艾　4. 井上有李　5. 則將摟之乎
6. 齊東野人之語　7. 媒妁之言　8. 綿駒
9. 則得妻　10. 日攘其隣之雞者
11. 鑽穴隙　12. 以利言之　13. 一妾
14. 先名實者　15. 其良人出　16. 他日歸
17. 與之偕而不自失焉　18. 出而哇之
19. 吾將瞯良人之所也　20. 蚤起
21. 徧國中　22. □之東郭墦間之祭者
23. 與其妾訕其良人而相泣於中庭　24. 頑夫廉
25. 將有遠行　26. 妾婦之道　27. 丈夫生
28. 爲人也　29. 與之大夫　30. 鬱陶思君爾
31. 而獨於富貴之中有私壟斷焉　32. 右師不悅
33. 讒　34. 托其妻子于其友
35. 爲將軍　36. 戰必勝　37. 爲衣服
38. □　39. 妻妾之奉　40. 有工之事
41. 其妻妾不羞也　42. 所識窮乏者得我與
43. 殆不可復　44. 由君子觀之

此劇或云汪道昆撰。

(4)　金雀記二卷，明不著撰人。演潘岳、井文鸞、巫彩鳳故事。文鸞於元夕觀燈，擲金雀於潘岳車中，遂得姻緣。潘又以金雀贈妓巫彩鳳，文鸞得悉，佯作嫉妒，極盡調侃，崑曲收喬醋一折，即演此事。全劇三十齣：

1. 開場　2. 餞別　3. 探春　4. 玩燈
5. 擲果　6. 議姻　7. 定婚　8. 投箋

9.成親	10.守貞	11.分雀	12.指引
13.喚妓	14.開實	15.打圍	16.惜別
17.乞巧	18.顯聖	19.投崖	20.平賊
21.進謁	22.作賦	23.荐賢	24.寄書
25.訪花	26.報捷	27.合雀	28.臨任
29.集賢	30.完聚		

(5) 焚香記二卷，明王玉峯撰。記王魁負桂英事，本於宋柳貫王魁傳。以王魁桂英焚香盟誓，故名。劇末以桂英重生，與偕老，撰者有意以喜劇收場也。全劇四十齣：

1.統略	2.相決	3.閨歎	4.訪姻
5.允諧	6.設謀	7.赴試	8.逼嫁
9.離間	10.盟誓	11.藩籬	12.餞別
13.登程	14.立志	15.看榜	16.卜筮
17.議親	18.辭婚	19.羨德	20.託夢
21.榮餞	22.□書	23.赴任	24.搆禍
25.設宴	26.陳情	27.明寃	28.折證
29.辨非	30.回生	31.驅敵	32.傳箋
33.滅寇	34.虛報	35.雪恨	36.軍情
37.收兵	38.往任	39.途中	40.會合

撰者王玉峯，字同谷，別署月榭主人，明江蘇松江人。傳奇作品有焚香、釵釧、羊觚、三生記，多已不傳。

(6) 荊釵記二卷，明朱權撰。演王十朋錢玉蓮故事，十朋以荊釵聘玉蓮，故名荊釵記。此記舊題「丹邱先生撰」，王國維曲錄謂「丹邱先生」爲明初寧獻王朱權之道號，此劇名爲朱權所撰。呂天成曲品以爲元人柯丹邱撰，柯丹邱名九恩，字敬仲。

又張大復寒山堂新定九宮十三攝南曲譜，荆釵記下稱吳門學究敬先書會柯丹邱撰。曲海總目提要注云：「曲譜如不僞，則此說似最可信。撰此記柯丹邱，似爲此書會先生，旣非柯敬仲，亦非朱權。」今並存其說，然仍依王氏之著錄，題朱權撰。朱權明太祖第十六子，自稱大明奇士，號臞仙，又涵虛子，丹邱先生，皆其別署，謚獻王。編有太和正音譜，盛傳至今。荆釵記四十八齣，以二字標目：

1.家門	2.會講	3.慶誕	4.堂試
5.啓媒	6.議親	7.遐契	8.受釵
9.繡房	10.逼嫁	11.辭靈	12.合巹
13.遣僕	14.迎請	15.分別	16.赴試
17.春科	18.閨念	19.參相	20.傳魚
21.套書	22.獲報	23.覓眞	24.大逼
25.發水	26.投江	27.憶母	28.哭鞋
29.搶親	30.祭江	31.見母	32.遣音
33.赴任	34.悞訃	35.時祀	36.夜香
37.民戴	38.意旨	39.就祿	40.奸詰
41.晤婿	42.親敍	43.執柯	44.續姻
45.荐亡	46.責婢	47.疑會	48.團圓

(7) 霞箋記二卷，明不著撰人。演李彥直與妓張麗容姻緣，因霞箋題詩酬和爲團圓關目，故名。全劇三十齣：

1.家門始末	2.中丞訓子	3.麗容矢志
4.霞箋題字	5.和韻題箋	6.端陽佳會
7.灑銀求歡	8.姻花巧賺	9.灑銀起釁
10.父子傷情	11.求美結歡	12.書房私會

13.聘求佳麗　14.麗容行售　15.被賺登程
16.踰墻得喜　17.追逐飛航　18.得寵遭妬
19.探音獲實　20.麗容習禮　21.主僕相逢
22.驛亭奇遇　23.駙馬聯姻　24.春闈首選
25.訴情得喜　26.得箋窺認　27.霞箋重會
28.養親辭歸　29.司書報喜　30.晝錦榮歸

(8) 精忠記二卷，明姚茂良撰。演岳飛故事，以西湖建精忠祠祀岳飛，故名精忠記。全劇三十五齣：

1.提綱　2.賞□　3.猾虜　4.應詔
5.爭裁　6.餞別　7.驕虜　8.□□
9.臨湖　10.叩馬　11.蠟書　12.班師
13.兆夢　14.說□　15.省□　16.□□
17.調勘　18.嚴刑　19.辭母　20.東窗
21.赴難　22.同盡　23.中計　24.憐主
25.聞計　26.畢命　27.應眞　28.誅心
29.告稟　30.行刺　31.伏闕　32.天策
33.同斃　34.冥途　35.表忠

撰者姚茂良，字靜山，明浙江武康人。生平事蹟已無可考，傳奇有雙忠記傳世。

(9) 浣紗記二卷，明梁辰魚撰。演西施與范蠡事，全劇四十五齣，詳見 15080 李卓吾先生批評浣紗記及 15081 重刻吳越春秋浣紗記。

(10) 琵琶記二卷，明高明撰，演蔡伯喈與趙五娘故事，因五娘背琵琶上京尋夫，故名。詳見 15066～15073 琵琶記六種。

⑾ 西廂記二卷，明李日華撰。此劇稱南西廂，日華據王實甫北曲改編爲南詞，前後情節仍因其舊。或云此劇爲崔時佩撰，李日華增補。百川書志稱崔時佩作二十八折，餘爲李日華新增。時佩海鹽人，日華江蘇吳縣人，生平事蹟待考，又撰有四景記，南琵琶今均不傳。有李日華字君實者，嘉興人，與此無關。此劇三十四齣：

1.家門正傳	2.金蘭判袂	3.蕭寺停喪
4.上國發軔	5.佛殿奇逢	6.禪關假館
7.對謔琴紅	8.燒香月夜	9.唱和東牆
10.目成清醮	11.亂倡綠林	12.警傳閨寓
13.許婚借援	14.潰圍請救	15.白馬起兵
16.飛虎授首	17.東閣邀賓	18.北堂負約
19.情傳錦字	20.窺簡玉台	21.猜詩雪案
22.乘夜踰垣	23.回春東藥	24.病客得方
25.巫姬赴約	26.月下佳期	27.堂前巧辯
28.秋暮離懷	29.草橋驚夢	30.曲江得意
31.泥金報捷	32.尺素緘愁	33.詭媒求配
34.衣錦還鄉		

⑿ 幽閨記二卷，元施惠撰。又名拜月亭，演蔣世隆與王瑞蘭配合始末。詳見 15074 李卓吾先生批評幽閨記。

⒀ 明珠記二卷，明陸采撰。演王仙客與劉無雙離合事。詳見 15091 明珠記。

⒁ 玉簪記二卷，明高濂撰。演潘必正與陳妙常事，妙常原名嬌蓮，與潘生指腹爲姻，以玉簪及鴛鴦扇墜交換爲證物。金兵亂時，妙常入觀修道，潘生落弟，途經女貞觀與之相遇，以

琴音詩箋互通款曲，遂成姻眷。劇中「寄弄」、「詞媾」二折，俗名「琴挑」、「偷詩」，至今梨園盛演不衰。全劇三十三齣：

1. 標目	2. 命試	3. 南侵	4. 遇難
5. 投庵	6. 假宿	7. 依親	8. 譚經
9. 會友	10. 手談	11. 鬧會	12. 下第
13. 求配	14. 幽情	15. 破虜	16. 寄弄
17. 耽思	18. 叱謝	19. 詞媾	20. 詭媒
21. 姑阻	22. 促試	23. 追別	24. 占兒
25. 奚策	26. 相覓	27. 擢第	28. 設計
29. 誣告	30. 情見	31. 回觀	32. 重效
33. 合慶			

撰者高濂，字深甫，號瑞南，明浙江錢塘人。工於詞，有芳芷樓詞。傳奇有玉簪記、節孝記二種。

⒂ 紅佛記二卷，明張鳳翼撰。演紅拂與李靖事，馮夢龍據此改為女丈夫傳奇，參見 15177 墨憨齋新曲十種第三種。此劇三十四齣：

1. 傳奇大意	2. 仗策渡江	3. 秋閨談俠
4. 天開良佐	5. 越府宵遊	6. 英豪羈旅
7. 張娘心許	8. 李郎神馳	9. 太原王氣
10. 俠女私奔	11. 隱賢依附	12. 同調相憐
13. 期訪眞人	14. 樂昌懷伴	15. 棋決雌雄
16. 俊傑知時	17. 物色陳姻	18. 擲家圖國
19. 破鏡重符	20. 楊公完偶	21. 髯客海歸
22. 教婿覓封	23. 奸宄覬覦	24. 明良遭際

25.競避兵燹	26.奇逢舊侶	27.奉征高麗
28.奇拂論兵	29.拜月同祈	30.張皇天討
31.扶餘換主	32.計就擒王	33.天涯知己
34.華夷一統		

⒃ 還魂記二卷，明湯顯祖撰。演柳夢梅與杜麗娘愛情故事。五十三齣，碩園刪定。齣目詳見 15095 臨川四夢。

⒄ 紫釵記二卷，明湯顯祖撰。演李益與霍小玉事，本於唐人小說霍小玉傳。五十三齣，齣目詳見 15095 臨川四夢。

⒅ 邯鄲記二卷，明湯顯祖撰。本於唐沈既濟枕中記而作，演盧生遇呂翁事。全劇三十齣，齣目與 15095 臨川四夢中邯鄲記同。

⒆ 南柯記二卷，明湯顯祖撰。演淳于棼夢入槐安國故事。全劇四十四齣，齣目詳見 15095 臨川四夢中南柯記。

⒇ 西廂記二卷，元王實甫撰。演張君瑞與崔鶯鶯故事，共二十齣，卷下目次誤刻作二十一－三十四齣。參見 15049 ～ 15065 西廂記。

㉑ 春蕪記二卷，明汪錂撰。演宋玉與季清吳姻緣。季女於進香時遺失手帕一方，爲宋玉拾得，以此訂姻，此帕名曰春蕪，故劇名春蕪記。劇分二十九齣：

1.家門	2.訪友	3.感嘆	4.宴賞
5.瞥見	6.說劍	7.探遺	8.閨語
9.慶壽	10.言謝	11.搆釁	12.邂逅
13.定計	14.宸遊	15.□遇	16.候約
17.訴怨	18.報仇	19.悲秋	20.訊病
21.忤奸	22.獻賦	23.巧誑	24.秋閨

25.解嘲　26.反目　27.賜婚　28.尋眞

29.團圓

汪鈹，生平待考，所撰僅存此劇。

(22)　琴心記二卷，明孫柚撰。演司馬相如與卓文君事，相如以琴音挑動文君，故名琴心記。全劇四十四齣：

1.家門始終　2.相如倦游　3.文君新寡

4.設館都亭　5.王孫作醵　6.孤紅竊宴

7.□動琴心　8.□通侍者　9.□流守約

10.□亡成都　11.臨邛夜追　12.□□□舍

13.□□春曉　14.□□四壁　15.□門謝客

16.當壚市中　17.勉撥房貲　18.歸途遇冠

19.得意荐揚　20.誓志題橋　21.陽關送別

22.給管求文　23.空閨永嘆　24.持節錦行

25.奸臣誤國　26.牛酒交歡　27.金閨榮返

28.招安絕域　29.花朝舉觴　30.唐蒙設陷

31.文君信誑　32.相如受紲　33.空門遇使

34.靑囊阻嫁　35.獄中哀泣　36.廷尉伸寃

37.茂陵春色　38.卓老覓女　39.長門望月

40.吟寄白頭　41.賚金買賦　42.錦江曉發

43.片帆追送　44.魚水重諧

撰者孫柚，字梅錫，一字禹錫，明江蘇常熟人。性粗豪，善飲，與徐復祚相友善。

(23)　玉鏡台記二卷，明朱鼎撰。演溫嶠與表妹劉潤玉事，因玉鏡台爲聘，故名。全劇四十齣，齣目二字至四字不等，詳見15109玉鏡台記。

⑵4 懷香記二卷，明陸采撰。演韓壽偸香故事，全劇四十齣：

1.家門始終	2.赴辟登程	3.欽賜異香
4.京邸遇舊	5.司空受掾	6.繡閣懷春
7.青瑣相窺	8.相思露意	9.託婢傳情
10.蘭閨復命	11.氐羌謀叛	12.協謀出鎭
13.受詔安邊	14.夕陽亭議	15.春閨寄簡
16.掾房訂約	17.赴約驚回	18.緘書愈疾
19.醉誤佳期	20.承明雪宴	21.引示池樓
22.池樓晤語	23.奉詔班師	24.謀踰東牆
25.佳會贈香	26.聞香致疑	27.索香看牆
28.鞫詢香情	29.問卜決疑	30.母女傷懷
31.假公荐擧	32.受詔參戎	33.夜香祈祐
34.定策征吳	35.誑傳凶信	36.征吳得勝
37.飛報捷音	38.京中聞喜	39.班師議婚
40.婣姻封錫		

⑵5 綵毫記二卷，明屠隆撰。演李白事，或曰屠隆作此以李白自況。劇分四十二齣：

1.敷演家門	2.夫妻玩賞	3.仙翁指敎
4.散財結客	5.湘娥訪道	6.爲國荐賢
7.頒詔雲夢	8.別妻赴京	9.拜官供奉
10.長安豪飲	11.預識汾陽	12.湘娥思憶
13.脫靴捧硯	14.祿山謀逆	15.游玩月宮
16.宮禁生讒	17.知幾引退	18.祖餞都門
19.母子慮禍	20.乘醉騎驢	21.歸隱林泉
22.漁陽鞸鼓	23.海青死節	24.訪道仙翁

25.永王設計	26.泛舟采石	27.誓死不從
28.展叟單騎	29.展武相逢	30.救至出圍
31.難中相會	32.官兵大捷	33.羅襪爭奇
34.蓬萊傳信	35.廬山受枉	36.遠謫夜郎
37.妻子哭別	38.仙官列奏	39.他鄉持正
40.汾陽報恩	41.欽取回朝	42.團圓受詔

徐麟評此劇云：綵毫記塗金繢碧，求一眞語、雋語、快語、本色語，終卷不可得。

(26) 運甓記二卷，明不著撰人。記陶侃運甓事，以陶侃爲主，又採取同時事蹟錯綜而成，俱與史實相會。全劇四十齣：

1.家門始未	2.剪髮延賓	3.瑯琊就鎭
4.辭親赴任	5.陳敏造逆	6.緘報平安
7.師閫賓賢	8.嗔鮓封還	9.棄官就辟
10.姑病求醫	11.剪逆聞喪	12.諸賢渡江
13.牛眠指穴	14.卜居求安	15.藩府賀正
16.權門燈宴	17.問卜決疑	18.杜弢定計
19.新亭洒泣	20.平蠻奏凱	21.廣州運甓
22.太眞絕裾	23.折翼著夢	24.手板擊鳳
25.紉衣被賊	26.移鎭石頭	27.聞叛勤王
28.夢日環營	29.斬鳳贖罪	30.觖望招兵
31.惜陰投具	32.蘇峻倡亂	33.揮塵驅車
34.發兵助溫	35.父子死節	36.太眞借饟
37.彭李攩峻	38.蔣山致奠	39.廬江會合
40.官誥榮封		

(27) 鸞鎞記二卷，明葉憲祖撰。演溫庭筠與魚玄機分鎞合鎞

事，劇中以鸞鏡分合作關目，使二人配合，蓋作者之意，原無此事。全劇二十七齣：

1.提案	2.論心	3.閨詠	4.覓贈
5.仗俠	6.諧姻	7.秉操	8.入道
9.催試	10.挫權	11.合譖	12.摧落
13.詩激	14.勵志	15.品詩	16.覓鸞
17.鏡訂	18.喜諧	19.勸仕	20.春賞
21.途逅	22.廷獻	23.捷賀	24.京晤
25.探婚	26.□鏡	27.□成	

(28) 玉合記二卷，明梅鼎祚撰。演韓翃與妻柳氏故事，本於唐許堯佐柳氏傳。全劇四十齣，劇情齣目等詳見 15105 李卓吾先生批評玉合記。

(29) 金蓮記二卷，明陳汝元撰。演蘇軾除翰林學士，奉召賜茶，撤御前金蓮燭送歸院事。劇分三十六齣：

1.首引	2.□計	3.彈絲	4.郊遇
5.射策	6.捷報	7.構衅	8.外□
9.閨詠	10.歸田	11.湖賞	12.媒合
13.小星	14.詩案	15.就逮	16.生離
17.廷讞	18.聞□	19.飯魚	20.控代
21.重貶	22.蜀晤	23.賦鶴	24.詬姦
25.量移	26.驚謫	27.焚券	28.賜環
29.釋憤	30.同夢	31.慈訓	32.覲聖
33.便省	34.證果	35.接武	36.晝錦

撰者陳汝元，宋太乙，號太乙山人，又號燃藜仙客，其書齋曰函三館。明浙江會稽人，官知州。工詞曲，所作傳奇，傳世有

金蓮記一種，失傳者有紫環記及太霞記。

(30) 四喜記二卷，明謝讜撰。俗傳四喜詩曰：「久旱逢甘雨，他鄉遇故知，洞房花燭夜，金榜掛名時。」蓋以中第爲第四喜。此劇記宋郊、宋祁事，宋史有宋庠傳，弟宋祁附焉。庠卽宋郊，爲李淑所劾，因而改名。劇分四十二齣：

1. 家門始終	2. 大宋畢姻	3. 詩禮趨庭
4. 瓊英入宮	5. 花亭佳偶	6. 風月青樓
7. □旱祈神	8. 喜逢甘雨	9. 竹橋渡蟻
10. 天佑陰功	11. 鸞儔賞夏	12. 椿庭慶壽
13. 巧夕宮筵	14. 赴試秋闈	15. □□□□
16. □□□□	17. 親憶瓊英	18. 瓊英閨悶
19. 催赴春闈	20. 怡情旅邸	21. 紅樓遣思
22. 紫禁明揚	23. 雙桂聯芳	24. 冰壺重會
25. 遐憶青娃	26. 堅持白操	27. 泥金報捷
28. 禁苑奇逢	29. 詞傾宸聽	30. 詩咏花魚
31. 仁主賜婚	32. 翠閣躭思	33. 思憶雙親
34. 夢後傷□	35. 奔告強婚	36. 佳期重會
37. 禍禳左道	38. 平妖奏績	39. 帝闕辭榮
40. 他鄉遇故	41. 尋樂江村	42. 衣錦團圓

撰者謝讜，號海門，明浙江上虞人，生於明正德七年，嘉靖二十三年進士，曾任泰興縣令。撰有海門集、古虞集、草言，傳奇有四喜記一種傳世。

(31) 三元記二卷，明沈受先撰。演馮商之子馮京連中三元事。馮商本無子，因累積陰功，上感於天，命文曲星下降，是以生京，連中三元。又有三元記一種，無名氏撰，演商輅事，與此無關。此劇三十六齣：

1.開宗	2.祝壽	3.博施	4.毀券
5.抵墓	6.助納	7.餞行	8.託媒
9.鬻女	10.遣妾	11.歸妹	12.賞花
13.秉操	14.鬪東	15.斷金	16.空歸
17.完璧	18.合歡	19.脫韁	20.錯認
21.歸槽	22.續絃	23.格天	24.挺生
25.議親	26.講學	27.應試	28.登科
29.辭親	30.及第	31.招婿	32.謁相
33.慶祿	34.榮封	35.會新	36.團圓

撰者沈受先，字壽卿，籍里不詳，生平亦無可考。據今樂考證記載，傳奇作品有龍泉、銀瓶、三元、嬌紅四記，嬌紅記與孟稱舜本異。

(32) 投梭記二卷，明徐復祚撰。演謝鯤與元縹風姻緣。謝鯤貧時醉臥縹風家織機下，爲其假母以梭投擲折齒，故名，劇分三十齣：

1.家門	2.敍飲	3.逼娼	4.渡江
5.訂盟	6.拒奸	7.滛刦	8.折齒
9.却說	10.應聘	11.謀竄	12.忠告
13.閨敍	14.出關	15.陰伏	16.赴晏
17.約社	18.哭友	19.魔見	20.鬻女
21.出守	22.賽魔	23.救女	24.逆節
25.交戰	26.閨敍	27.獲醜	28.逃避
29.奠江	30.大會		

撰者徐復祚，原名篤儒，字陽初，改字訥川，號謩竹別署破慳

道人、陽初子、洛誦生、休休生、三家村老、忍辱頭陀、慳吝道人。明江蘇常熟人。生於嘉靖三十九年，卒於崇禎三年以後。工詞曲，錢謙益題其小令，以高則誠爲比。所作傳奇有紅梨、投梭、宵光三種，存疑待考者有題橋記一種。

⑶ 鳴鳳記二卷，明王世貞撰。演楊繼盛事，多係實跡，惟寫本一齣，則借蔣欽事，以附會於椒山者，未聞椒山有此事也。劇分四十一齣。

撰者王世貞，字元美，號鳳州，又號弇州山人，明江蘇太倉人。清焦循劇說稱，相傳鳴鳳傳奇，弇州門人作，唯法場一折，是弇州自塡。

⑷ 飛丸記二卷，明不著撰人。演易弘器與嚴玉英姻緣，中間有土地暗將兩人所題詩句紙丸往來遞合，卒得成就婚配，故以爲名。劇分三十三齣：

1.黎園鼓吹	2.訪舊尋盟	3.賞春話別
4.諫拒脫簪	5.交投設戒	6.游園題畫
7.得稿賡詞	8.情恨興師	9.意傳飛禍
10.丸裡緘懷	11.園中落穽	12.憐儒脫難
13.代女捐生	14.故舊存身	15.明廷張擔
16.權門狼狽	17.旅邸揣摩	18.同宦思鄉
19.全家配遠	20.芸窗望遇	21.戟戶逢仇
22.獨訴幽懷	23.堅持雅操	24.邂逅參商
25.誓盟牛女	26.京邸道故	27.月下傷懷
28.發跡鋤強	29.埋輪沒產	30.客途感慨
31.公館言情	32.合巹飛丸	33.盟尋泉石

⑸ 紅梨記二卷，明徐復祚撰。本於元張壽卿紅梨花雜劇增

飾關目而成。劇中謝金蓮改名謝素秋，洛陽太守劉輔改爲雍丘令錢濟之，而素秋持紅梨花一枝至書房訪趙汝州請題詩情節未改。全劇三十齣：

1.薈指	2.詩要	3.豪讌	4.覊迹
5.胡擾	6.赴約	7.請成	8.脫禁
9.獻妓	10.出關	11.錯認	12.投雍
13.憶友	14.路敍	15.訴衷	16.托寄
17.潛□	18.□□	19.祈□	20.誅□
21.咏□	22.遇□	23.□□	24.□□
25.憶主	26.閨慮	27.發榜	28.得書
29.三錯	30.永慶		

(36) 八義記二卷，明徐元撰。演趙氏孤兒事，因程嬰等八人救孤，故名八義記。劇分四十一齣：

1.家門大略	2.上元放燈	3.周堅沽酒
4.酒家索錢	5.宴賞元宵	6.趙宣訓子
7.猜忌趙宣	8.宣子勸農	9.翳桑救輙
10.張維評話	11.宣子見主	12.權作熊掌
13.宣子爭朝	14.□策害盾	15.鉏麑觸槐
16.張千探聽	17.擧家兆夢	18.報失張維
19.犬撲宣子	20.靈輙負盾	21.周堅替死
22.宣子避仇	23.圖形求盾	24.嬰投杵臼
25.宮掖幽思	26.程嬰歸探	27.喚囑收生
28.靈輙留朔	29.定計殺孤	30.醫人揭榜
31.孤兒出宮	32.韓厥死義	33.搜捕孤兒
34.替換孤兒	35.僞報岸賈	36.公孫赴義

37.山神點化　38.孤兒耀武　39.杵臼出現

40.陰陵相會　41.報復團圓

館藏鈔本八義記，僅二十八齣，齣目與此略異，參見 15108 八義記。

(37) 西樓記二卷，明袁于令撰，又名楚江情，演于鵑與穆麗華事。馮夢龍有改定本，三十六折，收在墨憨齋新曲十種之中。此本未經更定，四十齣：

1.標目	2.覓緣	3.砥志	4.檢課
5.倦遊	6.私契	7.銜恚	8.病晤
9.庭譖	10.闇忤	11.鸚逐	12.緘悞
13.疑謎	14.空泊	15.計賺	16.集艷
17.之任	18.離魂	19.凌窘	20.錯夢
21.俠概	22.自語	23.虛訃	24.情死
25.言袒	26.邸聚	27.巫紿	28.泣試
29.假諾	30.載月	31.捐姬	32.羣噪
33.歸訊	34.衞行	35.詰信	36.喜雋
37.巧逅	38.會玉	39.遊街	40.乘鸞

參見 15177 墨憨齋新曲十種第十種西樓楚江情傳奇。

(38) 還魂記二卷，明湯顯祖撰。演杜麗娘春日遊園故事，詳見 15096 牡丹亭還魂記。

(39) 繡襦記二卷，明薛近兗撰。演鄭元和與妓李亞仙故事，此劇或作徐霖撰，或作鄭若庸撰。詳見 15084 陳眉公先生批評繡襦記。

(40) 青衫記二卷，明顧大典撰。演白居易事，仿元人馬致遠青衫淚雜劇而作。三十齣，四字標目：

1.家門始末	2.元□揣摩	3.裴興私嘆
4.鸞素餞別	5.元白上路	6.元白對策
7.郊遊訪興	8.鸞素聞捷	9.河朔兵亂
10.夢得刺江	11.承璀授閫	12.河朔交兵
13.贖衫避兵	14.抗疏忤旨	15.興遇鸞素
16.訪興不遇	17.茶客訪興	18.樂天赴任
19.裴興還移	20.遣迎鸞素	21.鸞素邀興
22.茶客娶興	23.鸞素至江	24.娶興人至
25.樂天賞花	26.劉白□元	27.興拒茶客
28.坐濕青衫	29.裴興歸衙	30.樂天蒙召

撰者顧大典，字道行，一字衡宇，明江蘇吳縣人。少孤，依母家周氏讀書。明隆慶二年成進士。著有清音閣集、海岱吟、閩遊草、園居稿，傳奇總名清音閣傳奇四種，包括青衫記、葛衣記、義乳記及風教編，後兩種已佚。

(41) 錦箋記二卷，明周履靖撰。演梅玉與柳淑娘以錦箋答贈事。

1.家門	2.游杭	3.赴闈	4.訪姨
5.友聚	6.遺箋	7.尋箋	8.婆奸
9.初晤	10.傳私	11.詒婚	12.醉春
13.爭館	14.怨寡	15.進香	16.閱錄
17.聞訃	18.重悟	19.協計	20.尼奸
21.泛月	22.聯姻	23.盜起	24.渝盟
25.分箋	26.遙訪	27.敗北	28.螭書
29.旅訴	30.及第	31.選宮	32.題錄
33.陷選	34.代選	35.草奏	36.協奏

37.賜婚　　38.咸遂　　39.晝錦　　40.合箋

撰者周履靖，明浙江秀水人。字逸之，號梅墟，人呼爲梅顚道人。遊海上，獲大螺爲冠，號螺冠子。性穎悟，善吟咏，著述極富，有梅墟雜稿、梅顚稿、螺冠子、江左周郎藝苑、詩苑、夷門廣牘等八十餘種。傳奇僅此劇一種傳世。

(42) 蕉帕記二卷，明單本撰。演狐女報恩，撮合書生龍驤與胡弱妹姻緣。詳見15087新刻五闀蕉帕記。

(43) 紫簫記二卷，明湯顯祖撰。此劇與紫釵記同演李益與霍小玉事，而闗目不同。紫釵全據霍小玉傳，此則略引正面，點綴生情，挿入唐代人物，不拘時代先後，以霍小玉觀燈至華清宮，拾得紫玉簫，故名。劇分三十四齣：

1.開宗　　2.叐集　　3.探春　　4.換馬
5.縱姬　　6.審音　　7.遊仙　　8.訪舊
9.託媒　　10.巧探　　11.下定　　12.捧盒
13.納聘　　14.假駿　　15.就婚　　16.協賀
17.拾簫　　18.賜簫　　19.詔歸　　20.勝遊
21.及第　　22.惜別　　23.話別　　24.送別
25.征途　　26.抵塞　　27.幽思　　28.夷訌
29.心香　　30.留鎮　　31.皈依　　32.邊思
33.出山　　34.巧合

(44) 水滸記二卷，明許自昌撰。演宋江事，據羅貫中水滸傳而作，唯張三郎借茶，閻婆惜活捉，及張三郎調戲宋江正妻孟氏等齣，皆憑空結撰。劇分三十二齣：

1.標目　　2.論心　　3.邂逅　　4.遣訊
5.發難　　6.周急　　7.遙祝　　8.投膠

9.慕義　　10.謀成　　11.約婚　　12.目成
13.放款　　14.剽刼　　15.聯姻　　16.報變
17.義什　　18.漁色　　19.縱騎　　20.火併
21.野合　　22.閨晤　　23.感憤　　24.鼠牙
25.分飛　　26.召釁　　27.博執　　28.黨援
29.計迓　　30.敗露　　31.冥感　　32.聚義

撰者許自昌，字玄祐，明江蘇吳縣人，別署梅花墅，蘇州府志有其記載。工戲曲，與陳繼儒善。著述有樗齋詩鈔四卷，樗亭漫錄十二卷，捧腹編十卷。所作傳奇有水滸、橘浦、節俠（改訂明許三階之作）、種玉（改訂明汪廷訥之作）四記，尚流傳於世。

(45)　玉玦記二卷，明鄭若庸撰。演王商與妻秦慶娘事。王商入京應試落第，戀妓李娟奴，金盡被棄，憤而上進，得第授京兆尹，與妻團圓。臨別妻贈以玉玦，故名玉玦記。劇分三十六齣：

1.標題　　2.賞春　　3.博奕　　4.送行
5.接詔　　6.訪友　　7.憶夫　　8.入院
9.行刺　　10.祝壽　　11.報信　　12.賞花
13.設誓　　14.擄掠　　15.定計　　16.訪姨
17.投賢　　18.截髮　　19.赴試　　20.觀潮
21.對策　　22.改名　　23.接望　　24.傳旨
25.夢神　　26.擄忠　　27.侵南　　28.交兵
29.商嫖　　30.渡江　　31.索命　　32.陽勘
33.詔封　　34.陰判　　35.宿廟　　36.團圓

撰者鄭若庸，字中伯，號虛舟山人，明江蘇崑山人（或謂蘇州人）。生平著作甚多，有蛣蜣集、北遊漫稿、市隱園文記、鄭虛舟尺牘、唐類函等。傳奇僅玉玦記一種傳世。玉玦記演青樓女貪財少義，一時羣妓患之，相傳薛近兗撰繡襦記，即爲青樓雪恥。

(46) 灌園記二卷，明張鳳翼撰。演齊世子田法章灌園事，三十齣。詳見 15106 新刋音註出像齊世子灌園記。

(47) 種玉記二卷，明汪廷訥撰。演霍中孺與侍者衞少兒生霍去病，故名種玉。前後事蹟，與史傳略同。按史傳，霍光乃去病之弟，父中孺先與侍兒生去病，後娶婦生光，去病與父久不相聞，後以后姐之子而貴幸。全劇三十齣：

1.開宗	2.贈玉	3.園逅	4.夢俊
5.緣探	6.箋允	7.奇衕	8.赴約
9.露遣	10.愴別	11.寵別	12.虜驕
13.拂劵	14.隙中	15.促晤	16.往邊
17.妃怨	18.被獲	19.荐甥	20.夷訌
21.闖命	22.乘訪	23.遇親	24.登雋
25.捷報	26.嘉會	27.封功	28.互醋
29.尙主	30.榮壽		

(45) 雙烈記二卷，明張四維撰。演韓世忠與夫人梁紅玉立功勤王事，夫婦俱有武功，並稱雙烈。全劇四十四齣：

1.開宗	2.訪道	3.引狎	4.推詳
5.妄聳	6.抒捆	7.抵寓	8.代役
9.應募	10.勉承	11.奇遇	12.就婚
13.計遣	14.惜別	15.受職	16.從征
17.滅醜	18.酬功	19.得嗣	20.決計

21.乞恩	22.寵錫	23.道逢	24.鋤逆
25.歸省	26.策勳	27.虜驕	28.家慶
29.計定	30.寇逸	31.女戎	32.酋困
33.酋伏	34.獻計	35.虜遁	36.褒功
37.忠陷	38.辨寃	39.決疑	40.乞休
41.修齋	42.行遊	43.寫得	44.策封

撰者張四維，字治卿，號午山，別署五山秀才，明河北元城（大名）人。生平不詳，傳奇作品三種，雙烈記今存，章台柳、螞瑋記今佚。曲海總目提要作「號聿文，別號玉山秀才，江蘇上元人。」未知孰是？

⑷⑼　獅吼記二卷，明汪廷訥撰。演陳糙妻柳氏奇妬故事，中間穿插東坡佛印琴操等。全劇三十齣：

1.提宗	2.敍別	3.訪友	4.住錫
5.狹遊	6.書招	7.歸譙	8.談禪
9.奇妬	10.賞春	11.諫柳	12.訓姬
13.鬧祠	14.贈妾	15.赤壁	16.頂燈
17.變羊	18.偸樂	19.復形	20.爭寵
21.訴寃	22.攝對	23.冥遊	24.謝師
25.生子	26.祖席	27.撫兒	28.西歸
29.廷荐	30.同榮		

其中第九齣奇妬，俗名「梳妝」，第十齣賞春，俗名「遊春」，第十一齣諫柳，俗名「跪池」，第十三齣鬧祠，俗名「三怕」，以及第十七齣變羊，至今猶盛行於梨園也。

⑸⓪　義俠記二卷，明沈璟撰。演武松事，武松義而俠，故名義俠記。劇中景陽斃虎，陽穀遇兄、殺西門慶、伏蔣門神、十

字坡認義、飛雲浦報仇，皆本於水滸演義，唯松妻賈氏，係作者杜撰。全劇三十六齣：

1. 家門	2. 遊寓	3. 訓女	4. 除兇
5. 誨淫	6. 旌勇	7. 設伏	8. 叱邪
9. 孝貞	10. 委囑	11. 遘雛	12. 萌奸
13. 奇功	14. 巧媾	15. 被盜	16. 中傷
17. 悼亡	18. 雪恨	19. 薄罰	20. 止觀
21. 論交	22. 失覇	23. 釋義	24. 締盟
25. 取威	26. 再創	27. 秘計	28. 厚誣
29. 全軀	30. 報怨	31. 解夢	32. 挂羅
33. 征途	34. 振旅	35. 廷議	36. 恩榮

撰者沈璟，字伯英，號寧庵，別號詞隱，明江蘇吳江人。

(51) 千金記二卷，明沈采撰。演韓信乞食於漂母事，後以千金報之，故名。劇分五十齣，二字標目。館藏另一部，明金陵世德堂刋本，三十六齣，四字標目，參見 15082 新刋重訂出相附釋標註千金記。

1. 開宗	2. 遇仙	3. 省女	4. 勵兵
5. 抱怨	6. 推食	7. 招集	8. 受辱
9. 宵征	10. 投國	11. 受騙	12. 入關
13. 會宴	14. 夜宴	15. 代謝	16. 思漢
17. 謁相	18. 延燒	19. 坐倉	20. 懷刑
21. 免死	22. 北追	23. 起盜	24. 漏賊
25. 保奏	26. 登拜	27. 預防	28. 定謀
29. 破趙	30. 延訪	31. 救齊	32. 囊沙
33. 訛傳	34. 游說	35. 楚歌	36. 解散

37.別姬	38.設伏	39.鏖戰	40.問津
41.滅項	42.佳音	43.封王	44.餞別
45.通報	46.游仙	47.仰役	48.釋怨
49.報德	50.榮歸		

(52) 殺狗記二卷，明徐晒撰。演孫榮妻楊氏，藉殺狗勸其夫與弟和睦相處。元蕭德祥有殺狗勸夫雜劇。此劇三十六齣：

1. 家門大意	2. 諫兄觸怒	3. 蔣園結義
4. 妻妾共議	5. 孫榮自嘆	6. 喬人行潛
7. 孫華拒諫	8. 旅店借居	9. 孫華家宴
10.王婆逐客	11.窰中受困	12.雪夜救兄
13.歸家被逐	14.喬人等帳	15.妻妾嘆夫
16.吳忠看主	17.看書苦諫	18.窰中拒奸
19.計倩王老	20.安童將命	21.花園遊賞
22.孫榮奠墓	23.王老諫主	24.□殺孫榮
25.□□買狗	26.土地顯化	27.見狗驚心
28.喬人負心	29.院君回話	30.吳忠仗義
31.夫婦叩窰	32.迎春私嘆	33.親弟移屍
34.拒絕喬人	35.斷明殺狗	36.孝友褒封

參見15166 楊氏女殺狗勸夫雜劇（元曲選第七種）。

撰者徐晒，字仲由，明淳安人。徐渭南詞敍錄歸此劇入宋元舊編，視作元末民間作品，傳奇戲曲初期產物，其後歷經徐晒、徐時敏、馮夢龍等人潤飾也。

(53) 玉環記二卷，明不著撰人。演韋皐與玉簫事。元喬吉撰有玉簫女兩世姻緣雜劇，與此不盡相同。此劇略言唐韋皐與妓玉簫原贈以玉環，別後玉簫病亡，取玉環殉，以所題畫寄皐，而托生爲副節度姜承女，姜女自幼好吹玉簫，皐見女貌，且有玉環，二人共語若相識，後卒爲皐側室。劇分三十四齣：

1.副末開場	2.約友赴選	3.延賞慶壽
4.考試諸儒	5.玉簫嘆懷	6.韋皐嫖□
7.賞妻訓女	8.趕逐韋皐	9.韋皐思憶
10.皐謁延賞	11.玉簫寄眞	12.延賞贅皐
13.玉簫女亡	14.韋皐延賓	15.富童潛非
16.范張別皐	17.韋皐別妻	18.克孝剽掠
19.韋遇克孝	20.朱泚侵唐	21.李晟招賢
22.祝香保父	23.韋皐領兵	24.提領央媒
25.韋皐得眞	26.逼女更夫	27.韋皐榮行
28.童兒暗毒	29.韋皐代任	30.途遇韋皐
31.韋回見張	32.皐逢簫玉	33.克孝激泚
34.繼娶團圓		

參見 15163 雜劇選第五種：玉簫女兩世姻緣雜劇。

按曲海總目提要注，此劇爲楊柔勝撰。柔勝字新吾，江蘇武進人，所選傳奇二種，綠綺記已佚。今存疑，仍題「明不著撰人」。

(54) 龍膏記二卷，明楊珽撰。演張無頗與元湘英姻緣。以無頗從袁天綱女袁大娘得金盒龍膏爲湘英治病，而得成就婚姻，故名。全劇三十齣：

1.敍傳	2.旅況	3.寵賜	4.買卜
5.起釁	6.成隟	7.閨病	8.投膏
9.開閣	10.酬詠	11.傳情	12.邂逅
13.既媒	14.藏春	15.羅織	16.賜玦

17.下獄　18.脫難　19.棘試　20.訪舊
21.邪萌　22.錯媾　23.砥節　24.修郄
25.空訪　26.巧遘　27.訴因　28.觖望
29.償緣　30.游仙

撰者楊珽，字夷白，或作第白，明浙江錢塘人。生平事蹟今不可考，傳奇僅傳此劇一種。

(55)　贈書記二卷，明不著撰人。演談麈與賈巫雲姻緣。以賈巫雲贈秘書與談麈爲遇合關目，故名贈書記，後男女兩人均以避禍改裝，卒得團圓。全劇三十二齣：

1.家門始末　2.□□遘俠　3.甘逐携書
4.恃權抄沒　5.訂盟聞難　6.俠妓極刑
7.旅病托棲　8.□□贈合　9.女粧避緝
10.全節脫縛　11.假尼入寺　12.招選宮妃
13.奚奴辨本　14.男粧避選　15.□遣奚奴
16.□□落草　17.禪關匿影　18.認女作子
19.認男作女　20.女雄斬惡　21.奸謀出使
22.陰釋保姆　23.雪寃邀寵　24.對陣留情
25.招降女將　26.賞功賜婚　27.花燭猜謎
28.乞訪書因　29.輕煙辨男　30.保姆識女
31.錯配成眞　32.奉詔團圓

(56)　曇花記二卷，明屠隆撰。演木淸泰事，劇中有曇花大放事，故名。此本卷上第一葉第二葉上下兩段錯版，想係修版時補刻之誤。全劇五十五齣，詳見 15088 新鐫全像曇花記。

(57)　白兔記二卷，元不著撰人。演劉智遠與李三娘故事。三娘磨房產子，自咬子臍墜地，因名咬臍郎，此子由智遠携往幷州撫養，十六年後因追射白兔，至一井邊，始與三娘相認，一家夫婦母子團圓。全劇三十二齣：

1. 開宗	2. 訪友	3. 報死	4. 祭賽
5. 留莊	6. 牧牛	7. 成婚	8. 遊春
9. 保禳	10. 逼書	11. 說計	12. 看瓜
13. 分別	14. 途嘆	15. 投軍	16. 強逼
17. 巡更	18. 拷問	19. 挨磨	20. 分娩
21. 岳贅	22. 送子	23. 求乳	24. 見兒
25. 寇反	26. 討賊	27. 凱回	28. 受封
29. 汲水	30. 訴獵	31. 私會	32. 團圓

據曲海總目提要注：傳奇彙考標目謝天祐名下著錄此目，富春堂本題謝天祐校。

(58) 香囊記二卷，明邵璨撰。演張九成事，以香囊爲穿插，故名香囊記。四十二齣，詳見 15085 重校五倫香囊記及 15162 三刻五種傳奇第三種。

(59) 四賢記二卷，明不著撰人。演烏古孫澤四十無子，妻杜氏爲娶王氏孝女爲妾，而杜氏生一子，王女乃出家爲道姑。其後夫婦流離，與子相失散，其子良楨長成登第授官，卒得尋親相會，並迎王氏團聚。以父子妻妾均有賢行，故曰四賢記。烏古孫澤父子元史皆有傳，但劇中情節不盡依正史。劇分三十八齣：

1. 開演	2. 義勸	3. 燈宴	4. 孝養
5. 寓奸	6. 遷擢	7. 囑託	8. 分歧
9. 搆釁	10. 媒議	11. 解綬	12. 允娶
13. 入宅	14. 致歸	15. 招納	16. 祈熊

17.挑鬥　18.賜胤　19.弄璋　20.□命
21.訓讀　22.社會　23.出家　24.夢警
25.送炭　26.遘難　27.路贈　28.投栖
29.詰問　30.奏凱　31.告貸　32.赴選
33.□夜　34.請假　35.邂逅　36.尋親
37.□母　38.□慶

(60)　節俠記二卷，明不著撰人。演唐人裴伷先事，裴力抗武后爲節，豪結諸番爲俠，固以命名。新唐書有其事，然過於簡略，此劇全據太平廣記敷演而成。劇分三十一齣：

1.開宗　2.憂國　3.閨憶　4.忠忤
5.虜俠　6.直諫　7.勘責　8.聞謫
9.送別　10.壻謁　11.計詔　12.成婚
13.春游　14.訂訪　15.俠晤　16.謀歸
17.毒媚　18.再貶　19.私仰　20.北往
21.南征　22.奇偶　23.寄衣　24.圍獵
25.誣激　26.密報　27.遁荒　28.追獲
29.泰回　30.誅佞　31.迎內

按：此劇或云明人許三階撰，許氏字號籍貫不詳，生平事蹟亦不可考，書齋名四會堂。傳奇另有紅絲記一種已失傳。

以上共計一百二十卷，計收元人雜劇一種，明人傳奇五十九種，統稱六十種曲，爲現存明代彙刻傳奇最豐富重要之總集。有明崇禎間汲古閣原刻本，及道光年間補版重印本，此本即屬後者。

15176 盛明雜劇三十種 三十卷十二册

明沈泰編，明崇禎己巳（二年）刋本，前國立北平圖書館收藏，國立中央圖書館保管。匡高 20.5 公分，寬 14.4 公分。每半葉9行，每行 20 字。左右雙欄，白口。版心刻劇名、葉碼，版匡外刻評語。卷前有徐翽序、程羽文序、沈泰撰凡例、盛明雜劇目次，以及揷圖。圖六十幅，單面，刻畫俱精緻，其中六幅係影繪配補。書中鈐有「國立北平圖書館收藏」朱文方印。程羽文序末有「癸酉春仲購於琉璃廠學城堂書坊」手書一行，下鈐朱文小印二枚，印上無文字，刻竹枝及茅舍圖様。第十二册「齊東絕倒」卷尾有墨書二行，題曰：「嘉靖甲戌立春後九日，購於琉璃廠學城堂，用淸錢五吊文。竹道人記。」下鈐「王奎」連珠印。

此書收明代雜劇三十種，每種一卷，共三十卷。劇名及內容分別簡述如次：

(1) 高唐夢一卷，明汪道昆撰。演楚襄王遊高唐觀夢與神女相會故事。總目：「楚襄王陽台入夢，陶朱公五湖泛舟，張京兆戲作遠山，陳思王悲生洛水。」此劇與五湖遊、遠山戲、洛水悲四劇共一總目，統稱大雅堂樂府四種，皆汪道昆所撰。道昆字伯玉，一字玉卿，號南溟，一號南明，又號太函，晚號函翁，明安徽歙縣人。嘉靖四年生，萬曆二十一年卒，得年六十九歲，歷官襄陽知府、福建副使，兵部侍郎等，著有太函遺書、春秋左傳節文、贏詘令名譜，雜劇則有高唐夢等四種，另有唐明皇七夕長生殿一種，未見傳本。

(2) 五湖遊一卷，明汪道昆撰。演范蠡助越平吳之後，携西施暢遊五湖事。

⑶ 遠山戲一卷，明汪道昆撰。演張敞閨中畫眉取樂事。眉似遠山，故名遠山戲。

⑷ 洛水悲一卷，明汪道昆撰。演陳思王曹植遇洛神故事。

⑸ 漁洋三弄一卷，明徐渭撰。正名：「狂鼓吏漁陽三弄，玉禪師翠鄉一夢，雌木蘭替父從軍，女狀元辭凰得鳳。」此劇一名狂鼓吏，記禰衡擊鼓罵曹事。與玉禪師、雌木蘭、女狀元合稱四聲猿。詳見 15078 四聲猿。

⑹ 翠鄉夢一卷，明徐渭撰。又名玉禪師，記月明和尚與柳翠事。詳見 15078 四聲猿。

⑺ 雌木蘭一卷，明徐渭撰。記花木蘭代父從軍故事。詳見 15078 四聲猿。

⑻ 女狀元一卷，明徐渭撰。記女子黃崇嘏辭凰得鳳故事。詳見 15078 四聲猿。

⑼ 昭君出塞一卷，明陳與郊撰。演王嬙出塞和番故事。撰者陳與郊，原姓高，字廣野，號禺陽，又作虞陽，別署玉陽仙史，明浙江海寧人。萬歷二年進士，卒於萬曆四十年左右。嘗托名高漫卿，著詅痴符四種傳奇，又別署曰任誕軒，乃其齋室名。雜劇有昭君出塞、文姬入塞、袁氏義犬三種流傳於世，又櫻桃夢傳奇，國立中央圖書館亦保有原刋本。

⑽ 文姬入塞一卷，明陳與郊撰。演蔡文姬歸漢故事。

⑾ 袁氏義犬一卷，明陳與郊撰。正名：「爲國忘家袁景倩，爲家忘國戴僧靜，人心獸面相門嫯，人面獸心狄靈慶。」五齣，記袁粲子蕊兒，爲粲門生狄靈慶獻與戴僧靜殺害，袁家有義犬盧嫯，爲主報仇，咬斃狄氏全家事。

⑿　覇亭秋一卷，明沈自徵撰。記杜默事。杜默累擧不弟，路經烏江，謁項王廟，擁項王神像哭泣不已，神像亦爲之垂淚。事見山堂肆考。覇亭，覇王廟之亭。覇亦借意于灞，謂人不第而歸，每于灞水亭上送別，當此秋景，最難爲情，故劇名覇亭秋。撰者沈自徵字君庸，淸江蘇吳江人。沈琉之之子，沈璟姪，國子監生。明萬曆十九年生，崇禎十四年卒，年五十一歲。所撰雜劇有鞭歌妓、簪花髻、覇亭秋三種，幷傳於世。君庸外甥女葉小紈，亦劇作家。

⒀　鞭歌妓一卷，明沈自徵撰。正名：「俠尙書一面棄迴船，儍狂生喬臉鞭歌妓。」記裴尙書贈一船金帛與窮書生張建封事。張生受金帛面不改容，調度有方，裴家歌妓見其窮酸，出言調侃，張執馬鞭鞭之，故劇名鞭歌妓。

⒁　簪花髻一卷，明沈自徵撰。正名：「滇中妓龍蛇競練裙，楊州庵詩酒簪花髻。」記楊愼事。愼充軍雲南，醉中粉紅敷面，雙髻插花作女兒狀，諸妓擁之遊市，故名簪花髻。詞苑叢譚云，吳江張倩倩，適同邑沈自徵，倩倩本才女，可比於楊愼夫人，故自徵借楊愼簪花事，以自況己之跌宕也。

⒂　北邙說法一卷，明葉憲祖撰。正目：「天神禮枯骨，餓鬼鞭死屍。若知其面目，恩怨不須提。」記本空禪師爲北邙山餓鬼說法事。葉憲祖字美度，一字相攸，號桐柏，又號六官，別署槲園居士，槲園外史，紫金道人。明浙江餘姚人，嘉靖四十五年生，崇禎十四年卒。所作雜劇有灌將軍使酒罵座記、杜荆卿易水離情、金翠寒衣記、琴心雅調、俏佳人巧合團花鳳、夭桃紈扇、碧蓮繡符、丹桂鈿合、素梅玉蟾、三義成姻、渭塘夢、芙蓉屛、賀季眞、死生緣、龍華夢、會香衫、巧配閻越娘、

碧玉釵、玳瑁梳、鴛鴦寺冥勘陳玄禮、西樓夜話、桃花源、要梅香等二十種，自芙蓉屛以下十二種今已失佚。

⒃ 團花鳳一卷，明葉憲祖撰。正名：「老虔婆錯把姻緣送，惡少年枉却風情弄。賢太守高懸明鏡台，俏佳人巧合團花鳳。」四折，前加楔子。演白受之與符似仙姻緣，符女贈白生白團花鳳釵一股爲表記，後以釵合得成婚配。

⒄ 桃花人面一卷，明孟稱舜撰。五齣，演崔護覓漿事，事本於唐人小說。劇中女子實以葉蓁兒之名，亦借桃夭之意。崔護詩云：去年今日此門中，人面桃花相映紅，人面只今何處在，桃花依舊笑春風。劇名本於此。撰者孟稱舜，字子若，又作子適（或作子塞），明崇禎間諸生，浙江山陰人。所居曰花嶼別業。曾校輯元明人雜劇作品五十六種，復校刻元人鍾嗣成錄鬼簿，並爲後世研究雜劇要籍。雜劇作品有桃花人面、死裡逃生、花前一笑、鄭節度殘唐再創、陳教授泣賦眼兒媚、紅顏年少六種，後一種已佚。

⒅ 死裡逃生一卷，明孟稱舜撰。四齣，記楊宗玄事。刑部郎中楊宗玄居西山寺中，見二婦人爲寺僧了緣繼緣師徒所禁，僧知楊揭其隱，乃逼楊自盡，適爲伽藍神示意，從屋頂逃出，遇山中煤工，喬裝入京，乃置二僧於法，救出二女。

⒆ 中山狼一卷，明康海撰。正名：「東郭先生悞救中山狼，杖藜老子智殺負心獸。」四折，記東郭先生救中山狼故事。東郭先生救狼，狼反欲食東郭先生，時人以爲此劇爲譏李夢陽而作。康海有德於夢陽，而夢陽不能爲海訟冤，是以刺之。康海號對山，字德涵，又號滸西山人，武功人，明弘治十五年狀元。此劇除康海所撰外，尚有王九思院 本一折。或云此本爲

馬中錫作，中錫直隸故城人，與李夢陽輩同時也。

⒇ 鬱輪袍一卷，明王衡撰。正目：「喬秀才兩番錯認，啞文字四面受攻，王摩詰腌臢學士，韓持國自在三公。」七折，演王維事。王推借維之名，入歧王宅第彈琵琶，妄稱新曲鬱輪袍，應試得歧王之托得第一，主考宋璟斷王維第一，維不受，辭歸輞川爲文殊大士所度脫。王衡字辰玉，別署蘅蕪室主人，明江蘇太倉人，王錫爵之子。所製雜劇有再生緣等四種。

(21) 紅線女一卷，明梁辰魚撰。正名：「薛節度岳鎭潞州道，田元帥私養外宅兒，紅線女夜竊黃金盒，冷參軍朝賦洛妃詩。」四折，演紅線盜盒故事，本於唐楊巨源小說紅線傳而作。梁辰魚，字伯龍號少伯，一號仇池外史，明江蘇崑山人。精音律，擅詞曲，魏良輔變弋陽、海鹽故調爲崑腔，辰魚獨得其傳。其雜劇作品有紅線女夜盜黃金盒、紅綃妓手語情傳及無雙補傳三種，今僅存前一種。

(22) 崑崙奴一卷，明梅鼎祚撰。正名：「汾陽王重賢輕色，紅綃伎手語情傳，崔千牛侯門作婿，崑崙奴劍俠成仙。」四折，演崑崙奴磨勒爲博陵崔生盜出郭子儀府中歌妓紅綃事。梁辰魚雜劇紅綃妓手語情傳亦名崑崙奴，今不傳。撰者梅鼎祚，字禹金，別署勝樂道人，明安徽宣城人。嘉靖二十八年生，萬曆四十三年卒，所作雜劇僅此一種。

(23) 花舫緣一卷，明孟稱舜撰。正名：「申女郎一笑相思病，唐伯虎千金花舫緣。」四齣，前加楔子。此本係孟稱舜原著，卓人月重編，演唐寅遇華學士婢女事。徐翽批云：向見子若（孟稱舜）製唐伯虎花前一笑雜劇，易奴爲書傭，易婢爲養女，十分迴護，反失英雄本色，珂月（卓人月）戲爲改正，覺後來者居上。

⑷ 春波影一卷，明徐翽撰。正目：「楊夫人好護廣陵花，馮家郎村殺風流品，老尼姑慧識少年亡，小青孃情死春波影。」四齣，前加楔子。演馮小青故事。小青爲人妾，不爲大婦所容，抑鬱而死。雜劇演此事者尙有來集之挑燈劇，傳奇有朱京藩之風流記及吳炳療妬羹。撰者徐翽字野君，明人，居里不詳。今樂考證著錄其著作另有奇女子風裡絡氷絲一種。

⑸ 廣陵月一卷，明汪廷訥撰。正名：「韋將軍聞歌納妓，張才人度曲止喧，祿山兵擾殘宮禁，廣陵月重會姻緣。」七齣，記韋將軍家歌妓張紅紅，因李龜年之荐入宮，改名張永新。安祿山亂後，永新流落廣陵，月夜唱歌，與韋將軍相遇，遂從韋不復還宮。撰者汪廷訥，字昌朝，一字昌期，號無如，別署坐隱先生、無無居士、全一眞人、清痴叟。明安徽休寧人。曾作傳奇十三種，總題環翠堂樂府。雜劇有青梅佳句、詭南爲客、捐奩嫁婢、太平樂事、中山救狼及廣陵月六種，今存廣陵月一種。

⑹ 眞傀儡一卷，明王衡撰。正名：「宋天子訪政舊中書，杜祁公藏身眞傀儡。」一折，記杜祁公事。杜衍道帽深衣，入傀儡場中，言其混迹市塵，不矜富貴也，未必果有其事。此劇或謂無名氏撰，或謂陳眉公在王衡座中所作，此本卷首題「綠野堂無名氏編」。今依今樂考證作王衡撰。

⑺ 男王后一卷，明王驥德撰。正名：「臨川王不辨雌雄對，玉華主喬配裙釵婿，穠桃婢誤做女媒人，陳子高改粧男后記。」四折，演陳子高故事。子高小字瓊花，身爲男子，貌美如婦人，爲臨川王陳蒨所得，選入宮中，封爲王后，故劇稱男王

后。又與蒨妹玉華公主有私，蒨玉成其事，子高乃是駙馬，成婚之夕尙是女粧，故此劇一名裙釵婿。撰者王驥德，字伯良，一字伯驥，號方諸生，別署秦樓外史，明浙江會稽人。精研詞曲，所製雜劇僅存男王后一種。

(28) 再生緣一卷，明蘅蕪室撰。蘅蕪室，明王衡之別署也。四齣，記漢武帝李夫人事。言李夫人轉世為鈎弋夫人，實無據。

(29) 一文錢一卷，明徐復祚撰。正名：「兩盧至誰眞誰假，一瓢酒孰醉孰醒。喬家私合積合散，證西天是果是因。」六齣，演盧至事。言盧至性慳吝，得佛指點而入道。後有兩天生記，即採此情節爲藍本。清李九標作四大痴，亦用盧至事作財字關目，仍用一文錢作分目名。撰者徐復祚，原名篤儒，字陽初，改字訥川，號蓍竹，別署破慳道人、陽初子、洛誦生、休休生、三家村老、忍辱頭陀、慳吝道人。明江蘇常熟人，生於嘉靖三十九年，卒於崇禎三年。其雜劇作品有一文錢、梧桐雨二種，後者已佚，傳奇相傳有四種傳世。

(30) 齊東絕倒一卷，明竹痴居士撰。四齣，演唐虞時事，皆齊東野人之語。竹痴居士，秣陵人，事蹟不可考，著作僅存此一種。

以上共計三十種三十卷，明沈泰所編。泰字林宗，自署西湖福次居主人。

15177 墨憨齋新曲十種 二十卷二十册

明馮夢龍編，清初刋乾隆五十七年印本。前國立北平圖書館收藏，國立中央圖書館保管。匡高 20 公分，寬 14.4 公分。每半葉8行，每行 21 字，科白小字雙行，每行亦 21 字。左右雙欄，欄外眉頭刻音釋及評語。白口，版心刻「墨憨齋定本」五字，其下刻劇名葉碼。書前有馮夢龍序，扉葉刻「墨憨齋原本新曲十種」，「乾隆五十七年冬鐫」以及劇名等等。書中鈐有「國立北平圖書館收藏」朱文方印。

墨憨齋新曲，包括新灌園二卷、酒家傭二卷、女丈夫二卷、量江記二卷、精忠旗二卷、雙雄記二卷、萬事足二卷、夢磊記二卷、洒雪堂二卷、楚江情二卷，共十種傳奇。夢龍字猶，一字耳猶，又字子猶，別號姑蘇詞奴、龍子猶、墨憨齋。江蘇吳縣人。自撰雙雄記、萬事足傳奇二種，其餘皆由其改訂。

(1) 新灌園傳奇二卷，明張鳳翼撰，馮夢龍更定。全劇共三十六折，演田法章事，據張鳳翼灌園記改編，刪去敫氏女與法章陰私之事。齣目如次：

1.家門大意　2.忠孝私憂　3.齊王夜宴
4.樂毅約從　5.齊王拒諫　6.王老拾簪
7.太史家宴　8.樂毅攻城　9.齊王出亡
10.田單避難　11.淖齒被擒　12.賢母訓忠
13.齊王途變　14.王孫討賊　15.計匿王嗣
16.太史收傭　17.臧兒反命　18.灌園邂逅
19.王蠋死節　20.私閨推食　21.法章夜祭
22.深夜製衣　23.園中贈衣　24.計遣反間
25.登樓遣懷　26.騎劫代將　27.途中巧逅
28.還簪定盟　29.牧童竊簪　30.田單計戰
31.火牛成功　32.迎立新王　33.太師家鬧
34.祭墓表忠　35. 35.迎后登車　36.家國重圓

(2) 詳定酒家傭傳奇二卷，明陸無從、欽虹江同撰，馮夢龍更定。全劇三十七折，演李燮爲酒家傭故事，全據正史。陸無從，名弼，一名君弼，明江蘇江都人，所作存孤記，馮夢龍以之與欽虹江本合爲一，重加增定，改名酒家傭。齣目如下：

1.家門大意	2.李固籲天	3.文姬懷親
4.梁冀愎諫	5.王成贈米	6.李固遣兒
7.吳祐罵佞	8.李燮見姐	9.梁冀賞花
10.燮訪王成	11.李固陷獄	12.梁冀懼內
13.文姬托孤	14.孫壽四妝	15.鄰里餞行
16.李固自裁	17.郭亮淸屍	18.孫壽幽歡
19.弟兄途別	20.基茲就浮	21.李燮渡江
22.滕公訓女	23.李燮傭身	24.文姬庭辨
25.郭亮尋孤	26.酒館哭貧	27.十肆授經
28.滕女自嘆	29.滕公許配	30.卜肆奇逢
31.文姬憶弟	32.郭亮訟奸	33.梁冀伏誅
34.恩詔錄孤	35.王成歸隱	36.姐弟式廬
37.家慶團圓		

(3) 重訂女丈夫傳奇二卷，明張鳳翼、劉晉充同撰，馮夢龍更定。全劇三十六折，演紅拂夜奔李靖故事。紅拂雖爲女子，素有膽識，故劇名女丈夫。齣目如下：

1.家門大意	2.李靖渡江	3.洪客祈雨
4.龍宮贈奴	5.紅拂自嘆	6.西岳示夢
7.隨帝南巡	8.越府獻策	9.虬髯望氣
10.改裝夜奔	11.公門縱妓	12.文靜從龍
13.同調相憐	14.期訪眞人	15.棋決雄雌
16.知時謀避	17.擲家圖國	18.虬髯下海

19.女俠勸駕　20.郡主募兵　21.紅拂投主
22.故知釋縛　23.夜走渭北　24.錄用參謀
25.洪客高蹈　26.驛館相逢　27.對開幕府
28.高麗入寇　29.登樓灑酒　30.女俠修書
31.海外稱王　32.文兵斬將　33.扶餘擒虜
34.兄妹重逢　35.太平酬宴　36.神人胥慶

(4) 重定量江記二卷，明余翹撰，馮夢龍更定。全劇三十六折，演樊若水量江事。齣目：

1.家門大意　2.一家聚嘆　3.李主內宴
4.若水辭家　5.曹帥水閱　6.江樓玩景
7.獻策被阻　8.僧庵被逐　9.母妻閨憶
10.漁艇索綯　11.月夜量江　12.陳摶指迷
13.若水北走　14.獻策更名　15.訛傳凶信
16.樊生之任　17.母妻投江　18.南唐遣偵
19.張千虛返　20.訛信生悲　21.姑媳入道
22.州堂辱使　23.弓泊回話　24.母妻被逮
25.寃陷掖庭　26.督造橋船　27.浣局自嘆
28.曹帥試船　29.謀拒王師　30.皇甫醉遁
31.宋兵渡江　32.宮眷北行　33.江貧母妻
34.驛中相遇　35.復命陳情　36.榮封全慶

撰者余翹字聿雲，一作聿文，明安徽銅陵人。著有翠微集、浮齋集、偶記等編。所作傳奇，現存世者僅量江記一種，另賜環記一種，未見流傳。

(5) 新訂精忠旗傳奇二卷，明李梅實撰，馮夢龍更定。全劇三十七折，演岳飛報國事，從正史本傳，參以湯陰廟記事實編成，雖微有粧點，然大體俱有根據。劇第九折記高宗手書精忠岳飛字製旗以賜之，劇名由此而來。撰者李梅實，名號不詳，明湖北西陵人，生平事蹟，今無可考。所撰傳奇僅精忠旗一種，原本不傳，馮氏更定本齣目如次：

1. 家門大意	2. 岳侯涅背	3. 若水効節
4. 逆檜南歸	5. 欽召禦敵	6. 奸黨商和
7. 岳侯誓旅	8. 銀瓶繡袍	9. 御賜忠旗
10. 奸相念捷	11. 岳侯挫寇	12. 書生扣馬
13. 蠟丸密詢	14. 奸相定謀	15. 金牌僞召
16. 北朝復地	17. 羣臣搆誣	18. 忠臣被逮
19. 公心拒讞	20. 万俟造招	21. 看監被阻
22. 世忠詰奸	23. 獄中哭帝	24. 東牕畫柑
25. 岳侯死獄	26. 隗順埋瓌	27. 寃斬憲雲
28. 銀瓶墜井	29. 北庭相慶	30. 忠裔道斃
31. 施全憤刺	32. 湖中遇鬼	33. 奸臣病篤
34. 嶽廟進香	35. 何玄回話	36. 陰府訊奸
37. 存歿恩光		

(6) 重訂雙雄傳奇二卷，明馮夢龍撰。全劇三十六齣，又名善惡圖，演劉雙、丹信事。二人俱以武功顯名，故稱雙雄。齣目如下：

1. 家門大意	2. 劍授雙雄	3. 倭奴犯屬
4. 閨中敍別	5. 青樓憶舊	6. 燈前訂盟
7. 富室賞花	8. 闖關別妓	9. 丹翁拒諫
10. 幫興計訟	11. 魏氏聞信	12. 丹信被拘
13. 公庭初枉	14. 劉翁遇魏	15. 夫妻會獄

16.途中相鬧	17.兄弟同離	18.情妓相思
19.獄中感嘆	20.賞荷造謀	21.龍神遣救
22.龍神拯溺	23.劉翁辨枉	24.兄弟從軍
25.村翁鬧妓	26.二女男裝	27.村店奇逢
28.玉女宣音	29.邊關推飲	30.藥度劉翁
31.偏師搗穴	32.雙雄奏凱	33.三婦閨情
34.丹翁行乞	35.胡船透信	36.封拜團圓

(7) 訂定萬事足傳奇二卷，明馮夢龍撰。記陳循、高轂二人無子，後納妾俱各得一子，蘇軾詩「無官一身輕，有子萬事足」，劇名本此。全劇三十六折：

1. 家門大意	2. 醉筆遣神	3. 評文受敎
4. 買妾求嗣	5. 主僕登程	6. 誅妖救女
7. 巧計進妾	8. 旅中佳夢	9. 女庵分別
10.鹿鳴公宴	11.見子生嗔	12.夜禱明心
13.姑侄治裝	14.訪友托妻	15.仙庵分娩
16.京都談勝	17.觀卷避嫌	18.及第傳臚
19.卦卜佳音	20.泥金報捷	21.燈下修書
22.迎接家眷	23.鬟角送書	24.京國團圓
25.貞女拒奸	26.官驗襟衫	27.修書遣妾
28.高科進諫	29.刑廳叩信	30.塗畫生嗔
31.筵中治妬	32.證明神劍	33.襟衫重會
34.書房敍舊	35.一門和順	36.封蔭團圓

(8) 重訂夢磊傳奇二卷，明史槃撰，馮夢龍更定。史槃字叔考，明浙江會稽人。工詞曲，與王驥德相友善，同師事徐文長，所爲書畫，酷似文長，即徐氏亦不能自辨。著有童癡齋集，

散曲集白齒雪餘香，已散佚。傳奇作品據云有十七種，其中流傳於世者，僅櫻桃記、鵜釵記、吐絨記三種。夢磊記一名巧雙緣，原本已不傳，此係馮夢龍改定本，演文景昭夢神仙示以磊字，云婚姻富貴皆由於此，因名夢磊記。全劇三十五折：

1. 家門大意　2. 夢授磊子　3. 村郎倩媒
4. 淑女鬧園　5. 石間定婿　6. 奸相獎奸
7. 劉女送婚　8. 宋公往蘇　9. 劉公赴京
10. 章舅奪女　11. 忠佞爭朝　12. 月夜訴苦
13. 奸相餞行　14. 村郎謀娶　15. 定計奪親
16. 秋江代嫁　17. 中途換轎　18. 花燭就錯
19. 宣命高麗　20. 夫婦交疑　21. 寓傳訛信
22. 取石施威　23. 月夜遇婢　24. 獄中採親
25. 二女趁船　26. 觀梅感夢　27. 卜肆奇逢
28. 禮闈修好　29. 天街看榜　30. 欽拿朱勔
31. 面質訛緣　32. 翁婿敍情　33. 賦石掄魁
34. 夫妻重會　35. 妻妾團圓

(9) 新定洒雪堂傳奇二卷，明梅孝己撰，馮夢龍更定。梅孝己，名不詳，號情痴，明湖北西陵人，生平事蹟不可考，傳奇作品僅洒雪堂一種，原本亦未見，此本經馮夢龍改定，演賈雲華附宋月娥事。全劇四十折：

1. 家門大意　2. 春社家筵　3. 賈女鬥草
4. 魏母遣行　5. 魏生適越　6. 宋婆課女
7. 魏生假寓　8. 賈母授館　9. 伍祠祈夢
10. 香閨窺趣　11. 墜帕挑情　12. 東廂約晤
13. 妓館留連　14. 良宵醉誤　15. 魏母憶子

16.私情剪袂　17.蘭房話別　18.賈母贈行
19.扎盲成隙　20.得報補杭　21.再館東廂
22.園中警局　23.賈母拒姻　24.私閨泣訣
25.宋丞赴任　26.賈尹携家　27.天涯慰病
28.書館傷離　29.賈女遺囑　30.福福寄詩
31.魏生得訃　32.冥府憐情　33.宦途逢故
34.西廊哭殯　35.宋女歸幽　36.冥許借屍
37.娉娉還魂　38.二家爭女　39.夫妻重會
40.團圓證夢

⑽　重訂西樓楚江情傳奇二卷，明袁于令撰，馮夢龍更定。袁于令，原名韞玉，又名晉，字令昭，一字鳧公，號籜庵，又號慢亭。明江蘇吳縣人，所作雜劇有雙鶯傳，傳奇有西樓記、鷫鸘裘、金鎖記、珍珠衫等。此本經馮夢龍更定，演于鵑與妓穆麗華故事。麗華字素徽，居西樓，歌楚江情曲，故劇名西樓記，又名楚江情。全劇三十六折：

1.家門大意　2.觀燈感嘆　3.西樓言志
4.于公訓子　5.挾妓探梅　6.妓館懷箋
7.改詞銜恨　8.西樓訂盟　9.不將獻讒
10.門公夜阻　11.引僕逐妓　12.素徽寄柬
13.空緘起疑　14.錦帆空泊　15.村郎賺配
16.良朋集艷　17.父子赴任　18.書館離魂
19.守節拒逼　20.病中錯夢　21.歌筵買駿
22.舟中虛訃　23.素徽矢節　24.餞席虛傳
25.旅中逢俠　26.村巫譁房　27.情郎泣試
28.貞姬假諾　29.橫塘載月　30.用計易姬

31.歸途自嘆	32.護姬北上	33.妓館報捷
34.俠客傳音	35.京國重逢	36.乘鸞佳慶

以上共計十種二十卷，馮氏別署墨憨齋，故題曰墨憨齋新曲十種。

15178　玉夏齋傳奇 二十二卷二十册

清不著撰人，清初刋本。前國立北平圖書館收藏，國立中央圖書館保管。匡高 19.9 公分，寛 14 公分。每半葉9行，每行 20 字。科白小字雙行，每行亦 20 字。單欄，白口，單魚尾。版心刻劇名、葉碼，唯喜逢春一劇不刋劇名。書中鈐有「國立北平圖書館收藏」朱文方印，「董康」朱文方印。

此集不知編者姓名，所收戲曲計有：喜逢春、春燈謎、鴛鴦棒、望湖亭記、荷花蕩、花筵賺、長命縷、金印合縱記、鳳求凰、四大痴等十種。其中喜逢春、望湖亭記、長命縷、鳳求凰傳本罕少，是以珍貴。今將十種曲分述如次：

(1) 喜逢春二卷二册，明清嘯生撰。傳奇，共三十四齣。卷首大題劇名，次行三行署「金陵桃葉渡清嘯生檃括」，「吳門錦帆涇藻香子校閱」。演毛士龍忤魏忠賢黨被戍事，其齣目如下：

1.提綱	2.赴闕	3.無賴	4.行乞
5.講學	6.拒奸	7.候疾	8.庭辨
9.閨勸	10.伏闕	11.乞哀	12.郊餞
13.奸謀	14.勘問	15.夜間	16.嚴刑
17.封爵	18.代輪	19.遣戍	20.建祠
21.閱報	22.奸破	23.重逮	24.遣妾

25.謀害　　26.潛踪　　27.道病　　28.追併
29.顯聖　　30.奸巀　　31.除奸　　32.夢勘
33.喜報　　34.榮歸

其中第十七齣有奴酋入寇等語，清乾隆間曾遭查禁，因觸當時之忌也，其事見續修四庫全書提要。撰者署清嘯生，金陵人，姓名籍貫待考。

(2) 詠懷堂新編十錯認春燈謎記二卷二册，明阮大鋮撰。傳奇，共四十齣，署「百子山樵撰。百子山樵乃阮大鋮別號，字集之，號圓海，安徽人。劇演宇文義、宇文彥兄弟與韋節度兩女姻緣事，劇情及齣目詳見 15118 春燈謎記，該本與此本完全相同，卷前亦有目次兩葉，再次圖七幅，雙面，一面繪劇情，一面繪花卉。

(3) 鴛鴦棒二卷二册，明范文若撰。傳奇，連帶開場「話柄」，共三十二齣。撰者署「吳儂荀鴨塡詞」，吳儂荀鴨，范文若之別署，文若又字香令，江蘇松江人。劇情與皮黃戲鴻鸞禧，即金玉奴棒打薄情郎相似。劇云秀才薛季衡貧困時得乞兒錢蓋之助，錢以女惜惜妻之。旣而應試中解元，乃生厭惡之心，欲另娶楊延照將軍之女，而僞稱前妻已亡故，并於轉任途中推妻入江中。適爲成都太守張詠舟所救，收爲義女，薛至成都，太守以義女妻之，薛允之。新婚之夕，太守令婢女多人持棒擊新人，蓋太守已知薛負心之事，鴛鴦棒，專打薄情人也。劇目如下：

1.話柄　　2.僵雪　　3.慕鳳　　4.落博
5.踏燈　　6.留帳　　7.墜蓮　　8.詞媒
9.鞠晉　　10.酸嘆　　11.諱譙　　12.躡蹤

13.訣別	14.擇坦	15.誕膁	16.闔臥
17.飾魘	18.窘翁	19.腐泄	20.龇双
21.沉玉	22.援芳	23.絕婚	24.恙剔
25.籐瞥	26.鶉泣	27.劍械	28.病囈
29.警魅	30.絮覰	31.抬棒	32.復歡

卷前有目次及圖，圖六幅，雙面，正面繪劇情，反面繪花果。

(4) 望湖亭記二卷二册，明沈自晉撰。傳奇，三十五齣。撰者署「吳郡鞠通生筆」。按沈自晉字伯明，又字長康，別號鞠通生，江蘇吳江人，撰傳奇三種，望湖亭記即其中之一。演明萬曆間顏俊請錢選代相親事。吳江富人顏俊，貌寢陋，請其表弟錢選代往高家請婚，及娶，又請錢代之。迎親日風雪不得歸，錢生三宵同臥，不敢解衣。及還，顏奮拳擊錢，以爲背信，高家亦訟之於官，官斷高女歸錢生。此劇齣目如次：

1.敍略	2.暗祐	3.辭媒	4.懷甥
5.憐才	6.赴館	7.女學	8.泛景
9.奇遇	10.自嗟	11.作伐	12.裝婿
13.拒色	14.題詩	15.和韻	16.發盤
17.納聘	18.延賓	19.踏勘	20.導日
21.玉旨	22.再倩	23.迎婚	24.降雪
25.盼掉	26.合巹	27.踏雪	28.達旦
29.激怒	30.于歸	31.長程	32.報喜
33.預夢	34.嗜酒	35.晝錦	

卷前有目次及挿圖，圖六幅，雙面，正面刻繪劇情，反面刻花卉鳥蟲。劇因迎親之船未至，顏俊佇立望湖亭等待，故名望湖亭。

(5) 山水鄰新鐫花筵賺二卷二册，明范文若撰。傳奇，劇不全，齣目作二十九齣，曲文剩二十四齣，第十六齣缺半葉，十九、二十齣各缺一葉，第二十五齣存首葉，以後全缺。卷前有目及圖，圖雙面六幅，正面刻劇情，反面刻山水小品。卷端署「吳儂荀鴨填詞」即范文若撰，演溫嶠娶表妹事。劇目如下：

1.話柄	2.鰥嘆	3.鵲吟	4.狂約
5.乞花	6.蓄異	7.閨逗	8.網賢
9.調扇	10.楚泣	11.諭逆	12.宵覘
13.夜窘	14.媒賺	15.鏡聘	16.賦槊
17.妬夢	18.移眷	19.訴陞	20.遇故
21.江偵	22.鬧婚	23.妖警	24.閨綻
25.激恚	26.癡索	27.殲逆	28.譁醉
29.鏡完			

此劇有明刋本，前國立北平圖書館有一部，明烏衣巷刋本，現由國立中央圖書館保管，無圖，劇亦不全。齣目及劇情詳見15116 麗句亭評點花筵賺樂府。

(6) 長命縷二卷二册，明勝樂道人撰。傳奇，共三十齣。卷前有總目及插圖，圖雙面三幅，正面繪劇情，反面刻花鳥小品。此劇卷端署「江東勝樂道人編」，今樂考證等記勝樂道人，淸人，續修四庫提要謂勝樂道人乃明梅鼎祚之別號，想必有所據。劇演單飛英小字符郎與邢春娘重逢故事，劇因符郎幼時曾以長命縷私贈春娘，約爲夫婦，故名。齣目如後：

1.提綱	2.南渡	3.閨適	4.虜警
5.兵竄	6.徙粵	7.赴義	8.釋囮
9.勤王	10.拒誘	11.協策	12.奏捷

13.懷貞　　14.宴勞　　15.依親　　16.庭別
17.導師　　18.禪逅　　19.錫召　　20.抒幽
21.證縷　　22.告婚　　23.移牒　　24.還元
25.慕化　　26.參好　　27.納李　　28.遷覲
29.圓夢　　30.團圝

(7) 荷花蕩二卷二册，明馬佶人撰。傳奇，共二十八齣。此劇又名墨蓮盟，卷首題「文堂戲墨蓮盟」「一名荷花蕩」，「上黨擷芳主人編」。卷前有目次兩卷，以三字標目，版已模糊，字體不易辨認，錄之如次：

上卷：

1. 標韻概　　2. □生讐　　3. □文任
4. 春閨怨　　5. 誤相觸　　6. 館中戲
7. 前幻象　　8. 荷花蕩　　9. 都是□
10.後幻象　　11.豫報捷　　12.閱□牘
13.喜聞捷　　14.□□難

下卷：

1. 桊火□　　2. □婦盟　　3. 假成眞
4. □舊□　　5. 愁變喜　　6. 死生□
7. 戲裡戲　　8. □□□　　9. 宜中緣
10.□傳書　　11.接喜信　　12.報僧仇
13.訂良□　　14.遂蓮盟

目次之後有圖六幅，雙面，正面刻劇情，反面刻花卉人物等小品，圖第三葉上方有正楷墨書題記，題曰：「同治六年丁卯之中秋前一日得此書處夢閑人偶錄於浣竹軒之南窗下燈下一觀」。

劇演蘇州富家女傅蓮貞，自幼與封某子訂婚，封子愚鈍，人稱封猢猻。女於荷花蕩盛會與生員李素相遇，李生以并頭蓮贈女，女以蓮子還生。尋李生得中解元，而封猢猻於娼家受驚死，女乃得與李生成親。李生與蓮貞相遇於荷花蕩而有姻緣，故劇名取焉。

(8) 金印合縱記二卷二冊，明蘇復之撰。傳奇，三十四齣。卷首署「西湖高一葦訂證」。卷前有目次及挿圖，圖雙面六幅，正面刻劇情，反面刻花卉小品。劇演蘇秦事，一名黑貂裘。劇情詳見 15162 三刻五種傳奇第二種。此本齣目標以兩字，錄之如後：

1.始末	2.言志	3.賞花	4.卜算
5.逼釵	6.當釵	7.辭親	8.別叔
9.往秦	10.見誚	11.不第	12.目嘆
13.假報	14.裘敝	15.尋夫	16.刺股
17.棄文	18.懷讒	19.往魏	20.當絹
21.負劍	22.賓王	23.遊說	24.誇豪
25.激友	26.陰贈	27.懸印	28.遣聞
29.報喜	30.榮歸	31.親惑	32.踏雪
33.微行	34.封贈		

齣目共三十四，劇存三十二，卷下第三十三葉下半葉以後缺。

(9) 評點鳳求凰二卷二冊，明澹慧居士編。傳奇，共三十齣。劇演司馬相如與卓文君事。書不全，卷前缺目次，卷上缺第一葉上半，卷下缺第二十八葉下半葉。圖四幅，單面，挿刻在各齣中。此劇題「澹慧居士編」，不知何人？據卷尾下場詩云：「陽羨書生本幻仙，口中瓣瓣放青蓮，問誰拈出當壚案，罨畫溪頭陳玉蟾。」撰者似乎姓陳，玉蟾乃其別號也。劇云司馬相如宴於卓王孫家，以琴挑其女，時文君新寡，聞鳳求凰曲而憐其才。相如約文君私奔，途中金盡，陳皇后買長門賦得黃金百斤，乃設酒肆於臨邛，文君親自當壚。後相如貴顯，乃與文君歸茂陵。此劇齣目如下：

1.（缺）	2.草賦	3.遊梁	4.閨怨
5.訪故	6.召客	7.慰病	8.憐才
9.琴挑	10.遣探	11.傳幽	12.俠媾
13.擯女	14.解裘	15.買□	16.徵賢
17.當壚	18.贈遣	19.題橋	20.獻賦
21.大獵	22.諫書	23.蜀變	24.馳檄
25.謀款	26.寄吟	27.建節	28.晝繡
30.臣夷	31.歸隱		

⑽ 山水鄰新鐫出像四大痴傳奇四卷二册，明李九標等撰。分酒色財氣四卷。卷前有圖雙面四幅，刻劇情及花鳥小品。第一卷言酒，劇名酒懂，雜劇，五折，演姜應召酗酒事，卷前署「武林李逢時九標父」，正名：「酒魔君消箄不義士」，「鑒察使赦過無情郎」。第二卷言色，標曰色卷，不著曲名及撰人，演莊子事，分搧墳、毀扇、病訣、晤俊、露表、決嫁、假塚、劈棺、陰妬九段。第三卷言財，劇名一文錢，不署名，據云作者爲徐復祚，此劇共六齣，正名曰：「兩盧至誰眞誰假，一瓢酒孰醉孰醒，喬家私合積合散，證西天是果是因。」第四卷言氣，標曰氣集，亦不著劇名及撰人，演黃巢事，雜劇，四折，前加楔子。正名曰：「氣黃巢稱兵造反，衆節度應詔勤王，使忠肝重興帝室，憑義膽再創殘唐。」

以上共十種，除最後一種外，皆是傳奇。字體及印刷俱不淸晰，由於其中喜逢春等劇傳本甚少，刻印雖不甚好，亦有流傳價值。

15179 十種傳奇 二十二卷十冊

清不著編人，清初刋本，即玉夏齋傳奇。前國立北平圖書館收藏，國立中央圖書館保管。版式行款俱與玉夏齋傳奇相同。扉葉刻「十種傳奇」四個大字，其左刻喜逢春等十劇之名，分列三行，其上横刋「李笠翁先生閱」六字。

是集內容與玉夏齋傳奇所收完全相同，亦收喜逢春等十種，每種裝成一册，書中鈐有「董康」朱文方印，「國立北平圖書館收藏」朱文方印。所不同者，玉夏齋傳奇有插圖，僅喜逢春、鳳求凰二劇無圖，是集鳳求凰一劇有圖，其他九種皆無圖，而花筵賺一劇完整無缺，正可補玉夏齋本及明烏衣巷刋本花劇之不足。

參看15178玉夏齋傳奇。

15180 醉怡情雜劇 八卷八册

清靑溪菰蘆釣叟點次，清初古吳致和堂刋本，國立中央圖書館收藏。匡高21.4公分，寬13.9公分。每半葉10行，每行25字。科白小字雙行，每行亦25字。白口，單欄，黑魚尾。魚尾下刻劇名、齣目，再下記葉碼及卷次。卷前編者序，再次爲目次。目次葉首行大題「新刻出像點板時尙崑腔雜出醉怡（誤刻作怗）情目次」，次行三行間低二字題「靑溪菰蘆釣叟點次」。再次圖八幅，每幅單面，所刻爲西廂記「遊殿」，燕子箋「拾箋」，精忠記「寫本」，玉簪記「秋江」，西樓記「病晤」，水滸記「活捉」，紅梨記「賺別」，以及義俠記「挑簾」，繪刻俱不精。扉葉刻「新訂繡像崑腔雜曲」「醉怡情」「古吳致和堂梓」三行，上鈐「元筠」朱文小圓印。

此書原藏於澤存書庫，舊書簽題「古吳致和堂刋本」。所選元明劇曲四十四種，每種若干齣，凡百餘齣，名曰醉怡情者，據序稱：「學士大夫當傀儡場中，酒酣耳熱時，見忠臣孝子則歛容而起，見義士仁人則慷慨情深，見奸雄讒佞則殃殃若疾，見芳草王孫美人君子，又不禁神怡而心醉焉。」其所選劇名及齣目如下：

占花魁　一顧　再顧　種緣　狂窘
馬陵道　擺陣　刖足　詐瘋　雪念
燕子箋　奸遁　雙逅　合宴　誥圓
永團圓　會釁　通離　空休　堂婚
黨人碑　打碑　酒樓　計賺　拜師
望湖亭　自嗟　題詩　合巹　激怒　于歸
爛柯山　巧賺　後休　痴夢　覆水
荷花蕩　醉釁　館戲　蕩遊　渾賺
一棒雪　僞戲　闢攫　出塞　代戮
翠屏山　覷綻　憤訴　巧譖　除淫
牡丹亭　入夢　尋夢　拾畫　冥判
西樓記　私契　病晤　緘悞　錯夢
雙珠記　謀姦　持正　擊邪　誣罪
金鎖記　悞傷　寃鞫　探獄　赴市
躍鯉記　憶母　換魚　蘆林　看穀
紅梨記　亭逅　邀月　賣花　衙會

金丸記	救主	嫂盒	收養	拷寇
牧羊記	小逼	大逼	守羝	望鄉
節孝記	淖泥	遇虎	祈夢	詳夢
焚香記	陽告	陰告	折證	回生
琵琶記	剪髮	賢遘	館逢	掃松
荆釵記	哭鞋	見母	祭江	舟會
教子記	釋放	榮歸	邸會	茶肆
繡襦記	入院	賣僕	打子	剔目
百花記	被執	嫉賢	贈劍	點將
釵釧記	傳信	讀書	入園	憤詆
水滸記	漁色	野合	殺惜	活捉
浣紗記	後訪	歌舞	寄子	採蓮
義俠記	賣餅	誘叔	挑簾	捉奸
連環記	賜環	拜月	梳粧	擲戟
八義記	賒飲	賞燈	評話	鬧朝
千金記	追賢	點將	別姬	埋伏
鳴鳳記	義斥	折奸	驛遇	修本
精忠記	寫本	祭主	見佛	回話
祝髮記	勉折	迎婚	點化	祝髮
白兔記	遇友	鬧雞	生子	接子
玉簪記	竊詞	阻期	逼試	送別
西廂記	奇逢	請宴	拷婢	驚夢
金雀記	探春	訪花	臨任	完聚
幽閨記	錯認	旅婚	拜月	重圓
四節記	賈志誠嫖院			

青塚記　　昭君出塞

邯鄲夢　　打番兒

孽海記　　僧尼會（卷八正文題「弋陽腔僧尼會」）

以上共計四十四種曲，凡一百六十五齣，乃元明兩代劇曲之散齣，皆當時流行演出之崑曲劇目。

青溪菰蘆釣叟，姓氏籍里不詳。

書中鈐有「國立中央圖書館收藏」朱文小長方印。

15181　復莊今樂府選　六十七卷十六册

清姚燮編，鈔本，國立中央圖書館收藏。書用「大梅山館集」稿紙正楷鈔寫，稿紙匡高 18 公分，寬 12.8 公分，四邊雙欄，每半葉 12 行，每行 23 字。

此書爲姚燮所編選，分爲衢歌、絃索、雜劇三部分。衢歌收有迎鑾新曲等五種，絃索收有西廂記一種，雜劇收有漢宮秋等五十七種，共計六十三種六十七卷十六册。燮字梅伯，號復莊，清鎭海人。道光間舉人，五歲能賦燈花詩，及長，博覽羣籍，詩詞駢體文皆負盛名。工畫梅，白描人物寫意花卉亦入古法。晚寓鄞縣，與諸少年結詩社，有大梅山館集。此選集內容如下：

一、衢歌：

⑴　迎鑾新曲一卷，淸厲鶚撰。四折，標名「百靈獻瑞」。敍天上觀音大士及衆神等，聞得聖上駕幸杭州，齊往南海迎鑾事。厲鶚字太鴻，號樊榭，淸錢塘人，康熙間舉人，性嗜書，著有樊榭山房集等，其詩幽新雋妙，自成一家，詞亦冷峭獨絕。

⑵　康衢新樂府一卷，淸呂星垣撰。分「萬壽蟠桃」、「萬

里安瀾」、「萬卷嫏環」、「萬國梯航」四段，皆爲聖上祝壽而作。萬壽蟠桃演東方朔偸西王母蟠桃獻壽；萬里安瀾敍海宮諸神祝壽；萬卷嫏環記李白、杜甫、韓愈、柳宗元等大家，應嫏環福主之邀，慶賞唐文，商祝萬壽；萬國梯航寫天后下令水域，順風順水，便利萬國前來祝壽朝貢。撰者呂星垣，字叔訥，清湖南人。工詩古文詞，兼善書，有白雲草堂文集。

(3) 浙江迎鑾詞二卷，清梁廷枏撰。分「三農得澍」、「龍井茶歌」、「祥徵冰繭」、「海宇歌恩」、「燈燃法界」、「葛嶺丹爐」、「仙醞延齡」、「瑞獻天台」、「瀛波清宴」九段，皆歌咏海內昇平，神人共祝萬壽之詞。撰者梁廷枏，字章冉，清廣東順德人，撰有江梅夢、曇花夢、圓香夢、斷緣夢等雜劇。

(4) 太平樂事一卷，清柳山居士撰。分十齣，每齣記一事，詠太平全盛日民間賞心樂事，撰者柳山居士，生平不詳。此劇十齣標目如次：

1. 開場　　2. 燈賦　　3. 山水清音
4. 太平有象　　5. 風花雪月　　6. 龍袖驕民
7. 貨郎擔　　8. 日本燈詞　　9. 賣癡獃
10. 豐登大慶

(5) 萬壽圖一卷，不著撰人。分「宣化」、「效靈」、「多士」、「農樂」、「惠工」、「利商」、「集祥」、「大慶」等八段，記天子巡幸江南，萬民共慶嵩壽事。

二、絃索：

西廂四卷，金董□撰。敍張君瑞與崔鶯鶯故事，又稱「董解元西廂記」或「董西廂」。董西廂爲夾白夾唱之諸宮調形式，由講唱人邊彈邊唱，被之以絃索，故復莊以此列於絃索之類。

參看 15049 董解元西廂記。

三、雜劇：

⑴ 漢宮秋一卷，元馬致遠撰。四折，演王昭君故事，第一折標「蔫幸」，第二折標「奪豔」，第三折標「郊餞」，第四折標「秋憶」。不鈔錄楔子及題目正名（以下各劇皆如此）。劇情等詳見 15166 元曲選第一種。

⑵ 陳摶高臥一卷，元馬致遠撰。四折，此鈔本選三、四兩折，標目爲「辭官」及「避擾」。劇演陳摶事。詳見 15163 明息機子編雜劇選第二種。

⑶ 黃粱夢一卷，元馬致遠撰。四折，演呂洞賓故事。此本選二至四折，標目爲「謫邊」、「雪引」、「醒悟」。詳見 15166 元曲選第四十五種。

⑷ 岳陽樓一卷，元馬致遠撰。四折，敍呂洞賓度千年柳樹精事。此本選二、三兩折，標目爲「茶幻」、「索婦」。詳見 15166 元曲選第三十六種。

⑸ 青衫淚一卷，元馬致遠撰。四折，演白居易與裴興奴故事。此本每折標目作「春訪」、「賺嫁」、「舟遇」及「面聖」。詳見 15165 元人雜劇選第一種。

⑹ 薦福碑一卷，元馬致遠撰。四折，演范仲淹打碑濟張鎬事。此本選一、三兩折，標目爲「嘆遇」、「轟碑」。詳見 15166 元曲選第三十四種。

⑺ 任風子一卷，元馬致遠撰。四折，演任風子從馬丹陽成道事。此本選第三折「休妻」。詳見 15166 元曲選第九十六種。

⑻ 竇娥寃一卷，元關漢卿撰。四折，演竇娥事。此本選第

一折「強婚」，第二折「誣服」，第三折「監斬」。詳見15166元曲選第八十六種。

(9) 中秋切鱠一卷，元關漢卿撰。四折，演譚記兒事，標目爲「強配」、「設計」、「賺劍」及「反坐」。詳見15163明息機子編雜劇選第四種望江亭中秋切鱠旦雜劇。

(10) 魯齋郎一卷，元關漢卿撰。四折，演包拯斬魯齋郎事，此本僅選第一折「權索」，第二折「獻妻」。詳見15166元曲選第四十九種。

(11) 玉鏡台一卷，元關漢卿撰。四折，演溫嶠與表妹婚姻事，計有「覿豔」、「詐媒」、「避醟」、「讌合」四折。詳見15166元曲選第六種。

(12) 救風塵一卷，元關漢卿撰。四折，記趙盼兒救宋引章事，詳見15166元曲選第十二種。此本所錄四折標目爲「阻嫁」、「落阱」、「喬嫁」、「脫阱」。

(13) 蝴蝶夢一卷，元關漢夢撰。四折，演包拯夢蝴蝶斷公案事，詳見15166元曲選第三十七種。此本僅選第四折「赦封」一折。

(14) 謝天香一卷，元關漢卿撰。四折，演柳永與妓女謝天香故事，詳見15166元曲選第九種。此本選第三折「邀寵」一折。

(15) 金線池一卷，元關漢卿撰。四折，演韓輔臣與妓杜蘂娘事，詳見15165元人雜劇選第二種。此本四折標目作「籌嫁」、「情憤」、「池宴」、「斷配」。

(16) 牆頭馬上一卷，元白樸撰。四折，演裴少俊與李千金事，詳見15166元曲選第二十種。此本選第二、三、四折，標目作「雙逃」、「園別」、「悲認」。

⒄ 梧桐雨一卷，元白樸撰。四折，演唐明皇思念楊貴妃事，詳見 15165 元人雜劇選第四種。此本選三、四兩折，標目爲「賜環」、「雨夢」。

⒅ 兩世姻緣一卷，元喬吉撰。四折，演韋皐與韓玉簫事，又名玉簫女。詳見 15163 明息機子編雜劇選第五種。此本四折標目作「訴別」、「病囑」、「逼婚」、「殿配」。

⒆ 金錢記一卷，元喬吉撰。四折，演韓飛卿與柳眉兒故事。詳見 15165 元人雜劇選第十三種。此本選一、二兩折，標目爲「遺錢」、「闖園」。

⒇ 揚州夢一卷，元喬吉撰。四折，演杜牧與張好好故事，詳見 15166 元曲選第四十六種。此本選一、三兩折，標目作「醉晤」、「囑媒」。

(21) 風花雪月一卷，元吳昌齡撰。四折，演陳世英與月中桂花仙子有宿緣，爲張天師所斷，各歸本位事，詳見 15166 元曲選第十一種。此本選四折，標目作「仙降」、「病勸」、「壇訊」、「赦桂」。

(22) 東坡夢一卷，元吳昌齡撰。四折，演蘇軾與佛印禪師故事，詳見 15166 元曲選第七十一種。此本選第三折「喚夢」。

(23) 玉壺春一卷，元武漢臣撰。四折，演李斌與妓李素蘭故事，詳見 15163 明息機子編雜劇選第二十四種。此本所選一至三折標目爲「情約」、「撓懽」、「私鬧」。

(24) 老生兒一卷，元武漢臣撰。四折，記張從善老年得子事，詳見 15166 元曲選第二十二種。此本所選第一折標目爲「計逐」。

⑵5 鐵拐李一卷，元岳伯川撰。四折，演呂洞賓度岳壽（即鐵拐李）事，詳見 15166 元曲選第二十九種。此本四折標目作「私弔」、「死囑」、「借尸」、「塵悟」。

⑵6 麗春堂一卷，元王實甫撰。四折，演宰相樂善與李圭釋怨會飲麗春堂事，詳見 15166 元曲選第五十二種。此本選第三折「恩召」。

⑵7 倩女離魂一卷，元鄭光祖撰。四折，演張倩女故事，詳見 15165 元人雜劇選第十一種。此本所選四折標目爲「餞別」、「魂隨」、「寄書」、「魂歸」。

⑵8 王粲登樓一卷，元鄭光祖撰。四折，演王粲事，詳見 15166 元曲選第四十七種。此本所選爲第三折。

⑵9 㑳梅香一卷，元鄭光祖撰。五折，演白敏中與裴小蠻故事，詳見 15165 元人雜劇選第十種。此本選四折，計有「聽琴」、「簡約」、「阻緣」、「賜婚」。

⑶0 黑旋風一卷，元高文秀撰。四折，演李逵事，詳見 15166 元曲選第四十種，又名雙獻功。此本四折標目爲「討差」、「拐逃」、「脫囚」、「戳姦」。

⑶1 後庭花一卷，元鄭廷玉撰。四折，演劉天義與王翠鸞事，明沈璟有桃符記傳奇，與此故事相同，詳見 15166 元曲選第五十四種，及 15092 桃符記。此本選第二折「毒謀」。

⑶2 楚昭公一卷，元鄭廷玉撰。四折，演楚昭公疏者下船故事，詳見 15166 元曲選第十七種。此本所選四折標目作：「籌戰」、「陣敗」、「投江」、「喜圓」。

⑶3 看錢奴一卷，元鄭廷玉撰。四折，演賈仁事，詳見 15163 明息機子編雜劇選第十種。此本所選四折，標目作：

「借福」、「賣兒」、「廟遇」、「還財」。

⑶4 范張雞黍一卷，元宮天挺撰。四折，演范式與張劭事，詳見 15163 明息機子編雜劇選第三種。此本所選計有「越約」、「哭夢」、「奔喪」、「聘召」四折。

⑶5 留鞋記一卷，元曾瑞卿撰。四折，演郭華與王月英事，詳見 15163 明息機子編雜劇選第二十種。此本選四折，標目作「囑婢」、「誤約」、「審鞵」、「醒圓」。

⑶6 度柳翠一卷，元李壽卿撰。四折，演月明和尚度柳翠事，詳見 15163 明息機子編雜劇選第二十二種。此本僅選第二折「夢悟」。

⑶7 張生煮海一卷，元李好古撰。四折，演張羽與海龍王三女瓊蓮故事，詳見 15166 元曲選第九十八種。此本選「琴約」、「贈寶」、「勸煮」、「媒合」四折。

⑶8 羅李郎一卷，元張國寶撰。四折，演羅李郎撫養友人子女事，詳見 15166 元曲選第九十種。此本選第二折「奴誑」，第三折「認父」，第四折「親圓」。

⑶9 薛仁貴一卷，元張國賓撰。四折，演薛仁貴榮歸故里事，詳見 15166 元曲選第十九種。此本選第二折「夢歸」，第三折「郊訊」。

⑷0 合汗衫一卷，元張國賓撰。四折，演張孝友一家以汗衫團圓事，詳見 15166 元曲選第八種。此本選第三折「合衫」一折。

⑷1 秋胡戲妻一卷，元石君寶撰。四折，演秋胡返家戲妻事，詳見 15166 元曲選第三十二種。此本選第二折「辭嫁」，第三折「貞拒」。

⑷ 曲江池一卷，元石君寶撰。四折，演鄭元和與妓李亞仙相戀事，詳見 15165 元人雜劇選第六種。此本選第一折「墮鞭」，第二折「唱歌」，第三折「雪趕」。

⒀ 魔合羅一卷，元孟漢卿撰。四折，演張鼎勘斷寃獄事，詳見 15166 元曲選第七十九種。此本選第一折「寄信」，第二折「弒兄」。

⒁ 酷寒亭一卷，元楊顯之撰。四折，演鄭嵩事，詳見 15166 元曲選第五十八種。此本所選「死賺」、「毒打」、「酒探」、「恩報」四折。

⒂ 瀟湘雨一卷，元楊顯之撰。四折，演崔通與張翠鸞事，詳見 15165 元人雜劇選第七種。此本所選有第一折「婚別」，第二折「誣罪」，第三折「雨解」，第四折「完聚」。

⒃ 東堂老一卷，元秦簡夫撰。四折，演李實設計使楊州奴改邪歸正事，詳見 15163 明息機子編雜劇選第八種。此本選第一折「賣宅」，第二折「鬧院」，第三折「悔過」，第四折「交財」。

⒄ 趙禮讓肥一卷，元秦簡夫撰。四折，演趙孝、趙禮兄弟故事，詳見 15163 明息機子編雜劇選第七種。此本選第一折「分粥」，第二折「辭親」，第三折「義釋」，第四折「朝薦」。

⒅ 柳毅傳書一卷，元尙仲賢撰。四折，演柳毅與龍女三娘子事，詳見 15165 元人雜劇選第五種。此本選第一折「牧羊」，第二折「龍鬬」，第三折「議婚」，第四折「緣合」。

⒆ 氣英布一卷，元尙仲賢撰。四折，演漢高祖與英布事，詳見 15166 元曲選第七十四種。此本選第二折「悔降」，第三折「推轂」，第四折「報勝」。

⒇ 單鞭奪槊一卷，元尙仲賢撰。四折，演尉遲恭戰單雄信

事，見 15166 元曲選第六十七種。此本選第一折「歸降」，第二折「隨征」，第三折「救主」，第四折「探報」。

(51) 竹葉舟一卷，元范康撰。四折，演陳季卿事，詳見 15166 元曲選第六十種。此本選第二折「指歸」，第三折「醒悟」，第四折「入仙」。

(52) 風光好一卷，元戴善夫撰。四折，演陶穀與秦弱蘭事，詳見 15164 陽春奏第一種。此本選第一折「妓宴」，第二折「詩媒」。

(53) 趙氏孤兒一卷，元紀君祥撰。五折，演程嬰、公孫杵臼救趙氏孤兒故事，詳見 15166 元曲選第八十五種。此本五折標目爲「義刎」、「密議」、「誤戳」、「玩圖」、「復仇」。

(54) 灰闌記一卷，元李行道撰。四折，演包拯斷張海棠事，詳見 15166 元曲選第六十四種。此本四折爲「毒誣」、「誑斷」、「遇兄」、「雪寃」。

(55) 救孝子一卷，元王仲文撰。四折，記賢母李氏救庶子出寃獄事,詳見 15166 元曲選第四十四種。此本僅選第三折。

(56) 燕青博魚一卷，元李文蔚撰。四折，記梁山泊燕青事，詳見 15166 元曲選第十四種。此本所撰爲「醫目」、「院博」、「受困」、「縛姦」四折。

(57) 兒女團圓一卷，元楊文奎撰。四折，演韓宏道事，詳見 15163 明息機子編雜劇選第十四種。此本所選爲「休妾」、「報信」兩折。

以上共計六十七卷，書中鈐有「蝸盧藏書」朱文方印，「古王珪齋」白文方印，「古王圭齋主人金石記」白文方印，「國立中央圖書館收藏」朱文小長方印。

書名索引

五　畫

六、畫

七　畫

八　畫

九　畫

十　畫

15163－(12)　15166－(78)

悞入桃源　見悞入天台

馬丹陽度脫劉行首　見柳梢靑

馬陵道　元不著撰人

15166－(43)

袁文正還魂記　明不著撰人

15174－(9)

袁氏義犬　見義犬記

眞傀儡　明王衡撰

15176－(26)

桃花人面　明孟稱舜撰

15176－(17)

桃花女　元王曄撰

15166－(59)

桃符記　明沈璟撰

15092

破窰記　明不著撰人

15174－(35)

荊釵記　明朱權撰

15175－(6)

草廬記　明不著撰人

15174－(36)

殺狗記　明徐𤱶撰

15175－(52)

殺狗勸夫　元蕭德祥撰

15166－(7)

氣英布　元尙仲賢撰

15166－(74)　15181

胭脂記　明不著撰人

15174－(14)

倩女離魂　元鄭光祖撰

15165－(11)

15166－(41)　15181

倒鴛鴦　清朱英撰

15137

修文記　明屠隆撰

15089

留鞋記（才子佳人誤元宵）

元不著撰人

（或作元曾瑞撰）

15163－(20)

15166－(73)　15181

十一畫

望湖亭記　明沈自晉撰

15178－(4)　15179

望雲記　明金懷玉撰

15174－(22)

情郵記　明吳炳撰

15124

15065

魚籃記　明不著撰人

15174－(8)

貨郎旦　元不著撰人

15166－(94)

十二畫

寒衣記　明葉憲祖撰

15173－(5)

寃家債主　見張善友

馮玉蘭　元不著撰人

15166－(100)

善惡圖　見雙雄記

裙釵婿　見男王后

雲台記　明不著撰人

（或作薄俊卿撰）

15174－(16)

琵琶記　元高明撰

15066　15067

15068　15069

15070　15071

15072　15073

琴心記　明孫柚撰

15175－(22)

喜逢春　明清嘯生撰

15178－(1)　15179

提頭鬼　見生金閣

揚州夢　元喬吉撰

15166－(46)　15181

焚香記　明王玉峰撰

15175－(5)

畫中人　見粲花齋新樂府

尋親記（教子記）明不著撰人

15175－(2)

陽春奏　明黃正位編

15164

買花錢　清徐石麒撰

15132　15133

黑旋風　見雙獻功

黑貂裘　見金印記

量江記　明余翹撰

15177－(4)

單鞭奪槊　元尚仲賢撰

15166－(67)　15181

智娶符金錠　元不著撰人

15163－(17)

喬影　清吳藻撰

15159

傷梅香　元鄭光祖撰

15165－(10)

十四畫

十五畫

十七畫

十八畫

十九畫

二十畫

二十一畫

二十二畫～三十畫

驚鴻記　明吳世美撰

15174－(17)

靈山會　清幻園居士

15160

鸚鵡記　明不著撰人

15174－(27)

豔雲亭　清朱佐朝撰

15140

鬱輪袍　明王衡撰

15176－(20)

鸞鎞記　明葉憲祖撰

15175－(27)

人 名 索 引

五　畫

六　畫

七　畫

八　畫

九　畫

十　畫

徐　畛（明）

　　殺狗記　　15175－(52)

徐復祚（明）

　　一文錢　　15176－(29)

　　投梭記　　15175－(32)

　　紅梨記　　15175－(35)

徐　翽（明）

　　春波影　　15176－(24)

十一畫

清嘯生（明）

　　喜逢春　　15178－(1)

　　　　　　　15179

梁廷枏（清）

　　浙江迎鑾詞　15181

梁辰魚（明）

　　三刻五種傳奇　15162

　　紅線女　　15176－(21)

　　浣紗記　　15080

　　　　　　　15081

　　　　　　　15162－(1)

　　　　　　　15175－(9)

許自昌（明）

　　水滸記　　15175－(44)

康　海（明）

　　中山狼　　15176－(19)

康進之（元）

　　李逵負荊　15166－(87)

黃方胤（明）

　　陌花軒雜劇　15127

黃正位（明）

　　陽春奏　　15164

梅孝巳（明）

　　灑雪堂　　15177－(9)

梅鼎祚（明）

　　玉合記　　15105

　　　　　　　15174－(15)

　　　　　　　15175－(28)

　　崑崙奴　　15176－(22)

屠　隆（明）

　　修文記　　15089

　　綵毫記　　15175－(25)

　　曇花記　　15088

　　　　　　　15175－(56)

研雪子（明）

　　翻西廂　　15117

張大復（清）

　　醉菩提　　15147

張四維（明）

　　雙烈記　　15175－(48)

十二畫

十三畫

十四畫

十五畫

十六畫

十七畫

十八畫

十九畫

二十畫

二十一畫

佚名

後　　記

善本劇曲經眼錄，是我服務國立中央圖書館特藏組，近六年以來第二次正式印行的東西。我不敢稱它爲書，只能說是一本讀書的記錄。這裡面收了劇曲別集一一三部，總集二十部，凡一三五九卷，又不分卷九種，共計一〇八一册，都是國立中央圖書館典藏或保管的善本書。

從開始看書，到寫成書志，前後經過三年又四個月的時間。其中若干篇，曾在國立中央圖書館館刊上發表過。我決定印這本東西，一方面是對我從事的工作表示敬意，同時，對我自己過往的歲月，也有個交待。

我很感激許多朋友對我的鼓勵，使我有勇氣開始工作，完成工作。我想藉着這本東西，獻給關心我的人，和被我關心的人。

張棣華記於南海學園
民國六十五年夏